NEW
서울대 선정
인문고전
60선

NEW 서울대 선정 인문 고전 57

만화 순자

개정 1판 1쇄 발행 | 2019. 8. 21
개정 1판 3쇄 발행 | 2025. 1. 11

김세라 글 | 이인섭 그림 | 손영운 기획

발행처 김영사 | 발행인 박강휘
등록번호 제 406-2003-036호 | 등록일자 1979. 5. 17.
주소 경기도 파주시 문발로 197 (우10881)
전화 마케팅부 031-955-3100 | 편집부 031-955-3113~20 | 팩스 031-955-3111

값은 표지에 있습니다.
ISBN 978-89-349-9482-4
ISBN 978-89-349-9425-1(세트)

좋은 독자가 좋은 책을 만듭니다. 김영사는 독자 여러분의 의견에 항상 귀 기울이고 있습니다.
전자우편 book@gimmyoung.com | 홈페이지 www.gimmyoung.com

이 도서의 국립중앙도서관 출판예정도서목록(CIP)은 서지정보유통지원시스템 홈페이지(http://seoji.nl.go.kr)와
국가자료종합목록시스템(http://www.nl.go.kr/kolisnet)에서 이용하실 수 있습니다. (CIP제어번호 : CIP2018043088)

|어린이제품 안전특별법에 의한 표시사항| **제품명** 도서 **제조년월일** 2025년 1월 11일
제조사명 김영사 **주소** 10881 경기도 파주시 문발로 197 **전화번호** 031-955-3100 **제조국명** 대한민국
사용 연령 10세 이상 ▲**주의** 책 모서리에 찍히거나 책장에 베이지 않게 조심하세요.

미래의 글로벌 리더들이 꼭 읽어야 할 인문고전을 만화로 만나다

NEW 서울대 선정 인문고전 60선

57

순자

김세라 글 · 이인섭 그림

주니어김영사

| 기획에 부쳐 |

〈NEW 서울대 선정 인문고전60〉이 국민 만화책이 되기를 바라며

제가 대여섯 살 때 동네 골목 어귀에 어린이들에게 만화책을 빌려주는 좌판 만화 대여소가 있었습니다. 땅바닥에 두터운 검정 비닐을 깔고 그 위에 아이들이 좋아하는 만화책을 늘어놓았는데, 1원을 내면 낡은 만화책 한 권을 빌릴 수 있었지요. 저는 그곳에서 만화책을 보면서 한글을 깨쳤고 책과의 인연을 맺었습니다.

초등학교 때는 용돈을 아껴서 책을 사서 읽었고, 중학교 때는 학교 도서 반장을 맡아 도서관에서 매일 밤 10시까지 있으면서 참 많은 책을 읽었습니다. 그 무렵 헤밍웨이의《노인과 바다》를 손에 땀을 쥐며 읽으면서 인생에 대해 고민했고, 헤르만 헤세의《수레바퀴 아래서》를 읽으며 사춘기의 심란한 마음을 달랬습니다. 김래성의《청춘 극장》을 밤새워 읽는 바람에 다음 날 치르는 중간고사를 망치기도 했습니다.

당시 저의 꿈은 아주 큰 도서관을 운영하는 사람이 되어 온종일 책을 보면서 책을 쓰는 작가가 되는 것이었습니다. 나이가 들고 어느 정도 바라는 꿈을 이루었습니다. 큰 도서관은 아니지만 적당한 크기의 서점을 운영하고, 글을 쓰는 작가가 되었거든요. 저는 여기에 새로운 꿈을 하나 더 보탰습니다. 그것은 즐거운 마음과 힘찬 꿈을 가지게 해 주고, 나아가 자기 성찰을 도와주는 좋은 만화책을 만드는 일이었습니다. 이렇게 해서 만든 책이 바로 〈서울대 선정 인문고전〉입니다. 서울대학교 교수님들이 신입생과 청소년들이 꼭 읽어야 할 책으로 추천한 도서들 중에서 따로 60권을 골라 만화로 만든 것입니다. 인류 지성사의 금자탑이라고 할 수 있는 고전을 보기 편하고 이해하기 쉽도록 만화책으로 만드는 일은 쉬운 일은 아니었습니다. 약 4년 동안에 수십 명의 학교 선생님들과 전공 학자들이 원서의 내용을 정확하게 전달할 수 있도록 밑글을 쓰고, 수십 명의 만화가들이 고민에 고민을 거듭하면서 만화를 그려 60권의 책을 만들었습니다.

〈서울대 선정 인문고전〉이 완간되었을 무렵에 우리나라에 인문학 읽기 열풍이 불기 시작했습니다. 〈서울대 선정 인문고전〉은 인문학 열풍을 널리 퍼뜨리는 데 한몫을 하면서 독자들의 뜨거운 사랑과 관심을 받았습니다. 덕분에 지금까지 수백만 권이 팔리는 베스트셀러가 되었습니다. 그 사랑에 조금이나마 보답을 하기 위해 《칸트의 실천이성 비판》, 《미셸 푸코의 지식의 고고학》, 《이이의 성학집요》 등 우리가 꼭 읽어야 할 동서양의 고전 10권을 추가하여 만화로 만들었습니다.

〈서울대 선정 인문고전〉은 어린이와 청소년이 부모님과 함께 봐도 좋을 만화책입니다. 국민 배우, 국민 가수가 있듯이 〈서울대 선정 인문고전〉이 '국민 만화책'이 되길 큰마음으로 바랍니다.

손영운

| 글 작가 머리말 |

교육으로 인간의 본성을 다스리고자 했던 사상가

우리나라 국보 제1호인 남대문의 원래 이름은 숭례문(崇禮門)입니다. 숭례문은 조선 시대 때 도읍인 한양의 정문 역할을 했던 문으로, 숭례문이라는 이름에는 '예(禮)를 높인다.'라는 뜻이 담겨 있습니다.

유가에서는 사람이라면 늘 지켜야 하는 다섯 가지의 덕목이 있다고 보았습니다. 그것은 바로 '인의예지신(仁義禮智信)'의 오상(五常)입니다. 이는 유교 윤리의 근본을 이루는 것으로, 인간과 짐승을 구분하는 기준으로 여겼습니다. 우리나라는 숭례문을 포함해 사대문(四大門)과 사소문(四小門)의 이름을 정할 때도 이 오상을 바탕으로 했습니다. 조선의 건국 세력은 이처럼 성문 이름 하나에도 유교의 이상과 지향을 담고자 했습니다. 그리고 아직까지도 유가 사상은 우리 일상에 영향을 끼치고 있습니다.

유가 사상가 중 유독 저평가된 사람이 있습니다. 바로 순자입니다. 순자는 성악설을 주창한 사람으로 유명합니다. 그러나 성악설이라는 용어 자체가 가진 의미 때문에 사람들은 성악설이 어떤 사상인지 충분히 알기도 전에 부정적인 선입견부터 가지는 듯합니다. 순자를 비관적인 인간관의 소유자로 본다거나 순자가 이 세계의 운명에 대해 절망적인 전망을 갖고 있었던 것으로 지레짐작하는 경향이 있다는 뜻입니다.

순자의 사상을 살펴보면 차차 알게 되겠지만, 그가 궁극적으로 말하고자 했던 것은 교육을 통해 인간의 악한 본성을 다스리는 힘을 기르자는 것이었습니다. 또한 누구나 교육을 받고 노력을 기울이면 악한 본성을 극복할 수 있고, 더 나아가 성인이 될 수도 있다는 것이었습니다. 인간의 본성이 악하기 때문에 인간 사회가 파멸하게 된다는 이야기를 한 것이 결코 아니라는 말입니다.

물론 인간의 본성이 악하다는 주장에 선뜻 동의하기 어려울 수도 있습니다. 어쩌면 맹자의 성선설에 마음이 기울어지는 것이 보통 사람들의 마음이 아닐까 싶습니다. 그러나 우리 마음속에 오로지 선만 있다고 보기는 어렵지 않을까요? 어쩌면 우리 마음속에는 선과 악이 공존하고 있는 게 아닐까요? 그렇기 때문에 악한 마음이 우세해지지 않도록 늘 자신의 마음을 살피고 다스려야 하는 게 아닐까요? 그런 의미에서 교육과 수양의 중요성을 강조한 순자의 주장은 충분히 귀 기울여 봐야 할 이야기라고 생각합니다.

흔히 독자들은 고전에 대해, 특히 동양의 고전에 대해서는 더더욱 어렵고 지루하다고 생각하는 것 같습니다. 그러나 과거를 알아야 현재를 이해할 수 있고, 현재를 알아야 미래를 예측하고 전진해 나갈 수 있습니다. 우리가 고전을 알아야 하는 이유가 바로 여기에 있습니다. 내용의 옳고 그름과는 별개로 고전은 인류의 역사가 창조해 낸 귀한 유산인 것입니다.

《순자》와의 만남이 이러한 고전의 가치를 새롭게 인식하고, 성악설에 대한 오해와 편견을 씻어 내는 데 기여하기를 기대해 봅니다. 더 나아가 순자와 같이 저평가된 사상가들을 열린 눈으로 바라보는 계기가 되기를 소망합니다.

김세라

혼란한 시대를 사는 현대인들에게 주는 교훈

순자는 유가 사상가였음에도 불구하고 예치(禮治)를 주장했던 현실적인 사상가였습니다. 당시 순자가 살았던 사회는 여러 나라의 통치자가 각자의 생각대로 나라를 통치하고 전쟁을 일으켜 다른 나라를 정복하던 시기였습니다. 그와 더불어 다양한 사상이 일어나 사람들의 정신은 물론 실질적인 삶을 지배하던 시기였지요.

이러한 가운데 군주가 예(禮)를 통해 국가를 통치해야 한다고 했던 순자의 주장은 유가의 덕치와 법가의 법치가 만나는 접점으로써 덕치주의와 법치주의를 모두 아우르는 것이었습니다. 덕치는 통치의 근본이고 법은 보조적인 수단이라고 생각했던 것이지요. 이처럼 순자는 다른 유가 사상가와 여러 가지 면에서 차이를 보였습니다. 복잡한 사회를 극복하기 위해 사상적인 틀은 단단하게 세우되 그것을 현실화할 가장 합리적인 방법을 선택한 것이 아닐까 하는 생각이 듭니다.

순자는 인간의 본성을 악하게 보았습니다. 인간이 선한 것은 단지 수양에 의한 것이라고 했습니다. 따라서 순자의 사상은 본질적으로 수양 철학이라고 볼 수 있습니다. 순자는 인간을 본성대로 두면 사회가 이기적이고 무질서해질 것이라고 생각했습니다. 이것은 인간을 태어날 때부터 선한 존재로 보았던 맹자의 낙관적인 견해와 대조됩니다. 그러나 순자는 거기서 그치지 않았습니다. 예를 가르침으로써 인간의 악한 본성을 바꿀 수 있다고 보았습니다. 또한 이상 사회를 건설하기 위해서는 예가 기본적인 바탕이 되어야 하며 이상 사회를 다스려야 할 학자는 무엇보다 예를 잘 보전하고 전달해야 한다고 주장했습니다.

하루가 멀다 않고 인간이라면 결코 저지를 수 없는 끔찍한 범죄가 일어나고, 나라의 위정자들은 옳지 못한 방법으로 개인의 욕심을 채우고 있는 오늘날, 그 어느 때보다 순자의 목소리에 귀 기울여야 할

덕

필요성을 느낍니다. 그리고 조상들이 범했던 실수를 오늘날에도 반복하고 있는 것은 아닌지 부끄러운 마음도 듭니다. 공자나 순자가 주장했던 이론들을 원론적인 이야기라고 흘려들을 수도 있지만 춘추 전국 시대라는 혼란한 시대를 극복하고자 노력하며 인간의 본성을 파악했던 순자의 시선은 결코 옛사상이라고 치부할 수 없는 예리함이 있습니다.

순자는 도덕을 오직 인간이 만든 문명의 산물일 뿐이라고 파악했습니다. 순자의 주장은 초자연적인 것에 대한 믿음을 논박해 유가에서 이단아 취급을 받기도 했지만 방대한 영토와 거대한 인구를 지닌 중국을 통틀어 어느 누구도 그만큼 현대적이지 못했다고 생각합니다. 이러한 점에서 보았을 때 순자의 이론은 혼란한 시대를 사는 현대인들에게 분명 교훈을 줄 수 있을 것이라고 생각합니다. 그리고 이 책을 통해 순자의 삶과 그의 주장을 쉽고 재미있게 접할 수 있게 되길 바랍니다.

이인섭

| 차례 |

1장

《순자》는 어떤 책일까?

荀子

혹시 '공자 왈'이나 '맹자 왈' 하는 소리를 들어 본 적 있니?
공자 왈
맹자 왈
더 크게!
랩 가사 아니냐고?
공자 왈
맹자 왈
공자 왈, 맹자 왈은 유학을 배우던 사람들이 공자나 맹자의 가르침을 인용할 때 사용하던 말이야. 경우에 따라서는 《공자》나 《맹자》를 읽은 선비들이 유학의 가르침은 실천하지 않고 *공리공론만 일삼는 것을 일컫는 말로도 사용되지.
아빠! 배고파.

* 공리공론: 실천이 따르지 않는, 헛된 이론이나 논의.

여기에 '순자'를 추가해 볼까?
순자
같이 놀아요!
공자
맹자
도덕 시험을 앞두고 '성선설은 맹자, 성악설은 순자' 이렇게 달달 외워 본 적이 있을 거야.
성선설!
성악설!
맹자
도덕
순자
순자는 바로 그 성악설의 주인공이란다.
성악설

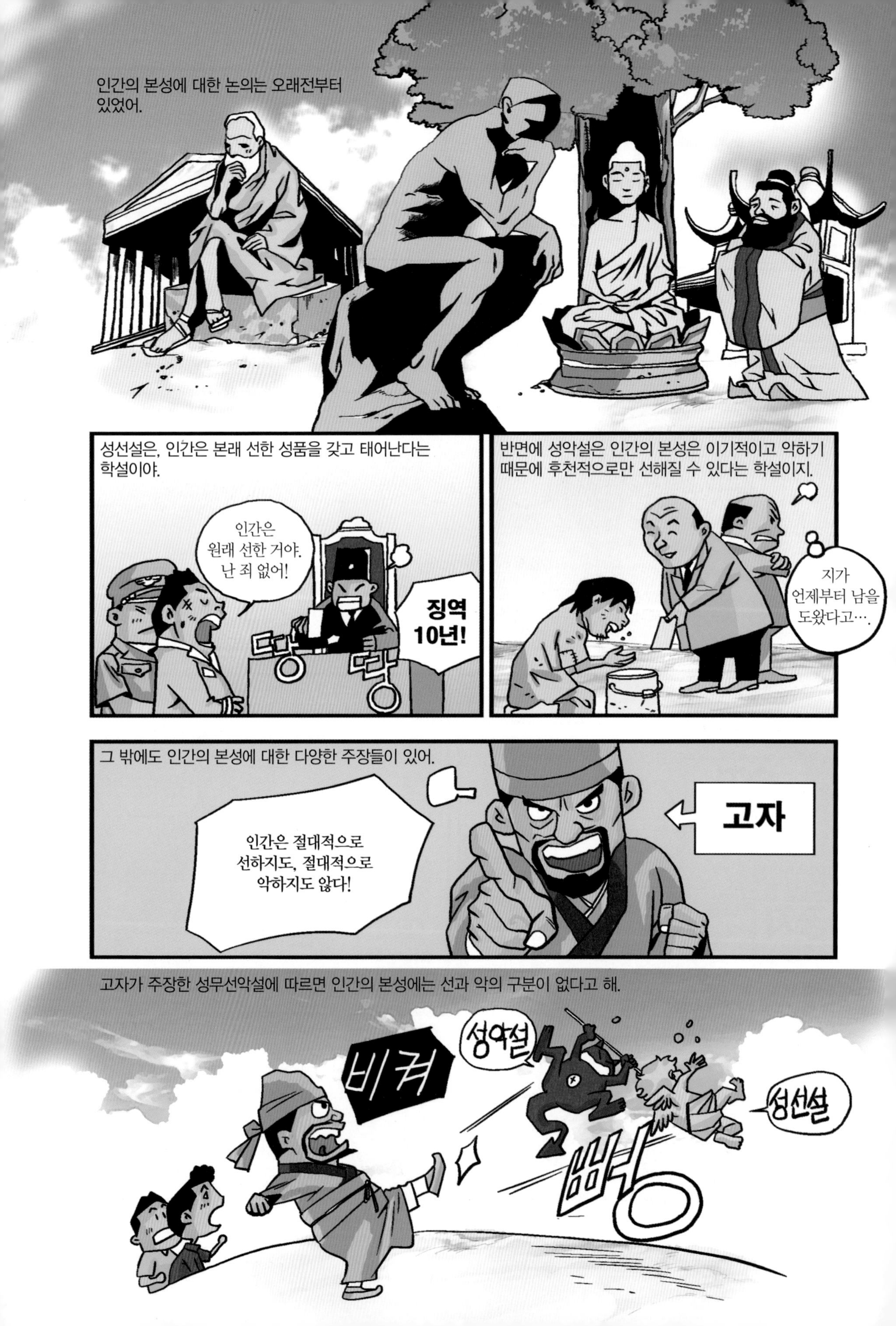
인간의 본성에 대한 논의는 오래전부터 있었어.
성선설은, 인간은 본래 선한 성품을 갖고 태어난다는 학설이야.
인간은 원래 선한 거야. 난 죄 없어!
징역 10년!
땅 땅
반면에 성악설은 인간의 본성은 이기적이고 악하기 때문에 후천적으로만 선해질 수 있다는 학설이지.
지가 언제부터 남을 도왔다고….
그 밖에도 인간의 본성에 대한 다양한 주장들이 있어.
인간은 절대적으로 선하지도, 절대적으로 악하지도 않다!
고자
고자가 주장한 성무선악설에 따르면 인간의 본성에는 선과 악의 구분이 없다고 해.
비켜
성악설
성선설
뻥

이처럼 다양한 학설 가운데 하나인 성악설에 담긴 순자의 생각은 동양 사상사의 흐름에서 인간에 대한 이해의 폭을 크게 넓혀 주었어.
성악설
새로운 발견이나 발명, 혹은 이론은 역사의 물줄기를 바꿔 놓곤 해.
역사의 물줄기
18세기에 증기 기관이 발명되어 산업 혁명이 일어나고
이 산업 혁명으로 물질문명의 흐름이 크게 바뀐 것만 봐도 잘 알 수 있지.
물질문명
정신도 마찬가지야.
정신
사람들은 오랜 세월 동안 세상과 자신들의 삶에 대해 끊임없이 고민해 왔어.
이 세상은 어떤 곳이며 장차 어떤 곳이 되어야 하는지, 또 사람은 어떤 존재이며 어떻게 살아야 하는지 등을 생각해 왔지.
?!
이러한 문제에 대해 사람들은 저마다 다른 해답을 찾아냈어.
어쩌고.
저쩌고.
이는 점차 철학 사상이나 이념, 종교 등의 형태로 발전했지. 《순자》를 쓴 순자도 그중 한 사람이었어.
순자는 *유가의 대학자로, 중국 고대 사상사에서 아주 중요한 위치를 차지해. 춘추 전국 시대의 마지막 유가 사상가로 인정받는 인물이지.

* 유가: 공자의 학설과 학풍 따위를 신봉하고 연구하는 학자나 학파.

그러나 순자는 송나라 이후 유가에서 이단자로 취급받아 왔어.
재랑 얘기하지 말자!
이런 푸대접은 지금도 계속되고 있단다.
유가
그 이유는 무엇일까?
도대체 왜?
?
그것은 순자의 사상이 여러 가지 면에서 정통 유가 사상과 관점을 달리하기 때문이야.
정통
특히 하늘에 대한 인식이 결정적으로 달랐지.
天
이것은 순자가 유가로부터 박대를 받은 가장 큰 이유라고 할 수 있어.
순자
정통 유가에서는 인간과 하늘이 서로 감응한다고 보았어.
천재지변은 인간의 타락에 하늘이 노여움을 표하는 것으로, 인간은 하늘을 두려워해야 한다고 생각했지.
그러나 순자가 보는 하늘은 그렇지 않았어.
도덕적이거나 종교적인 의미가 전혀 없는 그냥 '자연'일 뿐이었지.
자연
하늘과 사람은 별개의 존재이며 천재지변은 그저 자연 현상일 뿐이라는 거야.
인간
자연
자연은 그저 자연의 법칙에 따라 움직일 뿐이므로 인간은 하늘만 바라보고 있을 것이 아니라 스스로 노력해 삶을 꾸려 가야 한다고 주장했어.
노력

순자의 사상에는 도덕적이거나 종교적인 색채가 전혀 없어. 그래서 순자의 사상을 무신론적이고 유물론적인 사상이라고 해.
무신론
유물론
순자
이것은 순자의 사상을 현대적이고 논리적이라고 평가하는 이유이기도 해.
자, 순자를 평가해 보자!
성악설도 마찬가지야. 순자가 성악설을 주장한 데에는 나름의 근거가 있단다.
근거
적자생존과 약육강식의 논리가 지배하던 전국 시대에 살았던 순자가 인간의 본성을 악하게 본 것은 어쩌면 당연한 일인지도 몰라.
까불면 죽어!
그러나 순자는 인간의 본성을 부정적으로 본다는 이유로 끊임없이 비판을 받았어.
치지직.
순자
정통 유가가 성선설을 기반으로 했기 때문이지.
유가
성선설
인간의 본성에 대한 새롭고도 솔직한 시각으로 개혁 방안을 고민했던 순자의 입장에서 이는 매우 억울한 일일 수도 있어.
나를 박해하지 마라.
개혁
따라서 이제라도 편견을 내려 놓고 순자의 사상을 있는 그대로 살펴볼 필요가 있어.
순자
그러기 위해서는 먼저 순자를 비롯한 유가의 사상가들과 제자백가가 활동했던 춘추 전국 시대에 대해 알아야 해!
사상이 태동한 배경을 잘 알아야만 사상을 제대로 평가할 수 있을 테니까 말이야.

중국 주나라 왕실의 세력이 약화된 후
주나라
콰앙

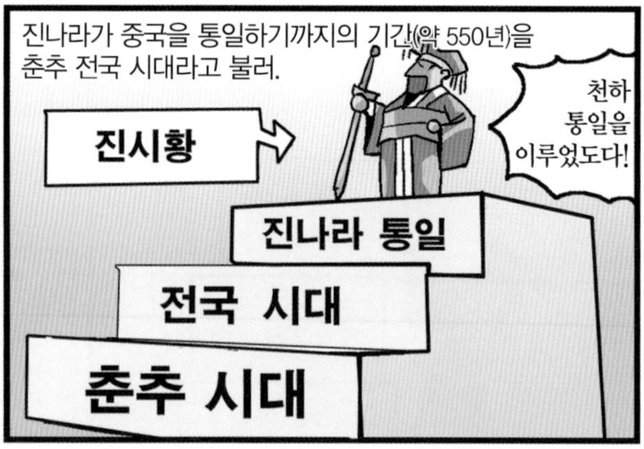
진나라가 중국을 통일하기까지의 기간(약 550년)을
춘추 전국 시대라고 불러.
진시황
천하 통일을 이루었도다!
진나라 통일
전국 시대
춘추 시대

전반기에 해당하는 기원전 770년부터 476년까지를 춘추 시대라고 불러.
와 와 와
전반전

그리고 후반기에 해당하는 기원전 475년부터 221년까지를 전국 시대라고 부르지.
와 와 와
후반전

'춘추'와 '전국'이라는 용어는 역사서인
《춘추(春秋)》와 《전국(戰國)》의 제목에서
유래되었어.
춘추
전국
춘추 전국 시대는 역사적으로 대 격변기였단다.

주나라가 국가를 운영하던 방식인 봉건 제도가 무너지기 시작하면서 혼란은 시작되었어.
주나라
말 좀 들어!
쟤 또 징징거린다!
제후국
제후국
저거 확 갈아 버려?
제후국
아직 상황 파악이 안 되나 봐!
봉건 제도는 왕실에서 토지를 받은 제후들이 각자의 영유 지역에 대해 모든 권리를 지니는 국가 조직으로, 제후들은 왕실을 종가로 받들며 공납과 부역을 부담했어.
주나라
제후국
제후국
제후국
제후국
그러나 이러한 체제가 무너지면서 제후국들이 수백 년 동안 치열한 세력 다툼을 벌인 거야.
세력
쾅
세력

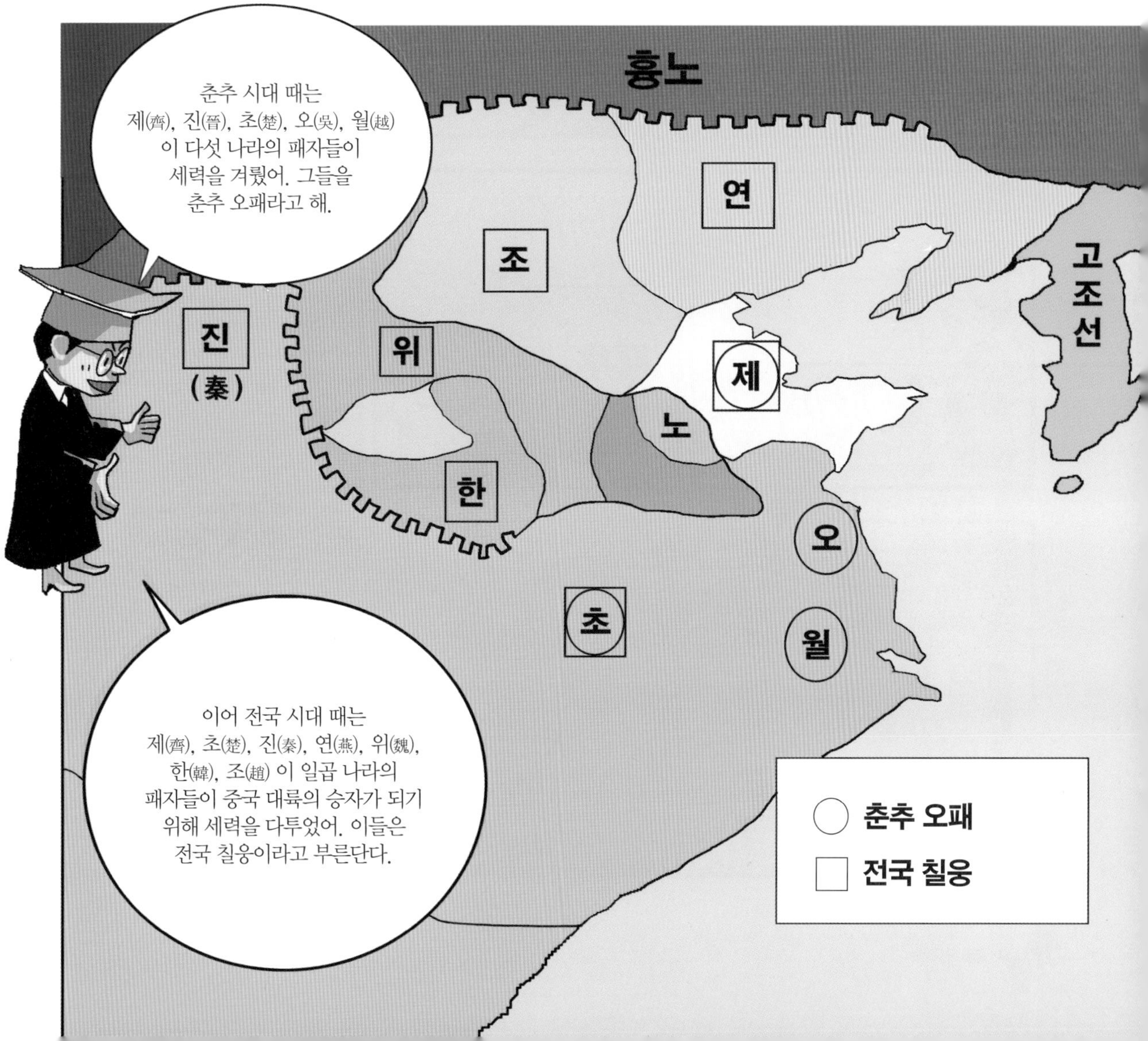
춘추 시대 때는 제(齊), 진(晉), 초(楚), 오(吳), 월(越) 이 다섯 나라의 패자들이 세력을 겨뤘어. 그들을 춘추 오패라고 해.
흉노
연
조
고조선
진 (秦)
위
제
노
한
오
초
월
이어 전국 시대 때는 제(齊), 초(楚), 진(秦), 연(燕), 위(魏), 한(韓), 조(趙) 이 일곱 나라의 패자들이 중국 대륙의 승자가 되기 위해 세력을 다투었어. 이들은 전국 칠웅이라고 부른단다.
춘추 오패
전국 칠웅

'봉건 제도'에서 '봉건'이라는 말은 분봉건국(分封建國)의 줄임말이야.
봉건
땅을 나눠 주고 나라를 세우게 한다는 뜻이지.
땅 줄 테니까 충성을 다해라!
땅
네!
처음에 제후들은 주나라 왕실이 나눠 준 땅을 다스리며
내 땅!
제후
충성을 바쳤어.
충성
그러나 주나라 왕실의 세력이 약해지자 태도가 달라지기 시작했어.
그러다가 독립된 왕국의 왕 노릇을 하기 시작했지.
왕이라고 불러!
주나라 왕실과 제후들의 관계가 변하면서
제후
왕
각 제후국 내에서도 신분 질서가 무너졌어.
신분
신하가 왕에게 대항하는 혼란스러운 상황이 발생했지.
어느 정도로 혼란스러웠냐면 다른 나라와 전쟁을 치르는 중에도
나라 안에서는 하극상으로 인한 싸움이 벌어질 정도였단다.

말 그대로 적자생존과 약육강식의 논리가 지배하던 시대였다고나 할까?
무릎 꿇어!
《회남자(淮南子)》라는 책에 따르면 춘추 시대 동안 망한 나라는 52개국이고
시해당한 왕은 36명이었다고 해. 어떤 상황이었는지 짐작이 가지?
그런데 춘추 전국 시대는 중국 역사에서 사상과 학문의 황금기로 손꼽힌단다.
사상
학문
왜일까?
?
당시 경쟁 관계에 있던 각 제후국들의 최고 관심사는 국력을 키우는 것이었어.
국민
국민
국민
각자의 나라를 부강하게 만들 방법을 찾느라 골몰했지.
비책을 가진 인재가 있다는 소식이 들리면 버선발로 뛰어가 그들을 모셔 올 정도였어.
어서 옵쇼!
그 과정에서 수많은 사상가와 학파가 등장했어.
학파
사상
사상가
학파
저마다 국가 운영에 관한 이론과 비전을 제시한 덕분이었지.
이론
비전

순자를 비롯해 공자, 맹자, 노자, 장자, 묵자, 한비자, 손자 등
역사와 철학을 빛낸 쟁쟁한 학자들은 모두 이 시대에 등장했어.
그래서 춘추 전국 시대를 제자백가 시대라고도 부른단다.
제자백가
제자백가는 춘추 전국 시대에 활동한 사상가들을 일컫는 말이야.
제(諸)는 '여럿', 자(子)는 '선생님', 가(家)는 '학파'를 뜻해.
제 諸 ⇨ 여럿
자 子 ⇨ 선생님
가 家 ⇨ 학파
제자백가는 곧 '여러 선생님과 100가지 학파'라는 뜻이지.
제자백가는 부국강병의 길을 모색하던 각국의 왕과 재상들에게 자신들의 주장을 펼쳤어.
뭔 소리여?
왕들은 그들의 이야기에 귀 기울이며 그들을 등용할지 말지 저울질했지.
이는 각 학파의 생존이 걸린 중대한 일이었어.
통치 이념으로 채택되어야만 학파가 살아남을 수 있었기 때문이지.
통과!
그중에서 유가는 제자백가 시대 최초의 학파야.
유가
공자를 중심으로 유가는 '예(禮)'로 다스리는 정치를 주장했어.
오! 예!

유가에 이어 등장한 묵가는 유가와 달리 형식에 얽매인 예의를 거부했어.
묵자
형식
대신 차별이 없는 사랑인 '겸애(兼愛)'를 주장했어.
차별
유가와 묵가는 제자백가의 양대 세력이라 불릴 정도로 큰 세력을 형성했어.
유가
묵가
제자백가
여기에 또 하나 빼놓을 수 없는 것이 도가야.
도가는 인위적인 제도나 도덕을 폐기하고 인간 본연의 모습대로 살아야 한다는 무위자연(無爲自然)의 정치를 주장했어.
묵가의 시조였던 묵자가 죽은 후, 춘추 시대는 끝이 나고 전국 시대가 시작되었어. 이때부터 더욱 많은 사상가가 등장했단다.
전국 시대
전국 시대에는 각국의 세력이 서로 엇비슷해서 견제와 경쟁이 전보다 더욱 치열했어.
다른 나라보다 조금이라도 더 부강해지기 위해 각국은 인재를 초빙하는 데 혈안이 되었지.
인
재
인재를 얻기 위해서라면 국적이나 신분도 따지지 않았어.
공항
환영
누구든 능력만 있으면 하루아침에 재상이 될 수도 있었지.
그러다 보니 뛰어난 사상가는 몸값이 올라갔고, 점차 학자를 우대하는 풍토가 조성되기 시작했어.
이때 혜성처럼 등장한 것이 법가야.
법가
지구

법가는 왕권의 강화와 법에 의한 통치를 주장했어.
왕권
광
법
상앙과 한비자 등이
유명하지.
한비자
상앙
법가의 사상은 진(秦)나라가 이룬
천하 통일의 기반이 되기도
했어.
법가
진
천하 통일
진시황의 등장으로 춘추 전국 시대도 막을
내렸어.
쫙
쫙
기원전 221년
통일
쫙
진시황이 법가를 선택한
이유는 무엇일까?
법가
그것은 바로 법가의 실질적인 통치
이론 때문이었어.
이론
뿅이오
현실
그러면 법가를 제외한 나머지
제자백가의 운명은 어떻게 되었을까?
법가
진시황은 제자백가의 학자들을
좋아하지 않았어.
내 말이
맞아.
아냐!
내가
옳아!
탁상공론
그래서 기원전 213년에 진시황은
제자백가의 사상서를 불태우고
수백 명의 유학자를
생매장시켰어.
살려줘
흑흑.
이를 분서갱유(焚書坑儒)라고 해.
제자백가
분서갱유
이를 계기로
제자백가 시대의
*백가쟁명도 함께
끝이 나고 말았어.

* 백가쟁명(百家爭鳴): 많은 학자나 문화인 등이 자기의 학설이나 주장을 자유롭게 발표해, 논쟁하고 토론하는 일.

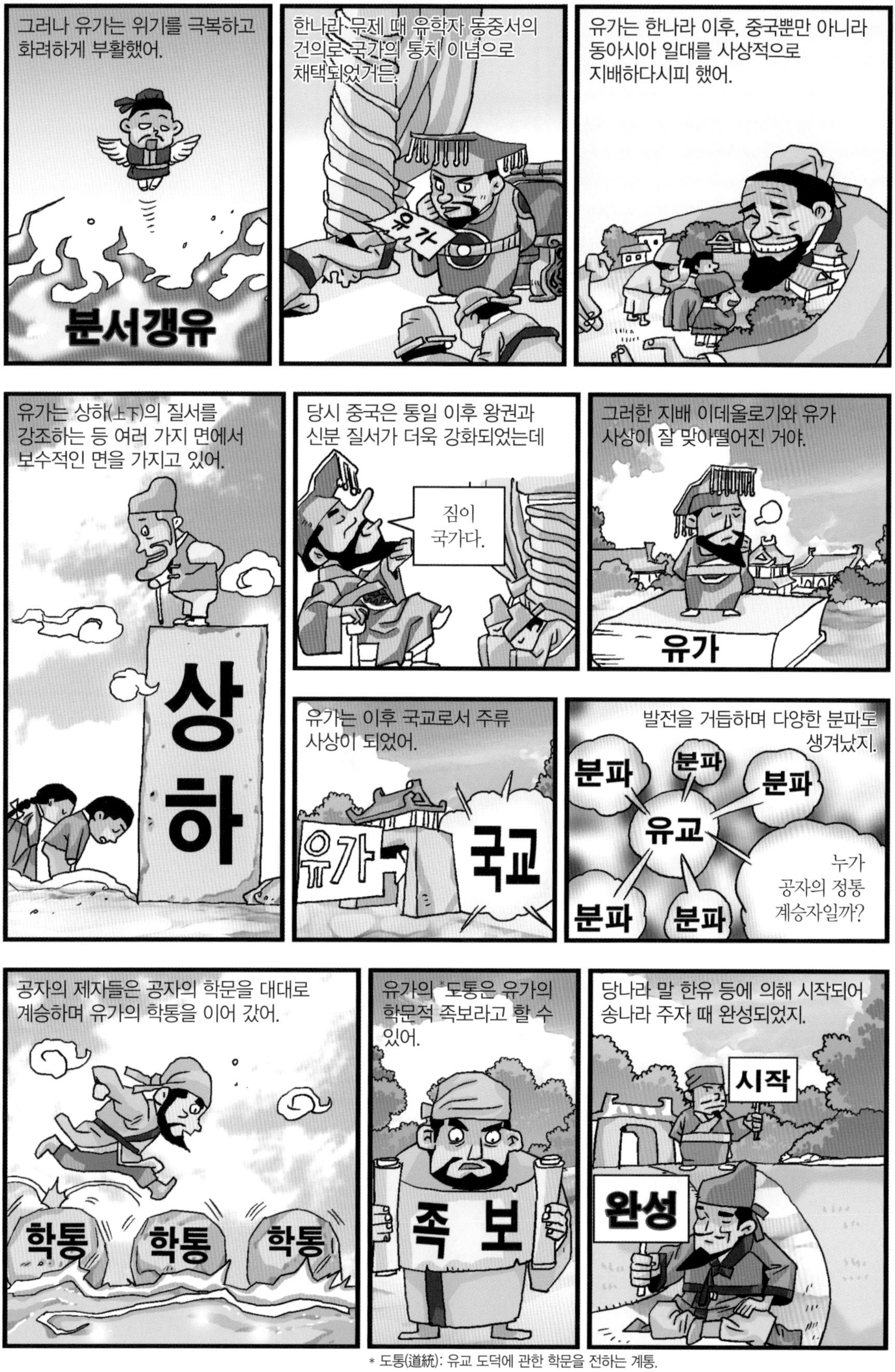
그러나 유가는 위기를 극복하고 화려하게 부활했어.
분서갱유
한나라 무제 때 유학자 동중서의 건의로 국가의 통치 이념으로 채택되었거든.
유가
유가는 한나라 이후, 중국뿐만 아니라 동아시아 일대를 사상적으로 지배하다시피 했어.
유가는 상하(上下)의 질서를 강조하는 등 여러 가지 면에서 보수적인 면을 가지고 있어.
상하
당시 중국은 통일 이후 왕권과 신분 질서가 더욱 강화되었는데
짐이 국가다.
그러한 지배 이데올로기와 유가 사상이 잘 맞아떨어진 거야.
유가
유가는 이후 국교로서 주류 사상이 되었어.
유가
국교
발전을 거듭하며 다양한 분파도 생겨났지.
분파
분파
분파
유교
누가 공자의 정통 계승자일까?
분파
분파
공자의 제자들은 공자의 학문을 대대로 계승하며 유가의 학통을 이어 갔어.
학통
학통
학통
유가의 *도통은 유가의 학문적 족보라고 할 수 있어.
족보
당나라 말 한유 등에 의해 시작되어 송나라 주자 때 완성되었지.
시작
완성

* 도통(道統): 유교 도덕에 관한 학문을 전하는 계통.

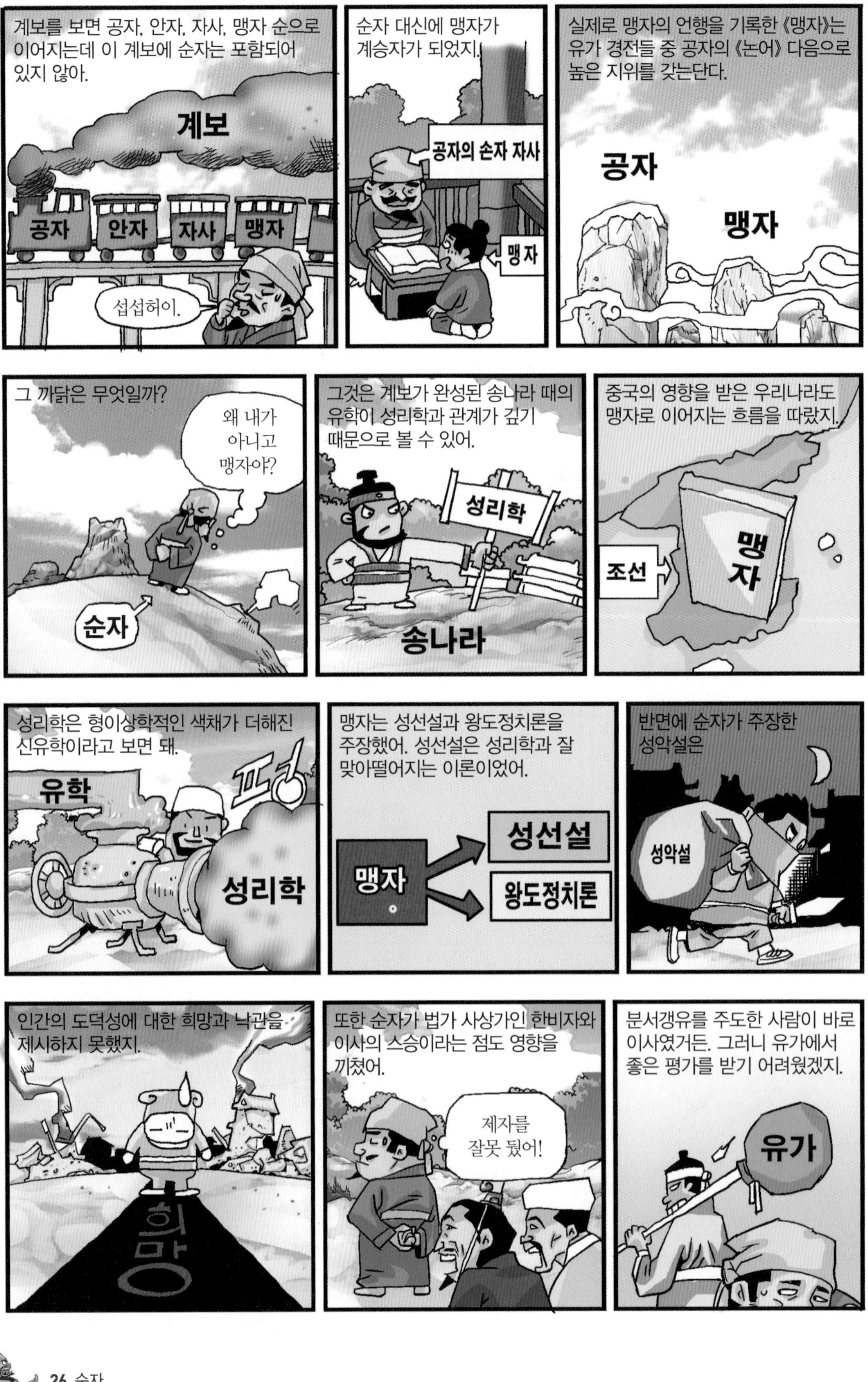

계보를 보면 공자, 안자, 자사, 맹자 순으로 이어지는데 이 계보에 순자는 포함되어 있지 않아.
계보
공자
안자
자사
맹자
섭섭허이.
순자 대신에 맹자가 계승자가 되었지.
공자의 손자 자사
맹자
실제로 맹자의 언행을 기록한 《맹자》는 유가 경전들 중 공자의 《논어》 다음으로 높은 지위를 갖는단다.
공자
맹자
그 까닭은 무엇일까?
왜 내가 아니고 맹자야?
순자
그것은 계보가 완성된 송나라 때의 유학이 성리학과 관계가 깊기 때문으로 볼 수 있어.
성리학
송나라
중국의 영향을 받은 우리나라도 맹자로 이어지는 흐름을 따랐지.
조선
맹자
성리학은 형이상학적인 색채가 더해진 신유학이라고 보면 돼.
유학
펑
성리학
맹자는 성선설과 왕도정치론을 주장했어. 성선설은 성리학과 잘 맞아떨어지는 이론이었어.
맹자
성선설
왕도정치론
반면에 순자가 주장한 성악설은
성악설
인간의 도덕성에 대한 희망과 낙관을 제시하지 못했지.
희망
또한 순자가 법가 사상가인 한비자와 이사의 스승이라는 점도 영향을 끼쳤어.
제자를 잘못 뒀어!
분서갱유를 주도한 사람이 바로 이사였거든. 그러니 유가에서 좋은 평가를 받기 어려웠겠지.
유가

그렇지만 순자가 유학에 큰 영향을 미친 것은 부정할 수 없는 사실이야.
영향
순자
청나라의 유학자들은 실학의 연원을 순자에게서 찾기도 했지.
나 말고?
조상
많은 연구 끝에 순자는 오늘날 높은 평가를 받고 있어.
나의 사상을 체계적으로 정리한 책이 바로 《순자》야.
순자
《순자》의 원래 제목은 《손경의 책》이었어. 322편이었던 글을 한나라 때 유향이 32편으로 줄여 엮었지.
332 편
32 편
후한 초에 《한서》라는 역사서에서는 《손경자》라는 이름으로 실리기도 했어.
손경자
이후 다시 12권으로 편집되어 전해지던 《순자》는 9세기 초, 당나라의 양경이 32편(20권)으로 다시 엮었어.
양경
바꿔 줘.
개명 신청
개똥이
《손경자》, 《손경신서》 등 다양하게 불리던 책의 이름은 오늘날 《순자》 하나로 불리고 있어.
유가 경전 중 《논어》와 《맹자》는 대화체로 이루어져 있고
뭐라는 겨.
《도덕경》과 《장자》는 짤막한 운문과 우화 형식의 글로 구성되어 있어.
그러나 《순자》는 대부분 논리적인 논설문 형식의 글로 이루어져 있어.
논리
이해

일부지만 대화체 형식의 글이나 운문도 포함되어 있지.
운문
대화체
《순자》는 주제나 구성 면에서 각 편이 통일된 느낌을 주지는 않아.
?
그 이유는 무엇일까?
어디 한번 보자….
1편부터 24편까지는 나 순자님이….
25편부터 32편까지는 제자인 저희가 썼거든요.
그래도 책 전체로 보면 대부분 순자가 직접 쓴 것이라
여기가 중요해.
논조에는 일관성이 있지.
이러한 이유로 《순자》는 제자백가의 다른 저술들에 비해 체계적이라는 평을 받고 있어.
순자
맹자
묵자
체계적
다양한 분야
학문
정치
수양
음악
교육
문학
군사
철학
경제
《순자》는 다양한 분야에 걸쳐 유가의 사상을 고유의 관점에서 체계적으로 주장했어.
문장도 아주 뛰어나.
군더더기 없이 깔끔하게 논리를 전개해 사상이 분명하게 전달되거든.

특히 〈천론〉 편이나 〈성악〉 편은 후대 학자들이 논설문의 교본으로 삼을 정도야.
천론
성악
그래서인지 어떤 학자들은 공자나 맹자의 글보다 순자의 글을 더 높이 평가하기도 해.
경치 좋다.
공자
순자
맹자
《순자》에는 비유와 대구식 표현이 많이 사용되었어.
비유
대구식 표현
대구식 표현은 리듬감이 특징이야.
글의 전달력과 설득력을 높이기 위해 리듬감을 이용한 것이지.
또한 《순자》에는 인간과 자연 그리고 사회에 대한 순자의 남다른 시각과 진지한 성찰이 담겨 있어.
32편의 글을 찬찬히 읽어 내려가다 보면 순자의 합리적이고 현실적인 사고방식에 아마 감탄하게 될 거야.
순자

어떤 사람들은 그동안 자신이 성악설을 제대로 이해하지 않고
성악설
수박 겉핥기 식으로 대충 알고 있었다는 것을 깨달을지도 몰라.
혹시 '악(惡)'이라는 글자 때문에 마음이 불편했다면
악
순자가 교육을 통해 절제를 강조한 사실에 주목하기를 바라.
참아야 하느니라.
순자는 시대를 앞서가는 합리적인 사고방식과 독창성을 가지고 있었어.
그 때문에 고대와 현대를 잇는 아이콘으로 주목받고 있지.
하하하
순자의 합리적 면모를 잘 보여 주는 유명한 일화가 있어.
누군가 순자에게 물었어.
기우제를 지낸 뒤에 비가 오는 것은 무슨 이유입니까?
그러자 순자는 이렇게 되물었다고 해.
기우제를 지내지 않아도 비가 오는 것은 왜일까요?
순자의 사상은 여러 제자백가의 사상 중 가장 현대적인 사상인지도 몰라.
TV나 볼까?
이러한 이유로 《공자》나 《맹자》보다 《순자》를 더 열심히 읽어야 한다고 주장하는 이들이 점점 늘고 있지.
베스트셀러 기념 사인회

누군가는 이렇게 말해.
유가의 학통을 맹자가 아닌 순자가 이어받았다면 어찌 되었을까?
유학이 많이 달라졌겠지.
어쩌면 맹자의 성선설보다 순자의 성악설이 현실 사회에 더 잘 맞는 이론 같아.
뉴스 면을 장식하는 끔찍한 사건들을 보면 과연 인간의 본성이 선한지에 대해 의문이 들기도 해.
말세야.
오늘날처럼 험하고 복잡한 세상일수록 공정한 원칙이 필요해.
왈왈.
야! 너!
그런 의미에서 정치, 교육, 사회 등 각 분야에 걸쳐 공정한 원칙을 제시한
반칙
원칙
순자의 가르침을 되짚어 보는 일은 큰 의미가 있어.
채널 돌려!
순자는 전국 시대의 현실을 정확하게 인정하고
전국 시대
그 위에서 실현 가능한 해법을 제시한 사람이니까 말이야.
유가 사상을 총체적으로 이해하기 위해서라도 나의 사상은 반드시 알고 넘어가야 해!
현실 감각이 뛰어났던 순자의 사상을 연구하는 것은
유가의 현대화를 위해서도 꼭 필요한 일이야.
현 대 화
유 가
유가의 현대화는 《순자》의 재발견에서 시작될 거야.
《순자》야말로 현대인들의 사고방식에 딱 맞는 고전이거든.
순자

2장

순자는 어떤 사람일까?

순자는 어떤 사람일까?
대혼란기였던 전국 시대에서 어떤 삶을 살다 갔을까?
안타깝게도 순자의 생애에 대해서는 알려진 것이 많지 않아.
순자
그나마 남아 있는 기록도 사실 여부가 분명치 않아.
심지어는 언제 출생했는지조차 정확하지 않아.
응애
기원전 298년, 기원전 310년대, 기원전 323년 등 여러 가지 설(說)이 있지.
찾아!
순자는 언제 태어났나요?
이 책에서는 기원전 310년대라는 설을 따를 거야.
310
그리고 그가 남긴 《순자》라는 책을 살필 거야.
순자

사마천은 《사기》에서 이렇게 말했어.
순자는 유가, 묵가, 도덕가의 실천상 장단점을 논해 수만 자에 이르는 전서를 남기고 죽었다.
이처럼 순자는 유가에서 중요한 위치에 있는 대학자였어.
순자
유학
그러나 순자가 유학사에서 차지하는 존재감은 미미해.
쟤 누구야?
몰라.
순자에 관해 연구하던 사람들은 몇 가지 사실을 알아냈어.
오!
순자
순자의 이름이 황(況)이라는 것과 성이 순(荀)이라는 사실이었지.
순황
'순경'이라고도 불렸는데, '경'은 경의를 표시하기 위해 붙이는 명칭이란다.
순경아, 밥 먹어라.
네!
책에 따라 순자는 '손경', '손경자', '손자', '손황'이라고 불리기도 해.
손경
손경자
손자
손황
'순'이 아닌 '손'이라고 불린 이유는 무엇일까?
순자는 전국 시대 때 조나라(지금의 산시성)에서 태어났어.
응애
그러나 계보를 거슬러 올라가면 춘추 시대 진(晉)나라의 귀족 집안 출신이라고 할 수 있지.
귀족
춘추 시대가 전국 시대보다 앞선 시대라는 것 기억하지?
춘추
전국
춘추 시대 때 존재하던 여러 나라 중에 순이라는 나라도 있었어.
순나라

순나라는 나중에 진(晉)나라에 병합되었지.
진나라
순나라
내 거야!
어쩔 수 없는 약소국의 운명이었어.
대한 독립 만세!
만세!
당시 진나라의 무공은
순나라 땅을 순숙이라는 귀족에게 다스리게 했어.
다스려 봐.
순나라
바로 이 순숙이 순자의 선조란다.
어서 오렴.
순숙의 묘
조상님.
진나라는 춘추 시대 말기에
춘추 시대
말기
조나라, 위나라, 한나라로 쪼개졌어.
조나라
위나라
한나라
그때 순숙은 조나라 쪽으로 속하게 되었지.
조나라
그래서 순자가 조나라에서 태어난 것이란다.
조
순자는 순나라 공실(公室)의 자손, 즉 공손이었기 때문에 '손'으로도 불렸어.
여기서 공실은 제후의 집, 즉 왕실과 같은 뜻이야.
제후
=
왕실

한편 순자는 세상을 떠난 시기도 정확히 알려져 있지 않아.
다만 전국 시대 말기에 활동했다고만 알려져 있지.
에구~.
당시 중국은 통일이 무르익고 있었어.
통일
순자는 40대에는 진(秦)나라에서, 50대에는 제나라에서 지냈어.
40대.
진나라
50대.
제나라
또 60대에는 초나라로 가 벼슬을 하다가 세상을 떠났어.
그러나 40대 후반에 진나라로 떠나기 전의 행적은 알려진 것이 없단다.
?
순자는 왜 이렇게 여러 나라를 돌아다녔을까?
당시의 제자백가는 자신들의 정치사상이 권력자에게 채택되기를 간절히 바랐어.
뽑아 주세요!
네가 100번째다.
자신들의 사상이 탁상공론에서 그치지 않기를 고대했지.
정치
부럽다.
실현
그들은 현실 정치에 참여하고 싶어 했어.
경
축
당선

오늘날에도 마찬가지야.
빵
빵
국정의 방향과 정책의 기틀을 세우는 전문가 집단을 가리켜 '싱크 탱크(Think Tank)'라고 해. 오늘날에는 어떤 나라건 싱크 탱크가 존재하지.
think tank
웅
웅
국가
제자백가는 국가의 '싱크 탱크'를 꿈꾸던 이들이었어.
국방력을 강화합시다!
노인 문제도 신경써야 합니다.
국민들이 편히 먹고살 수 있는 사회를 만듭시다.
교육부터 투자합시다.
그러기 위해 그들은 일단 권력자들을 만나야만 했어.
멀다, 멀어.
이메일은커녕 전화나 우편도 없던 시대였기 때문에 직접 만나 얼굴을 맞대고 설명하는 수밖에 없었지.
저를 써 주세요.
무엄하게….
제자백가는 여러 나라를 돌아다니며 정치에 관한 비판과 조언을 일삼았어.
고!
어느 나라에서건 등용되기를 바라면서 말이야.
오, 예!
이는 일종의 판매 활동으로, 순자뿐 아니라 공자나 맹자도 마찬가지였지.
공자
맹자
순자

순자가 진나라로 간 것은 기원전 266~265년 무렵이었어.
당시 진나라는 세력이 아주 강했어.
물론 처음부터 그랬던 것은 아니었어.
미꾸라지가 용이 된 격이랄까.
누가 미꾸라지래!
전국 시대 초기에는 제나라가 가장 부강했어.
제나라
진나라
진나라는 열세를 면치 못하고 있었지.
강대국
알아서 기어.
진나라
그러다가 전국 시대 중반인 기원전 4세기 중엽에
BC 4C
명재상인 상앙이 등장하면서 상황은 달라지기 시작했어.
내가 구원 투수!
상앙은 법가 사상을 따르는 사람이었어.
법 가
법가 이론을 기반으로 국정의 전 분야를 뜯어고쳤지.
슛~.
구시대
상앙의 중앙 집권적 개혁 정책에 힘입어 진나라의 농업과 국방력은 날로 발전했어.

진나라는 상앙에 의해 부국강병을 이룬 셈이었어.
내가 만든 거야.
그 덕에 천하의 패권이 진나라의 손에 들어올 가능성이 커졌지.
진
위나라 출신이었던 상앙이 이처럼 진나라를 바꿔 놓을 수 있었던 이유는 무엇일까?
위나라 출신이래.
…….
외국인이네?
그것은 바로 진나라의 왕이었던 효공이
상앙을 등용해 전적으로 지원해 주었기 때문이란다.
잘 좀 부탁해.
네네~.
그러나 효공이 죽자 상앙은 반대파에 의해 처형되고 말았어.
빵
어쨌든 상앙을 비롯한 법가 사상가들 덕에 진나라는 대약진을 이루어 냈어.
고
이는 중국 통일의 기반이 되었지.
통
일
법가
이무렵 순자는 진나라를 방문했어.
진나라에 도착해 소양왕과 명재상인 범저를 만났지.
하이.

범저 역시 상앙과 같은 위나라 출신이었어.
동포네요.
반갑소.
이처럼 진나라는 부국강병책을 실시하며 인재를 등용하는 데 있어 국적을 따지지 않았어.
순자는 진나라의 발전된 모습을 보고 극찬했어.
우리나라 어때요?
최고!
그러나 순자는 유가 사상가였어.
그래서 진나라가 법가 일색인 것에 대해서는 우려했지.
외로워~.
법가
순자는 유가 사상을 권했어.
?
유학
그러나 순자의 설득은 실패로 끝나고 말았단다.
싫어 싫어~.
유학
진나라는 부강한 나라였지만 문화적으로나 사상적으로는 척박했어.
이상주의적 정치론을 토대로 하는 유가와는 어울리지 않았지.
이상
현실
권력자들에게 유가의 이론은 현실과 거리가 먼 얘기처럼 들렸을 거야.
고마해라~.

결국 순자는 제나라로 발길을 옮겼어.
진
위
제
주
오
기원전 265년 전후였지.
제나라
도착.
양왕 말기에서 제왕 건의 초기에 해당하는 시기였어.
B.C. 265년
제왕 건(建)은 제나라의 마지막 왕으로, 이후 왕조가 멸망하는 바람에 *시호가 없단다.
제나라는 전국 시대 때 가장 번창했던 나라야.
기원전 356년에서 284년까지
284
356

* 시호(諡號): 제왕이나 재상 유현이 죽은 뒤에, 그들의 공덕을 칭송해 붙인 이름.

위왕, 선왕, 민왕을 거치는 약 70년 동안 중국 문화의 중심지였지.
중심
수도는 길이 20㎞에 폭 4㎞의 큰 성이었고, 가구 수는 7만 호나 되었어.
순자가 도착했을 당시 제나라의 규모는 대국으로 불릴 만했어.
사회 분위기는 개방적이었고 사람들은 진취적이었지.
신경 끄쇼!
말세여….
순자는 느낀 바가 컸어.
헉!
특히 수도인 임치의 윤택하고 활기찬 모습에 큰 자극을 받았지.
왁자
지껄

순자는 10년간 제나라에서 지내며 많은 영향을 받았어.
한 예로, 제나라의 발전된 상공업은 순자로 하여금 독특한 경제사상을 주장하게 만들었단다.
제나라는 문화적인 측면에도 신경을 많이 썼어.
제나라의 선왕은 문화를 연구할 수 있게 학자들에게 공간을 만들어 주기도 했지.
최신 시설이야!
수도의 13개 성문 중 하나인 서문 밖 직산 아래에 학당을 만들었는데
서문
직산
학당
직산 아래에 있다고 해서 '직하학궁'이라고 불렸어.
직하학궁
그곳에서 학자들은 많은 혜택을 누리며 자유롭게 연구할 수 있었어.
뭐 먹을까?
어렵군.
국가의 전폭적 지원에 힘입어 유가, 묵가, 도가, 법가, 명가 등
유가
묵가
도가
법가
다양한 학파의 학자들이 모여 학문을 연마할 수 있었지.
땅
땅
번호!
하나!
천!
직하학궁의 학자 집단을 가리켜 '직하학파'라고 불렀는데, 이들의 수가 1천 명에 달한 적도 있었다고 해.
맹자도 한때는 직하학궁에 머물렀었지.
쉿, 나가서 떠들어.

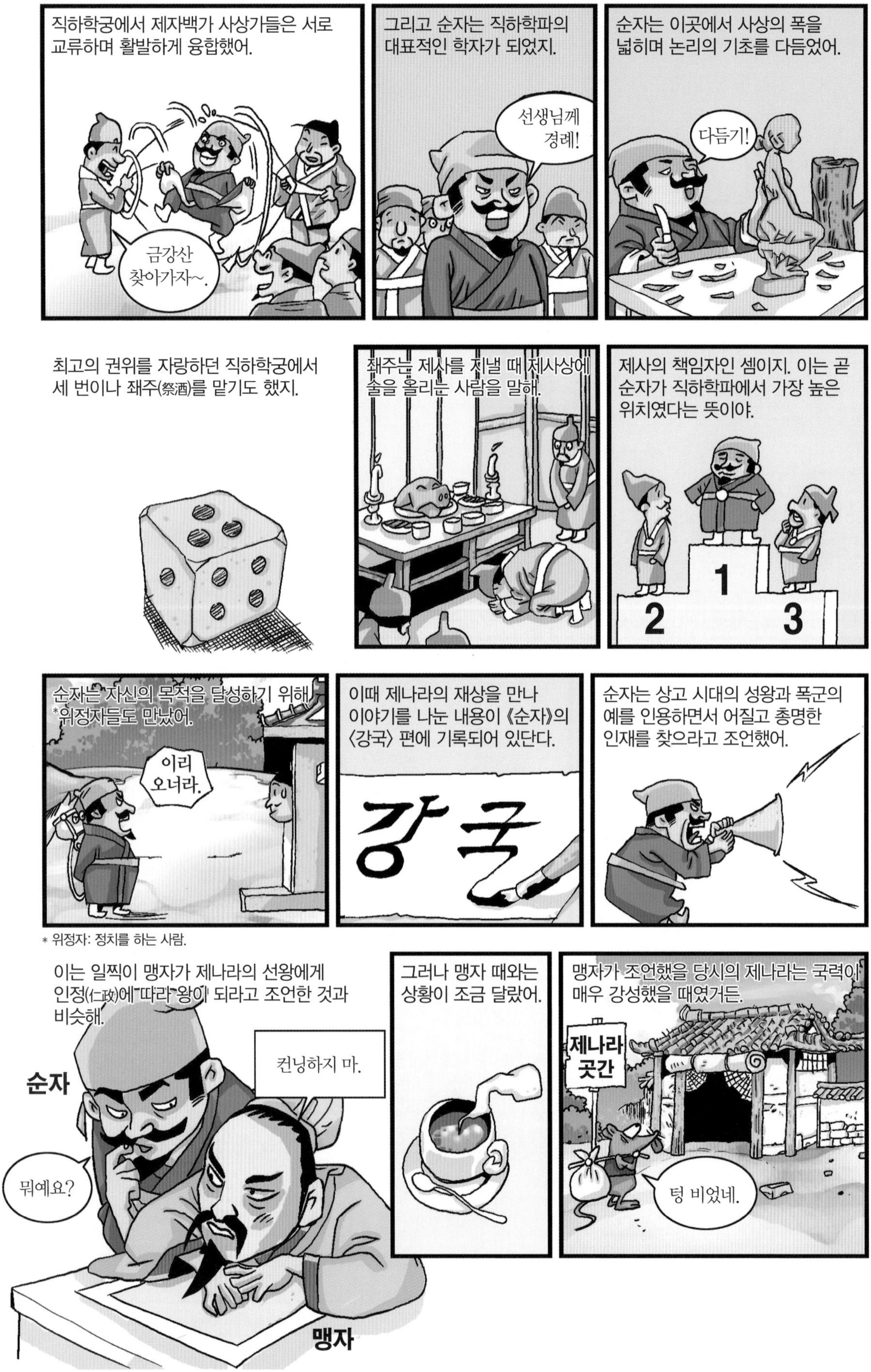
직하학궁에서 제자백가 사상가들은 서로 교류하며 활발하게 융합했어.
금강산 찾아가자~.
그리고 순자는 직하학파의 대표적인 학자가 되었지.
선생님께 경례!
순자는 이곳에서 사상의 폭을 넓히며 논리의 기초를 다듬었어.
다듬기!
최고의 권위를 자랑하던 직하학궁에서 세 번이나 좨주(祭酒)를 맡기도 했지.
좨주는 제사를 지낼 때 제사상에 술을 올리는 사람을 말해.
제사의 책임자인 셈이지. 이는 곧 순자가 직하학파에서 가장 높은 위치였다는 뜻이야.
2
1
3
순자는 자신의 목적을 달성하기 위해 *위정자들도 만났어.
이리 오너라.
이때 제나라의 재상을 만나 이야기를 나눈 내용이 《순자》의 〈강국〉 편에 기록되어 있단다.
강국
순자는 상고 시대의 성왕과 폭군의 예를 인용하면서 어질고 총명한 인재를 찾으라고 조언했어.
이는 일찍이 맹자가 제나라의 선왕에게 인정(仁政)에 따라 왕이 되라고 조언한 것과 비슷해.
순자
컨닝하지 마.
뭐예요?
맹자
그러나 맹자 때와는 상황이 조금 달랐어.
맹자가 조언했을 당시의 제나라는 국력이 매우 강성했을 때였거든.
제나라 곳간
텅 비었네.

* 위정자: 정치를 하는 사람.

순자는 직하학궁을 이끌었지만 행정가로 일할 기회는 잡지 못했어.
NO
그러다가 어떤 일을 계기로 제나라를 떠나고 말았지.
크흑….
자세한 경위는 알려져 있지 않지만 아마 모함을 받았던 것 같아.
가!
가 버려.
순자가 떠난 곳은 남쪽의 초나라였어.
조
한단
제
임치
위
안이
한
거양
조미장성
초
순자는 초나라 고열왕 8년 무렵, 난릉 지방의 수령으로 있었어.
억울해요!
순자를 임명한 재상은 춘신군으로, 제자백가를 많이 후원했던 인물이었지.
제자백가
초나라가 차지하고 있던 난릉은 본래 노나라의 땅이었어.
내 땅 돌려줘!
힘 있으면 뺏어 봐.
순자는 난릉을 맡아 처음으로 직접 행정을 했어.
통과!
탕
행정
그러나 그 길은 순탄하지 않았어. 잘못도 없이 억울하게 쫓겨났거든.
가뭄이 든 것은 수령의 덕이 모자라기 때문이다!
나가!
순자가 세력을 얻는 것을 시기한 누군가가 춘신군에게 모함한 거야.
*탕왕은 사방 칠십 리의 땅으로, *문왕은 사방 백 리의 땅으로 천하를 통일했습니다.
손경은 어진 사람으로서 그에게 사방 백 리의 땅을 주었으니 초나라가 위태롭습니다.
그래?

* 탕왕: 기원전 16세기경 폭정으로 악명이 높던 하나라 걸왕을 추방하고 은나라를 세운 왕.
* 문왕: 기원전 11세기에 폭군이던 은나라 주왕을 물리치고 주(周)나라 개국의 기초를 닦은 왕.

듣고 보니 맘에 걸려⋯.
초나라도 한나라나
은나라처럼 되면
어떡하지?
춘신군은 결국 모함하는 말을 듣고 순자를 해임했어.
미안~.
순자는 초나라를 떠날 수밖에 없었지.
초
순자는 조국인 조나라로 돌아왔어.
어서 오세요.
고마워.
그러고는 정치 및 군사 분야에서 자문 위원 비슷하게 활동했지.
짜장!
짬뽕!
짜장면으로 통일.
볶음밥!
《순자》의 〈의병〉 편에는 초나라 장군인 임무군과 효성왕 앞에서 벌인 토론이 기록되어 있어.
당시 초나라와 조나라는 강국인 진나라에 공동으로 대응하는 차원에서 군사 동맹을 맺고 있었어.
동맹
초
조
병법의 요체가 무엇이냐는 왕의 질문에 임무군과 순자는 각자의 주장을 논했어.
병법의 요체가 무엇이냐?
내가 맞다니까.
웃겨! 내가 옳아.
임무군은 군사 전문가답게 실질적인 전술을 강조했어.
반면에 순자는 유가 사상가로서 백성들이 잘 따르게 하는 것이 중요하다고 주장했지.
그러던 중 순자는 초나라의 춘신군에게 전갈을 받았어.
돌아와 줘잉!

초나라가 강해지려면 대학자인 순자를 다시 모셔 와야 합니다.
그래 맞아! 결정했어.
걸왕 때 이윤이 하나라를 떠나 은나라로 가자, 하나라는 망하고 은나라는 천하를 통일했소. 또 관중이 노나라를 떠나 제나라로 가자 노나라는 약해지고 제나라는 강해졌소. 이처럼 현명한 사람이 있으면 왕은 존귀해지고 나라는 편안해지는 법. 그러니 어서 돌아와 나라를 부강케 해 주시오.
초나라의 요청에 순자는 다시 난릉으로 돌아왔지만 그리 오래 머물지는 못했어.
고열왕이 죽은 후 춘신군이 권력의 핵심에서 밀려나 암살당하고 말았거든.
후원자이던 춘신군이 죽자 순자는 벼슬을 내려놓았어.
그리고 조용히 여생을 보내다가 몇 년 후 세상을 떠났지.
순자 잠들다
순자는 대학자이자 사상가로서 당대에 높은 평가를 받았어.
순자가 죽은 후 진나라는 법가를 통치 이념으로 삼아 중국을 통일했어.
통 일
그 후 한나라가 통일 중국을 이끌게 되면서 유가는 줄곧 중국의 통치 이념이 되었지.
꽤액
유 가
한나라
그래서 학자들은 순자를 제자백가 최후의 유가 사상가로 평가해.

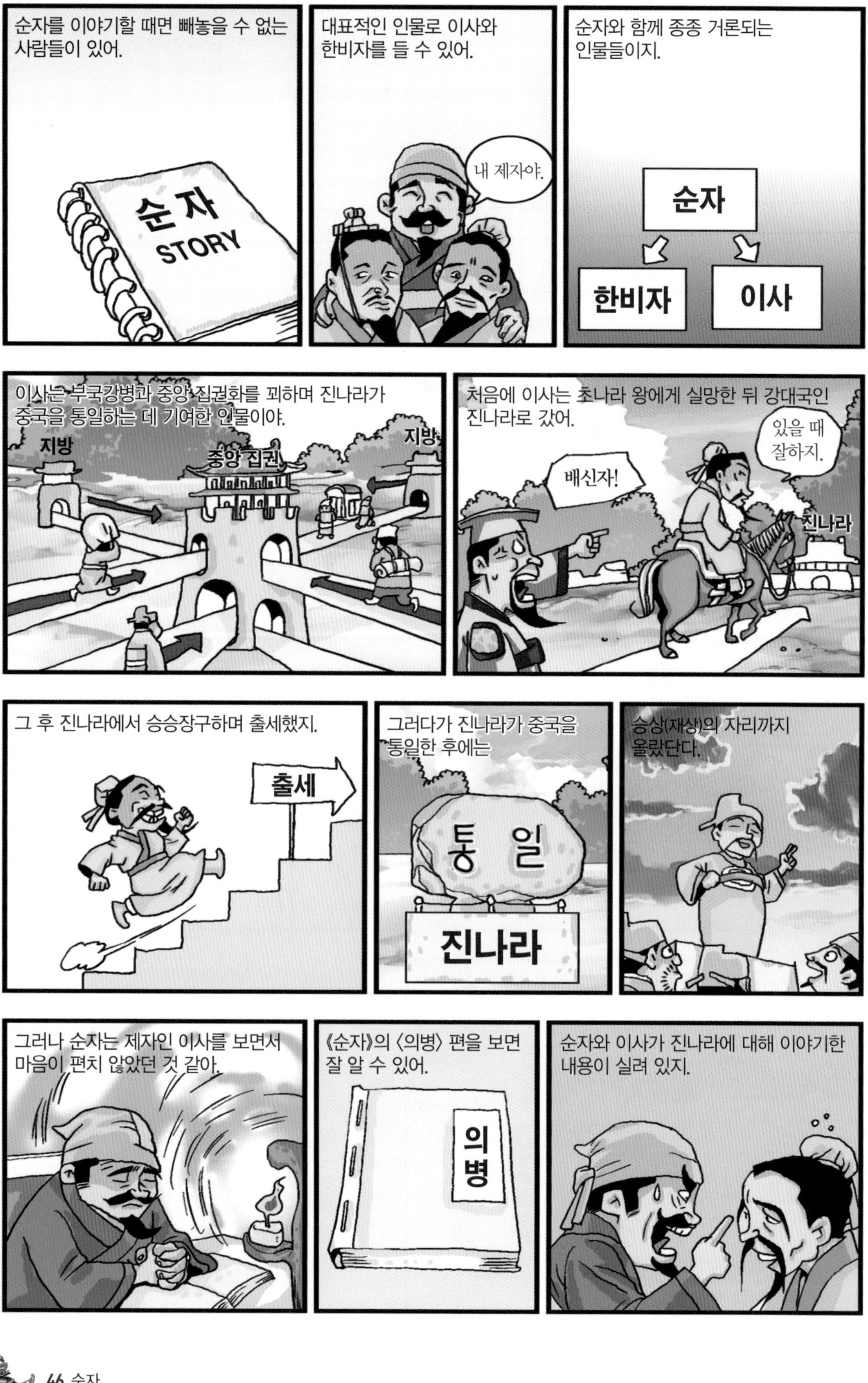
순자를 이야기할 때면 빼놓을 수 없는 사람들이 있어.
순자
STORY
대표적인 인물로 이사와 한비자를 들 수 있어.
내 제자야.
순자와 함께 종종 거론되는 인물들이지.
순자
한비자
이사
이사는 부국강병과 중앙 집권화를 꾀하며 진나라가 중국을 통일하는 데 기여한 인물이야.
지방
중앙 집권
지방
처음에 이사는 초나라 왕에게 실망한 뒤 강대국인 진나라로 갔어.
배신자!
있을 때 잘하지.
진나라
그 후 진나라에서 승승장구하며 출세했지.
출세
그러다가 진나라가 중국을 통일한 후에는
통 일
진나라
승상(재상)의 자리까지 올랐단다.
그러나 순자는 제자인 이사를 보면서 마음이 편치 않았던 것 같아.
《순자》의 〈의병〉 편을 보면 잘 알 수 있어.
의병
순자와 이사가 진나라에 대해 이야기한 내용이 실려 있지.

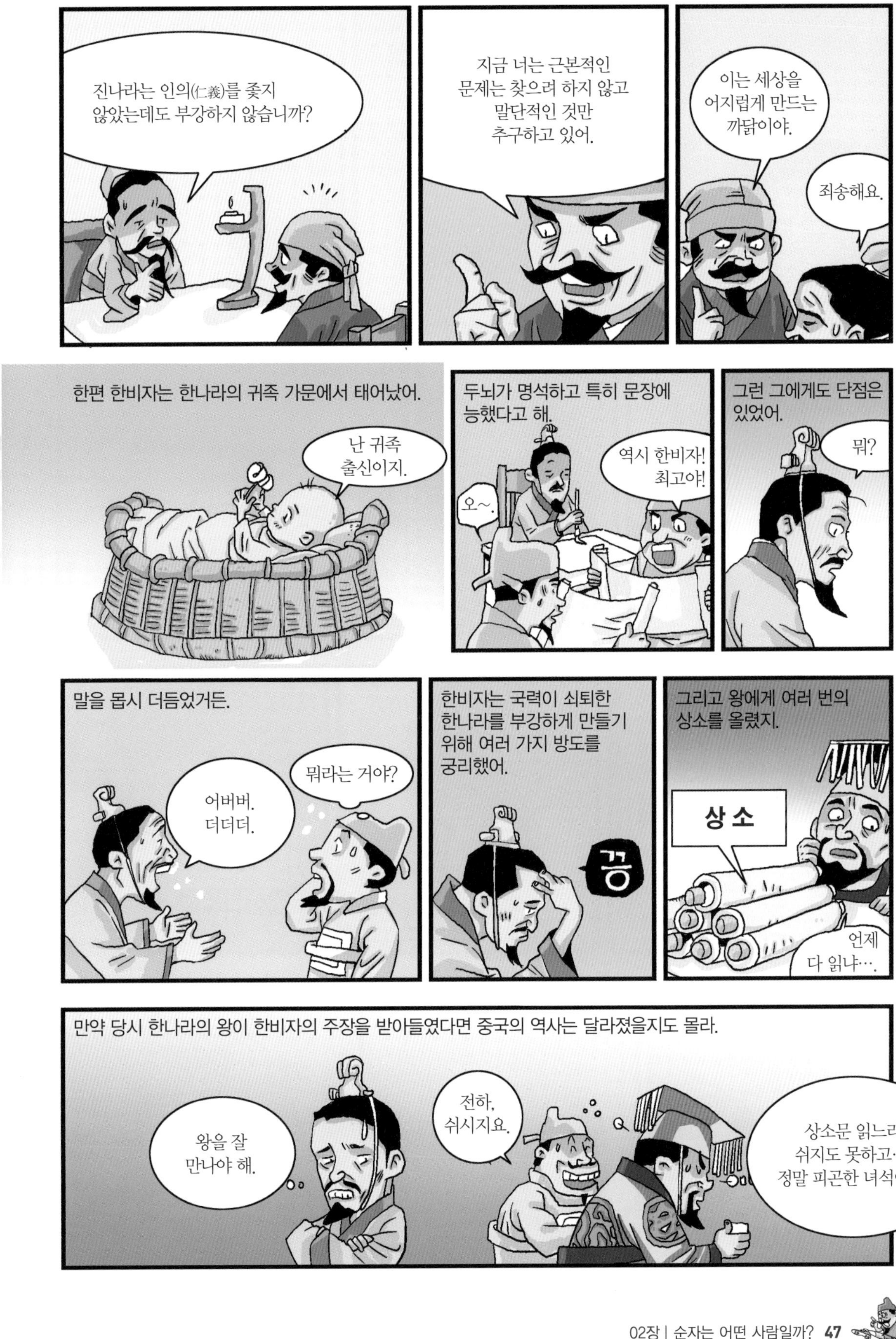
진나라는 인의(仁義)를 좇지 않았는데도 부강하지 않습니까?
지금 너는 근본적인 문제는 찾으려 하지 않고 말단적인 것만 추구하고 있어.
이는 세상을 어지럽게 만드는 까닭이야.
죄송해요.
한편 한비자는 한나라의 귀족 가문에서 태어났어.
난 귀족 출신이지.
두뇌가 명석하고 특히 문장에 능했다고 해.
오~.
역시 한비자! 최고야!
그런 그에게도 단점은 있었어.
뭐?
말을 몹시 더듬었거든.
어버버. 더더더.
뭐라는 거야?
한비자는 국력이 쇠퇴한 한나라를 부강하게 만들기 위해 여러 가지 방도를 궁리했어.
끙
그리고 왕에게 여러 번의 상소를 올렸지.
상소
언제 다 읽냐….
만약 당시 한나라의 왕이 한비자의 주장을 받아들였다면 중국의 역사는 달라졌을지도 몰라.
왕을 잘 만나야 해.
전하, 쉬시지요.
상소문 읽느라 쉬지도 못하고…. 정말 피곤한 녀석이야.

한비자는 왕에게 거부당한 부국강병책을 글로 남겼는데
우연히 이 글을 보게 된 진나라의 왕, 정(政)이 그 문장에 탄복했다고 해.
이 글을 쓴 사람을 만나 사귈 수만 있다면 죽어도 한이 없겠구나!
정은 그 글을 쓴 사람을 만나야겠다며 한나라를 공격했어.
어서 가서 말로 하자고 그래!
왜 나한테 그러세요?
드디어 두 사람이 만나게 되었어.
그러나 이 만남은 비극의 시작이었단다.
친구인 한비자에게 열등감을 느끼고 있었던 이사는 한비자를 모함했어.
감옥에 갇혀 사약을 받은 한비자는 결국 억울하게 생을 마감하고 말았지.
친구를 잘못 뒀어.
그 후 기원전 221년, 진나라는 마침내 통일의 위업을 달성했어.
통일
정은 황제가 되었어. 그가 바로 진시황이란다.
내 땅
이사는 통일 제국을 통치하기 위해 군현제 등 여러 정책을 시행했어.
시행하라!
탕
고러한 노력에도 불구하고 진시황이 죽자 진나라는 혼란에 빠졌어.
이사도 결국은 비참하게 생을 마감하고 말았지.
덧없는 인생이로구나.

진나라의 뒤를 이어 패권을 잡은 한나라는 새로운 통치 이념으로 유가를 선택했어.
앞으로 유가를 통치 이념으로 삼겠다.
이후 유가의 위상은 크게 높아졌어.
오, 예!
그러나 순자의 유가 사상은 소외되었지.
아마 순자의 사상이 정통 유가 사상과 다른 면이 많아서 그랬을 거야.
제자백가 사상
두루 두루 공부해야지.
순자는 다른 학파의 사상들을 면밀히 분석하고 문제점을 비판했어.
니네 다 틀렸어.
《순자》의 〈비십이자〉 편에서는
뭐야~. 전부 한문이네.
공자의 계승자로 공인받은 자사와 맹자까지 공격했지.
우우~.
물러가라.
오늘날에도 학자들 사이에서 실명을 거론하며 비판하는 일은 드문데 말이야.
△△△는 못된 놈.
○○○는 나쁜 놈.
이처럼 순자는 기존의 유가 사상을 독특한 방식으로 발전시켰어.
순 자
건물 요상하네~.
순자는 예의와 법도를 중요시했어.
그러면서도 힘으로 백성들을 다스리는 패도(覇道)도 어느 정도 인정했지.
힘
양육강식의 논리가 지배하던 전국 시대의 현실을 받아들인 거야.
인정할 건 인정해야지.

순자는 군주가 예의에 따라 나라를 통치해야 한다고 주장했어.
잘 좀 부탁해요.
예, 전하.
그러나 순자가 말한 예의는 단순한 에티켓 수준의 것이 아니었단다.
어머.
팡
나라가 혼란한데 그런 한가한 주장을 폈을 리 없잖아.
순자가 주장하는 예의는 법에 가까울 정도로 제도화된 예의였어.
이런 이유로 순자를 법가의 시조로 보기도 하는 거야.
나는 그런 의도가….
실제로 순자의 휘하에서 여러 법가 사상가들이 배출되기도 했고 말이야.
스승의 날
카네이션 달아 드릴게요.
다음에는 생화로….
순자는 교육에도 관심이 많았어.
교육
교육은 국가의 백년지대계다!
순자는 본성이 선하지는 않지만 인간에게는 성인이 될 수 있는 가능성이 있다고 했어.
똑바로 해.
딱!
아파요!
인간이 예의를 인식할 수 있는 지적 능력과 실천력을 지니고 있다고 보았거든.
지적 능력
실천력
순자는 교육을 통해 예의를 익히면 사회의 혼란을 막을 수 있다고 믿었어.
교육
혼란

또한 인간의 부정적인 면과 긍정적인 면을 모두 인정했지.
나의 성악설은 인간에 대한 불신뿐 아니라 인간에 대한 신뢰도 보여 주지.
순자는 인간의 본성, 하늘과 인간의 관계, 왕도와 패도의 차이 등을 놓고 고심했어.
그러고는 유가의 핵심 주제에 관한 새로운 접근법을 보여 주었어.
가자!
유가 경전에 관한 연구와 전수에서 세운 공로는 높이 평가받을 만하지.
짝
짝
짝
순자는 현실을 인식할 때나 인간을 이해하는 데 있어 절대 감상적으로 흐르지 않았어.
감상
냉철하게 분석하고 실질적인 답을 내놓았지.
시험 끝.
또한 인간의 본성이 아닌 예의와 교육 등의 제도에서 도덕성의 근원을 찾았어.
예의
교육
이것이 바로 순자가 진보적인 사상가로 평가받는 이유란다.
맹자와의 차이점이기도 하지.
어때?
고리타분하게 보이던 유가 사상가 중에 나처럼 참신한 인물이 있다는 것이 놀랍지 않니?
그럼 이제부터는 순자의 사상에 대해 본격적으로 알아보자.
GO

3장

하늘과 사람이 서로 통할 리가 있느냐?

– 천인지분(天人之分)

순자 사상의 핵심을 파악하려면 먼저 그의 자연관을 살펴봐야 해.
아~! 좋다.
순자가 하늘과 자연을 어떤 관점에서 바라보았는지 알면
저건 뭐여….
순자의 정치관이나 인성관, 교육관 등 여러 가지 사상도 쉽게 이해할 수 있거든.
정치관
누워서 떡 먹기지.
인성관
교육관
그래서 순자의 자연관이 잘 드러나 있는 17편, 〈천론〉 편을 먼저 살펴보려고 해.
'천론(天論)'은 말 그대로 '하늘에 대한 논의'야.
天論
여기서 '하늘'은 '자연'과 같은 의미로 생각해도 무방하단다.
하늘이 곧 자연, 자연이 곧 하늘이니라.

하늘의 운행에는 일정한 법도가 있다. 이는 요임금 같은 성군을 위해 존재하는 것도 아니고, 걸왕 같은 폭군 때문에 없어지는 것도 아니다. 거기에 바르게 응하면 길하고, 어지럽게 응하면 흉할 뿐이다.
天論
근본(농사)에 힘쓰고 절약하면 하늘이 사람을 가난하게 할 수 없고, 의식을 잘 갖추고 때에 맞게 움직이면 하늘이 사람을 병들게 할 수 없으며, 바른 도를 닦아 도리에 어긋나지 않으면 하늘이 사람에게 재앙을 내릴 수 없다.
무슨 뜻일까?
내가 써 놓고도 헷갈리네.
여기서 하늘의 운행에 있다는 '법도'는 원문에 '상(常)'으로 표기되어 있어.
상(常)은 변함없는 법칙, 만고불변의 법칙 등으로 이해하면 돼.
말하자면 하늘은 일정한 원리에 따라 운행되고 있는데
거기에는 어떠한 의지나 목적 같은 것들이 개입되어 있지 않다는 거야.
의지
목적
하늘은 인간 세상과 무관하게 운행되고 있기 때문에
비는 언제 오려나.
인간의 길흉화복은 하늘에 달린 것이 아니라 인간이 어떻게 하느냐에 달려 있다는 말이지.
이번에 우리 아들이 합격할 수 있을까요?
열심히 했으면 붙겠지, 험!

당연한 말이 아니냐고?
천만의 말씀!
요즘에도 천벌(天罰)을 받는다는 표현을 쓰는데 옛날에는 어땠겠어?
철수 씨~ 엉엉엉.
천벌을 받을 놈!
말이 나온 김에 고개 들어 하늘을 한번 봐.
끝없이 펼쳐지는 아득한 하늘이 보일 거야.
청아, 푸른 하늘을 보고 싶구나.
오늘 비 와요.
인간의 힘으로는 알 수 없는 불가사의한 세계 같지 않니?
나는 알지롱~.
벼락이라도 치면 잘못한 일이 생각나 움찔할 사람도 있을 테지.
꽈르릉
회장님!
하늘은 해와 달이 떠 있고, 비와 눈을 내리게 하는 곳이야.
쏴
인간의 지각으로는 그 조화와 작용을 헤아리기 어렵지.
그래서 하늘은 오래전부터 경외의 대상으로 여겨졌어.
하늘
동서양 사람들 모두 오랜 세월 동안 하늘이 지상의 모든 것을 관장한다고 생각했어.
하늘
영향력
땅
인간사 역시 당연히 그 영향권 안에 있다고 여겼지.
하늘
인간

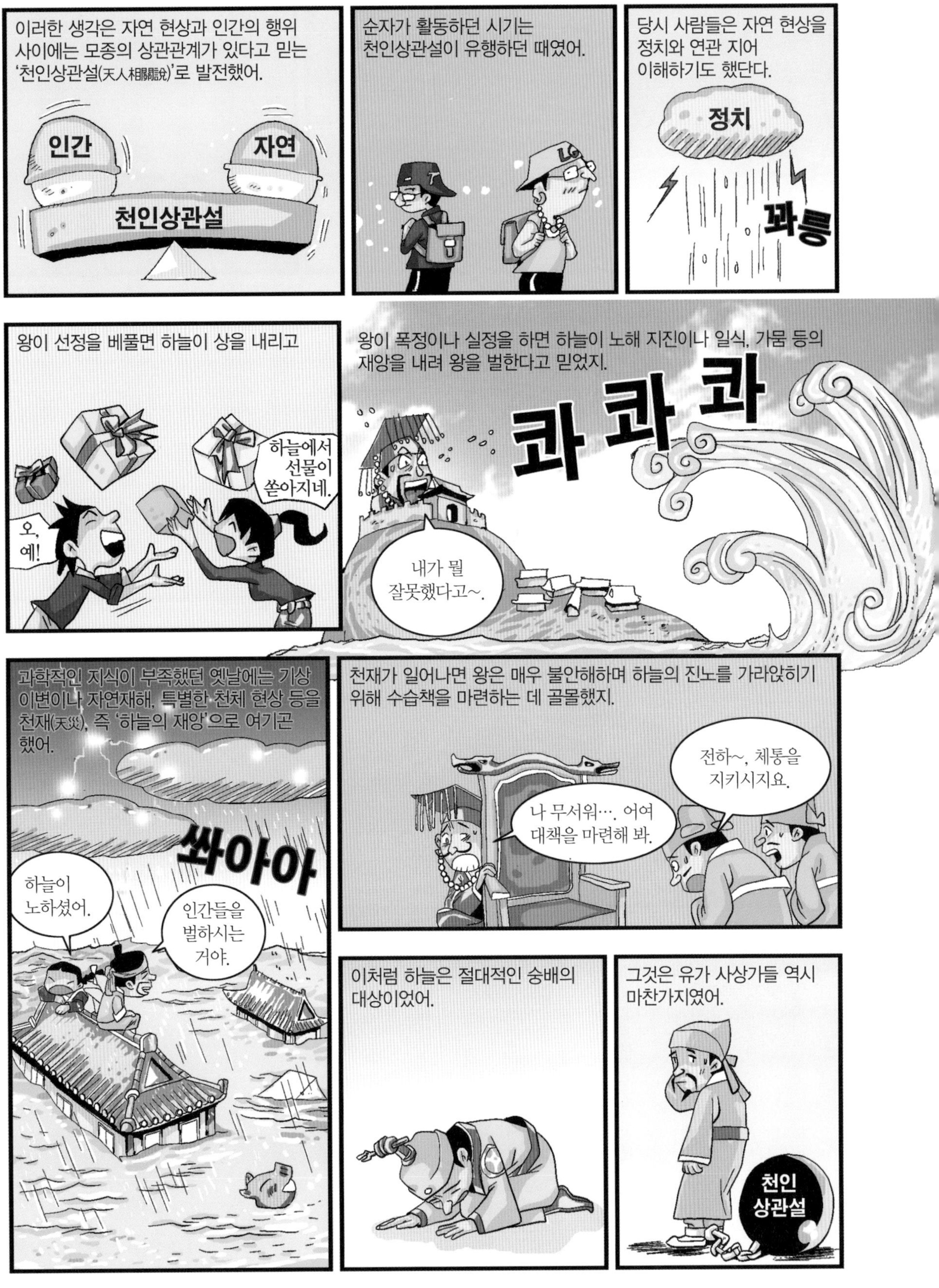

이러한 생각은 자연 현상과 인간의 행위 사이에는 모종의 상관관계가 있다고 믿는 '천인상관설(天人相關說)'로 발전했어.
인간
자연
천인상관설
순자가 활동하던 시기는 천인상관설이 유행하던 때였어.
당시 사람들은 자연 현상을 정치와 연관 지어 이해하기도 했단다.
정치
꽈릉
왕이 선정을 베풀면 하늘이 상을 내리고
하늘에서 선물이 쏟아지네.
오, 예!
왕이 폭정이나 실정을 하면 하늘이 노해 지진이나 일식, 가뭄 등의 재앙을 내려 왕을 벌한다고 믿었지.
콰 콰 콰
내가 뭘 잘못했다고~.
과학적인 지식이 부족했던 옛날에는 기상 이변이나 자연재해, 특별한 천체 현상 등을 천재(天災), 즉 '하늘의 재앙'으로 여기곤 했어.
쏴아아
하늘이 노하셨어.
인간들을 벌하시는 거야.
천재가 일어나면 왕은 매우 불안해하며 하늘의 진노를 가라앉히기 위해 수습책을 마련하는 데 골몰했지.
전하~, 체통을 지키시지요.
나 무서워…. 어여 대책을 마련해 봐.
이처럼 하늘은 절대적인 숭배의 대상이었어.
그것은 유가 사상가들 역시 마찬가지였어.
천인 상관설

여기에 유학자인 순자가 감히 이견을 낸 거야.
하늘은 단지 하늘일 뿐!
하늘이 인간사를 좌지우지하는 게 아니라는 순자의 선언은 보통 일이 아니었어.
어쩔래….
모든 사람이 하늘의 명령(天命)과 하늘의 도리(天理)를 운운하며 하늘을 향해 고개를 조아릴 때
혼자 'No!'라고 크게 외쳤으니 말이야.
NO
NO!
천인상관설을 부정하는 순자의 천론은 유가의 자연관에서 한참 벗어난 것이었어.
천론
이는 순자가 유가에서 배척당한 가장 큰 이유가 되었지.
꺼져!
순자는 자신의 주장이 옳다는 것을 입증하기 위해 과거의 왕들을 예로 들었어.
자연 현상은 임금이 성군일 때나 폭군일 때나 변함이 없다.
치세나 난세는 하늘이 만드는 것인가?
해와 달, 별들의 운행은
우왕 때나 걸왕 때나 같았다.
그러나 우왕 때는 세상이 안정되었고
걸왕 때는 어지러웠으니,
치세와 난세는 하늘에
달린 것이 아니다.

그럼 치세나 난세를 주재하는 것은 때인가? 봄과 여름에 식물이 무성하게 자라고, 가을과 겨울에 거둬들여 쌓아 놓는 것 역시 우왕 때나 걸왕 때나 같았다.
그럼 땅이 치세나 난세를 주재하는가? 땅을 얻으면 살고, 땅을 잃으면 죽는 것 역시 우왕 때나 걸왕 때나 같았다.
요임금은 어질고 덕이 뛰어난 임금으로 손꼽히는 고대 중국의 왕이야.
그의 뒤를 이은 순임금과 함께 중국의 태평성대를 상징하는 '요순시대'의 주인공들이지.
요순시대
순임금에 이어 왕위에 오른 우왕 역시 성군으로 꼽히는 인물로서 하나라의 시조가 되었어.
내가 특히 *치수에 능했지.
반면에 걸왕은 하나라 왕조의 마지막 왕으로서 아주 포악한 인물이었어.
그러니까 순자의 말은 성군이 통치하든 폭군이 통치하든
천지자연의 조화는 늘 변함이 없었으므로 결국 사람이 하기 나름이라는 거야.
너 자신을 믿어라!

* 치수(治水): 수리 시설을 잘해 홍수나 가뭄의 피해를 막는 일.

순자는 당시 사람들이 두려워하던 기이한 자연 현상을 어떻게 해석했을까?
별이 떨어지고 나무가 울면 사람들이 모두 두려워하며 무슨 일인가 한다.
어째서 그러는가? 그것은 아무것도 아니다.
천지와 음양의 변화이고, 드물게 나타날 뿐이다.
따라서 이를 두려워하는 것은 잘못이다.
일식과 월식
때에 안 맞는 비바람
특이한 별
이런 것은 어느 시대에나 있는 일이다.
군주가 현명하고 정치가 안정되어 있으면 그런 일이 연달아 일어나도 해로움이 없다.
그러나 군주가 어리석고 정치가 불안정하면 그런 일이 없다 해도 아무 소용이 없다.
여기서 별이 떨어지는 것은 유성을, 나무가 우는 것은 나뭇가지가 폭풍에 흔들리며 내는 소리를 말해.
별일 아니라고~.
순자는 천지의 조화로 인해 드물게 일어나는 현상인 천재지변을 전혀 두려할 필요가 없다고 했어.
천재지변
무섭지?
책 읽어야 하니까 비켜 줄래?
오히려 정작 두려워하고 경계해야 할 것은 따로 있다고 보았지.

사람들이 일으키는 요사스런 변괴를 두려워해야 한다. 요사스런 변괴는 혼란으로 생겨나는 것이다. 요사스런 변괴가 일어나면 나라가 편안할 수 없다.
순자가 말한 '요사스런 변괴'란 무엇일까?
뭘 봐?
농사를 함부로 하는 것.
수확이 줄어 백성들이 굶주리는 것.
뭐라는 거야?
나라의 명령이 명확하지 않고 부적절한 것.
송사에서 이기고 싶으면 다섯
준비해요.
외적의 침입이 잦은 것.
사람들 간의 윤리가 무너지는 것.
이런 것들이 요사스런 변괴야.
만약에
이런 일들이 자주 일어난다면 나라가 평안할 수 없겠지?
자연 현상에 크게 연연하지 말고 각자 제 할 바를 다하면 나라가 저절로 화평해질 것이라는 말이군.
당시에는 가뭄이 들면, 하늘의 노여움을 달래기 위해 기우제를 올렸어.
기우제
기우제에 대해서도 내가 한마디 할게.

쏴아아아
기우제를 지낸 뒤에 비가 오는 것은 왜일까?
그것은 어떤 이유가 있어서가 아니다.
기우제를 지내지 않아도 비는 온다.
하늘이시여!
비 좀 어떻게 안 될까요?
일식과 월식이 있을 때 재난을 막아 달라고 치르는 의식이나 가뭄이 들면 지내는 기우제,
큰일을 앞두고 점을 치는 행위 등은 그것들을 한다고 해서 정말 바라는 바가 이루어진다고 여겨서 하는 것이 아니다.
결혼할 수 있는 부적 하나 써 주세요.
음….
형식을 갖추어 위안을 얻기 위해서다.
군자는 이를 형식으로 여기나 백성들은 신령스러운 것으로 여긴다.
형식
올해 안에 결혼하겠지?
형식을 갖추기 위한 것으로 생각하면 길하지만, 신령스러운 것으로 여기면 흉하다.
이 사람이! 장사 방해하지 마~.
정도령
언젠가는 예뻐질 거야.
언제 ….
위안을 얻기 위한 형식으로 생각하면 그저 족할 뿐.

하늘과 사람을 아무 상관없는 별개의 존재로 보는 사상은 '천인지분(天人之分)'이라는 말로 요약할 수 있어.
자연법칙과 인간 사회 사이에 인과관계가 전혀 없다는 의미의 '천인지분'은 인간과 자연의 분리를 선언하는 말이야.
윙
자연
인간
그럼 이쯤에서 한 가지 의문이 생길 거야.
순자는 사람이 자연에 대해 어떤 입장을 취해야 한다고 보았을까?
엄마가 좋지?
아냐, 아빠가 좋지?
입장 난처하네.
자연이 어떤 의지를 가지고 개인이나 공동체의 운명을 지배하는 것은 아니지만
자연
자연
자연 현상이 농업이나 기타 인간 생활에 직접적인 영향을 미치는 것은 사실이잖아.
이글
이글
비가 언제 오려나?
순자는 자연을 이해하고 잘 활용해야 한다고 생각했어.
이는 사람이 자연의 변화에 참여해야 한다는 말이야.
그러려면 일단 사람과 하늘의 영역이 다르다는 것부터 인정해야 해.
차이를 인정하나?
네, 네.
법원
애써 하지 않아도 이루어지고
구하려고 노력하지 않아도
저절로 얻어지는 것을 일컬어
하늘의 직분(天職)이라고 한다.
(천인지분을 알고 있는) 바른 사람은
생각이 아무리 깊어도 여기에
자기 생각을 더하지 않는다.

또 아무리 능력이 뛰어나도 자기 힘을 보태지 않으며, 관찰이 정밀해도 더 살피려 하지 않는다. 이를 가리켜 하늘과 직분을 두고 다투지 않는다고 하는 것이다.
여기서 하늘의 직분은 하늘이 마땅히 해야 할 본분을 의미해.
오직 합격
자연이 갖고 있는 고유한 능력이자 특성을 뜻하지.
순자는 인간이 하늘의 원리에 대해 굳이 알 필요가 없다고 했어.
하늘의 원리란 말야~.
이것은 하늘을 하찮게 여기거나 단순한 그 무엇으로 생각하기 때문이 아니야.
너 내가 우스워?
아니요.
하늘, 즉 자연은 위대하지만 인간은 겉모습만 볼 뿐, 완벽하게 그 본질을 알 수 없다는 것을 인정해야 한다는 뜻이지.
흠.
성인은 하늘에 대해 알려고 하지 않으며 추구하지도 않는다.
그러니까 하늘의 신비로운 작용을 알기 위해 무리할 것 없이 그저 사람의 역할만 다하면 된다는 얘기야.
내 직분에 충실할 뿐이다!
도둑아, 서라!
하늘의 무한함을 인정하는 겸허한 태도랄까?
흠.
형님!
순자는 이것이 성인이 가야 할 길이라고 했어.
성인의 길

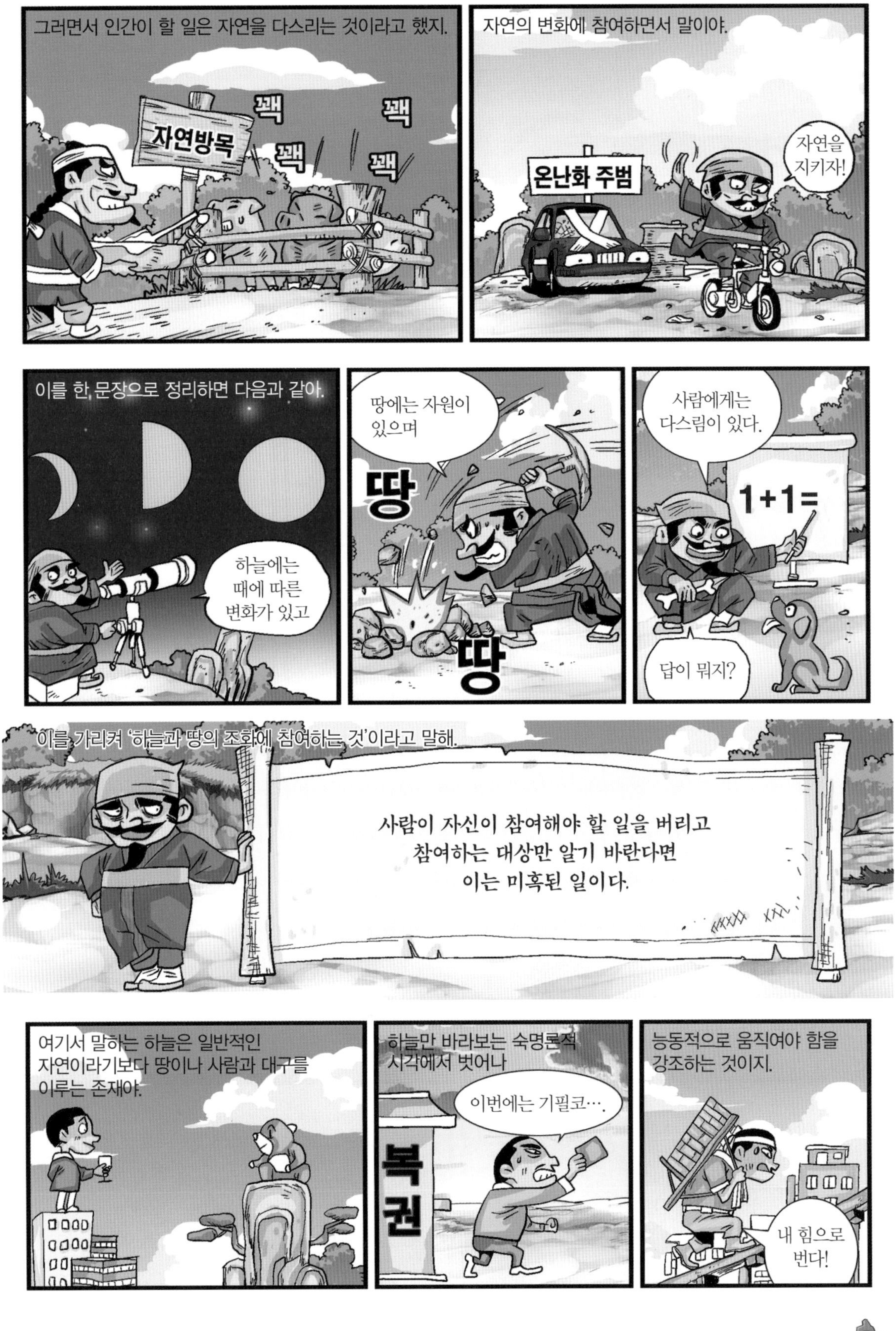
그러면서 인간이 할 일은 자연을 다스리는 것이라고 했지.
자연방목
꽥
꽥
꽥
꽥
자연의 변화에 참여하면서 말이야.
온난화 주범
자연을 지키자!
이를 한 문장으로 정리하면 다음과 같아.
하늘에는 때에 따른 변화가 있고
땅에는 자원이 있으며
땅
땅
사람에게는 다스림이 있다.
1+1=
답이 뭐지?
이를 가리켜 '하늘과 땅의 조화에 참여하는 것'이라고 말해.
사람이 자신이 참여해야 할 일을 버리고
참여하는 대상만 알기 바란다면
이는 미혹된 일이다.
여기서 말하는 하늘은 일반적인 자연이라기보다 땅이나 사람과 대구를 이루는 존재야.
하늘만 바라보는 숙명론적 시각에서 벗어나
이번에는 기필코….
복권
능동적으로 움직여야 함을 강조하는 것이지.
내 힘으로 번다!

순자는 사람을 하늘땅과 동등한 자격을 가진 참여자로서 자연을 다스리기 위해 스스로 실천하고 노력해야 하는 존재로 보았어.
자연
사람을 스스로 운명을 개척하고 창조해 나가야 하는 존재로 여긴 것이지.
운명아 비켜라~!
하늘을 위대하게 여기고 고맙게 생각하는 것과
하늘이 내린 물건을 기르고 관리하는 것 중 어느 쪽이 낫겠는가?
또 하늘을 따르고 칭송하는 것과 하늘로부터 타고난 것을 쓰고 이용하는 것 중 어느 쪽이 낫겠는가? 때를 바라보며 기다리는 것과 때에 맞춰 이용하는 것 중 어느 쪽이 낫겠는가?
천 론
물건을 그대로 두고 그것이 많아지기를 바라는 것과
능력을 발휘해 그것을 변화시키려는 것 중 어느 쪽이 낫겠는가?
만물을 생성하는 자연을 흠모하는 것과 만물을 성장케 하는 사람의 입장이 되는 것 중 어느 쪽이 낫겠는가?
사람의 입장을 제쳐 두고 하늘을 생각한다면 만물의 진정한 모습을 놓치게 될 것이다.

순자가 말하려는 바를 이해할 수 있겠니?
사람은 하늘과 입장이 다르니 적극적으로 의지를 발휘해 자연을 이용하고 운명을 개척하라는 얘기잖아.
개척
이는 하늘이 사람의 일을 대신해 주지 않는다는 깨달음을 전제로 하고 있어.
나도 좀 쉬자. 화장실 갈 시간도 없어!
순자가 이런 주장을 펼친 데에는 어떤 배경이 있을까?
궁금하면 500원!
옛날 사람들은 하늘을 지상의 모든 것을 주재하는 최고의 신으로 믿었어.
1인자
왕은 하늘의 명을 받드는 존재로서, 하늘에 지내는 제사를 주관했지.
제사
왕을 '천자(天子)'라고 부르던 것에서 하늘의 대리자였던 왕의 권세를 짐작할 수 있어.
그러나 하늘에 대한 종교적인 관념은 혼란스러웠던 춘추 전국 시대를 거치며 크게 흔들렸어!
춘추 전국 시대는 농업보다는 상업과 수공업이 크게 발달했던 시기였어.
자연에서 나는 다양한 소재들을 이용해 상품을 만들면서 자연에 대한 지식이 깊어졌지.
지식의 깊이
자연
그 결과 인간의 일이 하늘의 뜻에 따라 좌우되지 않는다는 것을 알게 된 거야.
이것들이 요즘 제사를 안 지내네….
배고파….
하늘의 곳간
텅
이러한 배경을 바탕으로 순자는 자연과 인간이 분리되어 있다는 것에서부터 자연에 대한 인간의 다스림까지 생각이 발전했던 것이지.
생각의 발전
GO

순자가 오랜 시간을 보냈던 제나라는 다른 나라에 비해 수공업과 상업이 발달한 나라였어.
짝
짝
짝
골라.
골라.
이와 같은 제나라의 분위기는 순자가 천인지분 사상을 탄생시킨 배경이 되었을 거야.
천인지분
분위기
제나라
공자나 맹자는 하늘을 우주와 인간사를 결정하는 원리가 존재하는 곳으로 파악했어.
무슨 말인지 알지?
그럼요!
물론 하늘을 인간의 이성으로 인식할 수 있는 대상으로 보았다는 점에서는 기존의 종교적 관념에서 한 단계 발전한 것으로 볼 수 있어.
형님!
유교
저런 건방진….
종교
반면에 순자는 하늘을 자연의 일부로 국한시켜 생각했어.
자연
하늘
공자나 맹자의 자연관에 비해 훨씬 현실적이고 과학적이라고 할 수 있지.
과학적
순자의 자연관은 종종 도가 사상가인 장자의 자연관과 비교되곤 해.
비교하지 말란 말이야.
순자의 주장이 자연의 질서와 함께할 것을 역설한 장자의 주장과 대조되기 때문이야.
자연으로 돌아가자.
장자는 하늘이 만물을 지배하는 절대적인 힘이라고 생각했어.
덤벼.
하늘
인간
인간의 이성으로 파악하거나 헤아릴 수 없는 초월적인 힘으로 여겼지.
하나도 모르겠어!
하늘은
그러나 장자는 하늘을 신처럼 숭배하지는 않았어.
자존심이 있지….

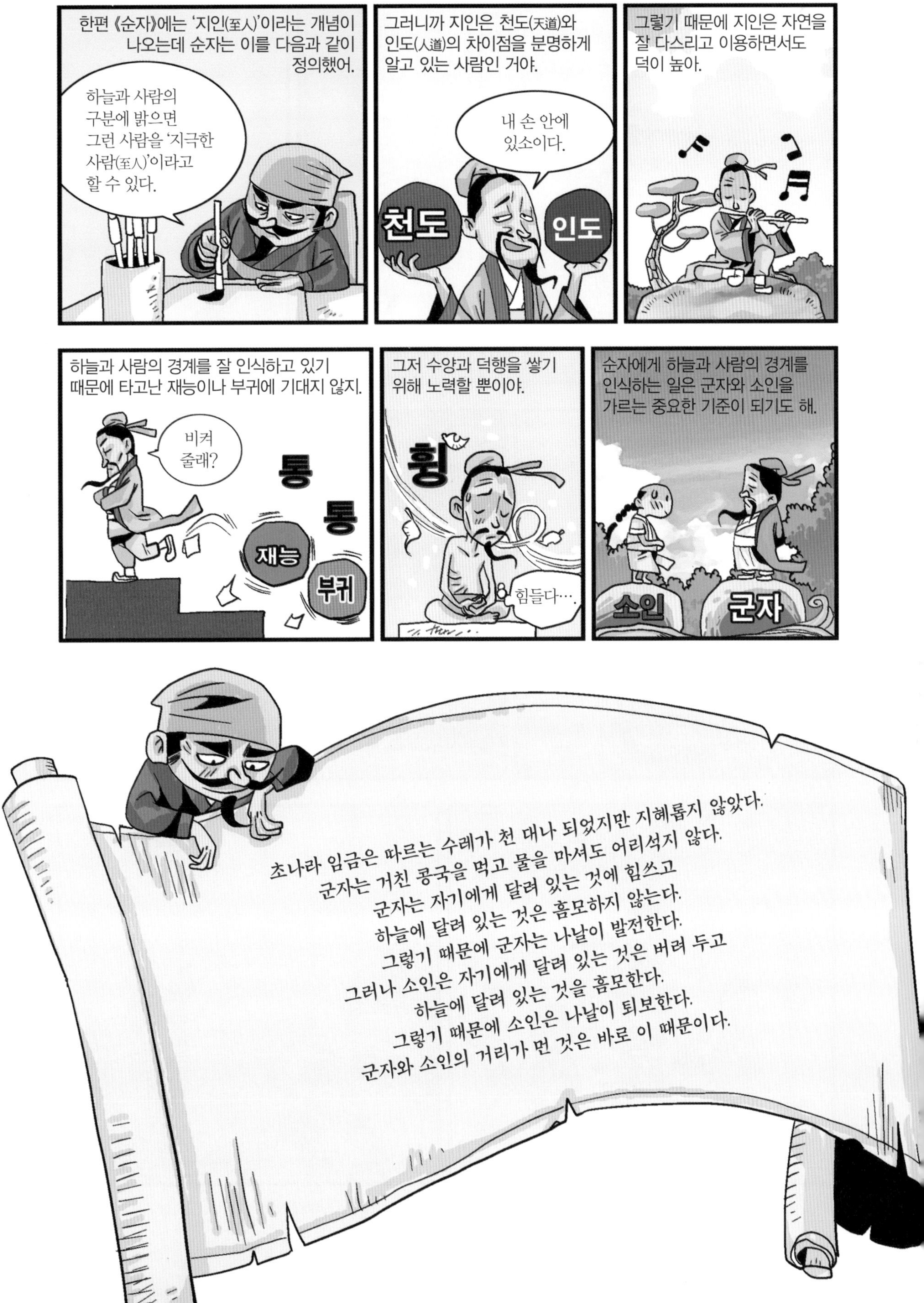

한편 《순자》에는 '지인(至人)'이라는 개념이 나오는데 순자는 이를 다음과 같이 정의했어.
하늘과 사람의 구분에 밝으면 그런 사람을 '지극한 사람(至人)'이라고 할 수 있다.
그러니까 지인은 천도(天道)와 인도(人道)의 차이점을 분명하게 알고 있는 사람인 거야.
내 손 안에 있소이다.
천도
인도
그렇기 때문에 지인은 자연을 잘 다스리고 이용하면서도 덕이 높아.
하늘과 사람의 경계를 잘 인식하고 있기 때문에 타고난 재능이나 부귀에 기대지 않지.
비켜 줄래?
통
통
재능
부귀
그저 수양과 덕행을 쌓기 위해 노력할 뿐이야.
휭
힘들다….
순자에게 하늘과 사람의 경계를 인식하는 일은 군자와 소인을 가르는 중요한 기준이 되기도 해.
소인
군자
초나라 임금은 따르는 수레가 천 대나 되었지만 지혜롭지 않았다.
군자는 거친 콩국을 먹고 물을 마셔도 어리석지 않다.
군자는 자기에게 달려 있는 것에 힘쓰고
하늘에 달려 있는 것은 흠모하지 않는다.
그렇기 때문에 군자는 나날이 발전한다.
그러나 소인은 자기에게 달려 있는 것은 버려 두고
하늘에 달려 있는 것을 흠모한다.
그렇기 때문에 소인은 나날이 퇴보한다.
군자와 소인의 거리가 먼 것은 바로 이 때문이다.

순자는 이처럼 하늘을 어떻게 대하느냐에 따라
군자와 소인을 구분했어.
여기서 군자와 소인이
어떻게 다른지 그
차이를 알 수 있겠지?
순자는 모든 것이 사람에게 달려
있다고 말하고 있어.
일국의 정치뿐만 아니라
정치로
멀고 먼
정치의 길….
개인의 운명도 어떤 행동을 하느냐에 따라 달라진다고 주장했지.
잡히지 않게 하늘에
기도했는데 이게 뭐야~.
이렇듯 노력과 행동 여하에 따라 모든 일이 결정되는데
소인은 노력하지 않고 하늘만 바라본다는 거야.
비가 오려나….

부탁해 봐.
도와줄게.
어서어서
부탁해~.
내 힘으로
풀어낼 거야!
반면에 군자는 하늘에 기대지 않고 자기에게 주어진 재능을 발전시키기 위해 날마다 스스로 노력하지.
끙끙
끙끙
휘이잉
덜
덜
하늘은 사람이 추위를 싫어한다고 해서 겨울을 없애지 않는다.
또 땅은 사람이 먼 거리를 싫어한다고 해서 그것을 줄여 주지 않는다.
그리고 군자는 소인들이 시끄럽게 떠든다고 해서 할 일을 그만두지 않는다.
군자의 길
하늘에는 영원불변의 법칙이 있고 땅에는 영원불변의 원리가 있으며 군자에게는 영원불변의 도리가 있다. 군자는 그 영원불변함을 따라가지만 소인은 공리(功利)를 헤아린다.

이처럼 군자는 하늘이나 땅처럼 무심한 듯 제 갈 길을 가는 존재여야 해.
순자가 보는 자연은 인간의 삶과 상관이 없고 의지가 존재하지 않는 곳이야.
여보! 하늘도 무심하시지. 엉엉….
흑흑.
인간 스스로의 의지로 영원불변의 도를 좇는 군자의 모습은 참으로 근사해 보여.
도
그러나 순자가 살던 시대에 이와 같은 생각을 가진 사람이 과연 몇이나 되었을까?
물냉면 어때?
우린 비빔냉면….
순자의 파격적인 주장에 어쩌면 당시 사람들은 큰 충격을 받았을지도 몰라.

순자는 '천인지분'처럼 시대를 앞선 생각을 주장하며 종교적인 관점에서의 하늘과 인간 사이에 분명한 선을 그었어.
이 선 넘어오지 마세요….

이러한 이유로 후대의 학자들에게 순자의 사상은 이성적이고도 합리주의적인 사상이라고 평가받는 거야.
순자가 그렇게 이성 친구를 밝혔대….
그 이성이 아니야~.

순자는 동양에서 보기 드문, 합리주의를 바탕으로 학문을 연구한 선구자였어.
합리주의
동 양
동양에도 저런 사상가가 있다니~.

순자의 자연관은 그의 사상 체계의 기초를 이루는 핵심이야.
메인 요리 나왔습니다~.
자연관

이제 우리는 지금껏 살펴본 순자의 자연관에서 출발한 성악설에 대해 본격적으로 공부할 거야.
자연관
성악설
출발해 볼까?
붕

순자가 성악설을 통해 인간의 후천적인 노력과 의지를 얼마만큼 중요하게 여겼는지 한번 살펴보자.

쿠 쿠
성악설
후천적 노력
의지

4장

인간은 저절로 선해지지 않는다

— 성위지분(性僞之分)

이제부터는 순자를 유명하게 만든 성악설에 대해 알아볼 거야.
적어….

그 전에 순자, 맹자, 고자 등 고대 사상가들이 인간의 본성을 탐구하게 된 이유에 대해 먼저 알아보자.
이유가 뭡니까?
그냥.
심심해서.

앞에서도 말했지만 주나라의 멸망은 봉건제의 해체로 이어졌어.
주나라
남아나는 것이 없군.

그 과정에서 엄청난 변화가 일어나면서 중국 대륙은 대 격변의 시기를 맞이했단다.
기존 질서

기존의 봉건적 인간관계가 흔들리면서 전통적인 생활 양식이 붕괴되었고, 이로 인해 사람들의 가치관에도 변화가 일어났거든.
영감, 불 좀 빌립시다.
뭐야?

달라진 사회와 인간관계에 따라 새로운 도덕규범이 절실해졌어.
도덕
규범
사회
인간 관계
사상가들은 어떤 도덕규범을 세워야 할 것인가에 대해 고민했어.
도덕 규범
그러면서 도덕규범의 바탕이 되는 인성, 즉 인간의 본성에 대해서도 주목하게 되었지.
본성
사상가들은 인성이라는 주제를 놓고 깊이 파고들었어.
두두두
인성
인성과 도덕규범을 어떻게 연관 지을 것인가 고심했지.
인간의 본성은 어떤 것입니까?
인간의 성품은 어떠해야 합니까?
인간한테 가서 물어봐….
사상가들의 인성론은 정치사상의 토대를 이루는 중요한 이론적 배경이 되었어.
정치
인성론
토대
당시에는 정치와 도덕을 별개의 것으로 보지 않았거든.
정치가 한 그루의 나무라면, 도덕을 그 뿌리로 여겼다고나 할까?
정치
도덕
이런 이유로 공자, 맹자, 순자 등 유가의 사상가들이 인성에 큰 관심을 가졌던 것이란다.
인성

그들은 현실 속 인간의 모습에 주목했어.
두
둥

그중에서도 순자는 혼란과 무질서로 점철된 전국 시대의
사회상을 연구하며 인간의 본성이 과연 선한지 의문을 품었지.

《순자》의 〈비십이자〉 편을 보면 당시 순자의 눈에 비친 사회상이 잘 묘사되어 있단다.
지금의 벼슬아치들은 무책임하고 제멋대로 행동하며 탐욕스럽다. 또한 죄를 범하고 예의를 모르며 권세만 좇는다. 남을 해치며 세상을 어지럽힌다.
벼슬을 안 하는 선비들은 무능하면서도 유능하다 하고 무지하면서도 유식한 체하며 만족할 줄 모르면서도 욕심 없는 체한다. 행동이 거짓되고 음험한데도 신중하고 바른 것처럼 행세하며 다른 이들과 동떨어진 짓을 한다.

벼슬을 하든 안 하든 선비는 지금으로 치면 지식인이라고 볼 수 있어.
저것들은 제대로 된 구석이 하나도 없어….
배웠다는 선비들이 이 정도면 일반 민중은 말할 것도 없었지.
선비
일반 민중
당시 사회는 한 마디로 말해 도덕과 질서가 부재한 상태였어.
도덕
질서
그래서 순자는 다음과 같은 결론을 내렸어.
인간의 성(性)은 악하니, 그 선한 모습은 인위적으로 만든 것이다.
이 글은 《순자》 23편 〈성악〉 편 첫머리에 나오는 문장이란다.
여기에서 성(性)은 글자 그대로 인간이 타고난(生) 마음(心)을 뜻해. 태어나면서부터 갖춰진 마음을 의미하지.
순자
이처럼 인간의 본성이 악하다는 주장에 대한 근거는 무엇일까?
가식은 싫어.
순자는 다음과 같은 근거를 들었어.
인간은 태어날 때부터 이익을 좋아한다.
이러한 성질을 따르기 때문에 쟁탈이 생기고, 사양하는 마음이 사라진다.
인간은 태어나면서부터 질투와 증오가 있어 이를 그대로 따르니, 타인을 해치게 되고 충성과 신의가 없어진다.

또한 인간은 나면서부터 귀와 눈의 욕망이 있어 아름다운 소리와 색을 좋아한다.
이를 따르기 때문에 음란한 마음이 생기고 예의와 규칙이 사라진다.
그러므로 인간이 타고난 본성과 감정을 그대로 좇으면 반드시 쟁탈이 생기고 분수를 어기게 되며 도리가 어지러워져 세상이 혼란해진다.
순자는 '성(性)'을 인간의 선천적이고 자연적인 모습으로 파악했어.
선천적
자연적
그리고 성이 욕구, 욕망, 감정 등의 형태로 나타난다고 생각했지.
또르르
성
욕구
욕망
감정
《순자》에 적혀 있는 그의 말을 좀 더 살펴보자.
인간은 배가 고프면 먹으려 하고
추우면 따뜻함을 원하며
피곤하면 쉬고 싶어 한다.
z
순자
이것이 인간의 감정과 본성이다.
인간의 눈은 색을 좋아하고 귀는 소리를 좋아하며 입은 맛을 좋아한다. 또 마음은 이익을 좋아하고 몸은 편안함을 좋아하는데, 이것은 모두 인간의 감정과 본성에서 생겨나는 것이다.

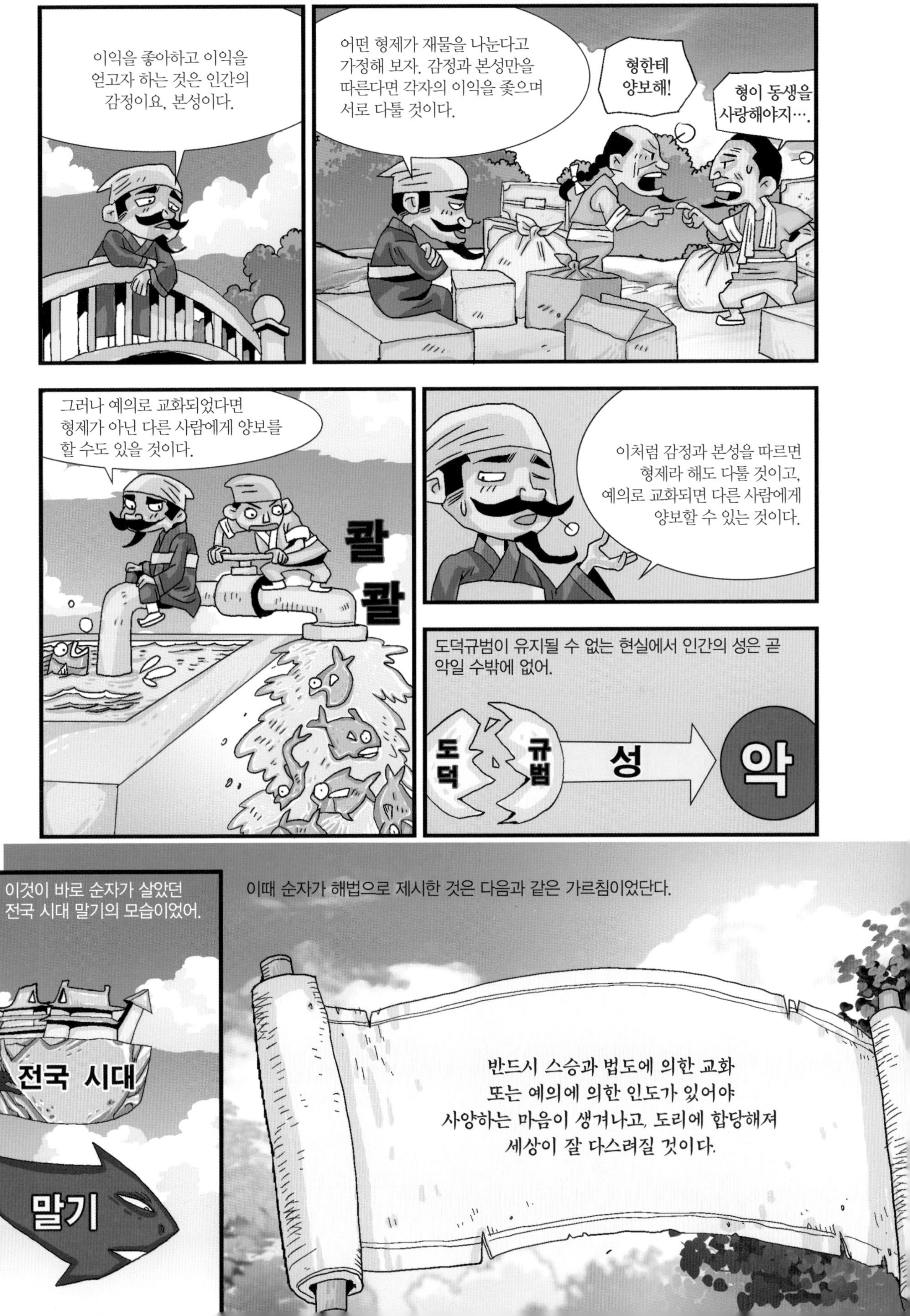

이익을 좋아하고 이익을
얻고자 하는 것은 인간의
감정이요, 본성이다.
어떤 형제가 재물을 나눈다고
가정해 보자. 감정과 본성만을
따른다면 각자의 이익을 좇으며
서로 다툴 것이다.
형한테
양보해!
형이 동생을
사랑해야지….
그러나 예의로 교화되었다면
형제가 아닌 다른 사람에게 양보를
할 수도 있을 것이다.
콸
콸
이처럼 감정과 본성을 따르면
형제라 해도 다툴 것이고,
예의로 교화되면 다른 사람에게
양보할 수 있는 것이다.
도덕규범이 유지될 수 없는 현실에서 인간의 성은 곧
악일 수밖에 없어.
도덕
규범
성
악
이것이 바로 순자가 살았던
전국 시대 말기의 모습이었어.
전국 시대
말기
이때 순자가 해법으로 제시한 것은 다음과 같은 가르침이었단다.
반드시 스승과 법도에 의한 교화
또는 예의에 의한 인도가 있어야
사양하는 마음이 생겨나고, 도리에 합당해져
세상이 잘 다스려질 것이다.

순자는 인간의 타고난 본성은 악하기 때문에 교육과 법, 예의 등을 통해 인간을 바른 방향으로 이끌어야 한다고 주장했어.
이 강사 열렬히 주장합니다!
쾅
선천적으로는 악하지만 후천적인 교화를 거치면 선하게 바뀔 수 있다고 생각했지.
똑바로 살아, 짜샤!
딱
네.
순자는 이를 다음과 같은 비유를 통해 설명했어.
구부러진 나무는 곧은 자를 대고 불로 쪄야 반듯해지고
무딘 쇠는 숫돌에 갈아야 날카로워진다.
마찬가지로 인간의 악한 성은 반드시 스승의 가르침을 배워야 바르게 되고 다스려진다.
스승님.
아무리 다이아몬드라도 원석을 가공해야 비로소 보석이 되듯이
원석
드드드..
가공
인간도 스승의 가르침을 받아 공들여 가공되어야 제대로 된 인간이 될 수 있다는 말이야.
교
육
가르침을 잘 따르는 사람은 군자요, 그렇지 못한 사람은 소인이다.
순자
즉 스승의 가르침으로 교화되고 학문을 쌓으며 예의를 실천하는 사람은 군자이나
타고난 본성과 감정을 그대로 좇아 제멋대로 행동하며 예의를 어기는 사람은 소인이다.

군자가 되는 길은 멀고도 험해. 그렇다고 해서 소인으로 살아갈 수는 없잖아?
군자의 길
죽기 전에 갈 수 있을까?
군자가 되려면 학문을 쌓고 예의를 따르는 데 한 치의 소홀함도 없어야 해.
학문
예의
소인을 군자로 만들어 주는 예의는 대체 어디에서 생겨난 것일까?
누구냐, 넌?
예의
순자는 다음과 같이 말했어.
나, 성인….
옛 성왕은 인간의 악한 본성 때문에 세상이 잘 다스려지지 않는다고 보았다.
그래서 예의를 만들고 법도를 제정해 인간의 본성과 감정을 바로잡고 인간을 올바른 길로 인도했다. 그 결과 사람들을 모두 잘 다스릴 수 있게 되면서 세상이 도리에 맞게 되었다.
순자는 옛 성왕(성인)에 의해 예의가 만들어졌다고 했어.
예의를 배운 스승이 백성들을 가르치면 모두가 선해지는 거야.
made in 성인
예의를 통해 사회의 혼란을 막을 수 있다고 믿었지.
혼란
성인
순자는 예의와 법도가 없는 세상을 상상하는 것만으로도 성악설이 옳다는 것을 알 수 있을 것이라고 했어.
성악설, 승!
승리
사람의 본성이 선하다고 해도 당장 예의와 법도를 없앤다면 세상은 큰 혼란에 빠져 망하게 될 것이라고 주장했지.

시험 삼아 임금의 권세와 예의를 통한
교화를 없애고, 법도에 의한 다스림을
중단한 뒤 형벌로 금지하는 것을 없애고 나서
세상 사람들이 어떻게 어울려 사는지
살펴본다면 잘 알 수 있을 것이다.
강자는 약자를 해친 뒤
그의 재물을 빼앗고,
큰 무리는 작은 무리를
짓밟을 것이다.
살려 줘~.
결국 세상이 어지러워져
오래가지 않아
망할 것이다.
한 푼만
줍쇼.
이것만 보아도 인간의 본성은
악한 것이 분명하다.
확, 저걸
그냥~.
모든 사람이 악한 본성을 가지고
태어난다면 성왕도 예외는 아닐
거야.
성왕
나 떨고
있니?
그렇다면 성왕은 어떻게 스스로 예의와
법도를 만들어 다른 사람을 교화시킬
수 있었을까?
예의와 법도란
말이야….
?
순자는 이에 대해 정확한 답을 하지 않았지만 성왕
스스로의 노력으로 그러한 경지에 올랐다고 생각했던
것 같아.
휴~.
공기 좋다!
여기서 핵심이 되는
단어는 바로 '노력'이란다.
노력
순자가 계속 강조하는 것도
바로 노력이지.
노력!
노력!
노력!
노력!

순자의 주장에 따르면 인간의 선한 모습은 인위적으로
만들어진 것이기 때문에 인간은 절대 저절로 선해지지
않아.

성형외과

그러므로 예의와 법도 그리고 학문을 배우고 익혀
행하기 위해 끊임없이 노력해야 한다는 거야.
예의
법도
학문

순자는 본성과 대비되는 개념인 '인위(人爲)'를 아주 중요하게 여겼어. 여기서 인위는 인간의 힘으로 이루어지는 일을 말해.
인위
순자는 본성과 인위를 구별해야 한다며 다음과 같이 말했어.
맹자는 인간이 학문을 하는 것은 본성이 선하기 때문이라고 했는데, 이는 잘못된 말이다.
간질~.
누가 내 욕하나?
맹자
이는 인간의 본성에 대해 제대로 알지 못하고, 본성과 인위를 구분하지 못한 데서 나온 주장이다.
떳떳하게 앞에서 얘기해! 아, 간지러워….
본성은 하늘로부터 타고난 것이라, 배우거나 노력한다고 해서 이룰 수 있는 것이 아니다.
하늘
지상
그러나 예의는 성인이 만들어 낸 것이라, 배우거나 노력해서 이룰 수 있다.
예의 바르게 노력하자.
배움이나 노력 없이 본디 사람에게 있는 것을 본성, 배움이나 노력으로 이룰 수 있는 것을 인위라고 한다.
이것이 본성과 인위의 차이점이다.
본성과 인위를 구분하는 것, 이것이 바로 *성위지분(性僞之分)이야.

* 성위지분(性僞之分)의 위(僞)는 '인위'를 가리키는 말로, '사람이 하는 일'을 뜻함. 원래 위(僞)는 '거짓', '가짜'라는 뜻이나 당시에는 僞(거짓 위)와 爲(할 위)가 비슷한 의미로 종종 사용됨.

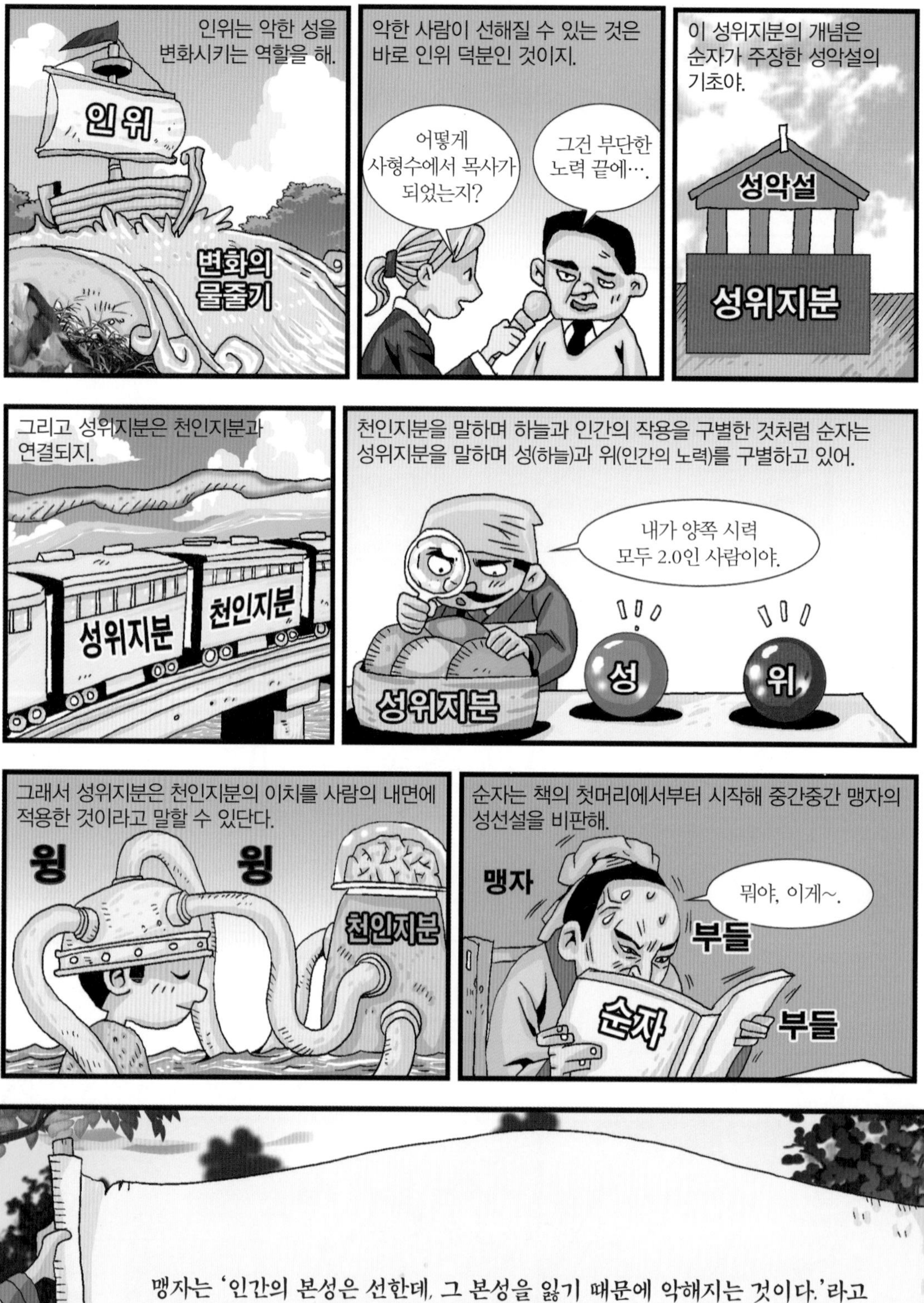
인위는 악한 성을 변화시키는 역할을 해.
인위
변화의 물줄기
악한 사람이 선해질 수 있는 것은 바로 인위 덕분인 것이지.
어떻게 사형수에서 목사가 되었는지?
그건 부단한 노력 끝에….
이 성위지분의 개념은 순자가 주장한 성악설의 기초야.
성악설
성위지분
그리고 성위지분은 천인지분과 연결되지.
성위지분
천인지분
천인지분을 말하며 하늘과 인간의 작용을 구별한 것처럼 순자는 성위지분을 말하며 성(하늘)과 위(인간의 노력)를 구별하고 있어.
내가 양쪽 시력 모두 2.0인 사람이야.
성위지분
성
위
그래서 성위지분은 천인지분의 이치를 사람의 내면에 적용한 것이라고 말할 수 있단다.
윙
윙
천인지분
순자는 책의 첫머리에서부터 시작해 중간중간 맹자의 성선설을 비판해.
맹자
뭐야, 이게~.
부들
순자
부들

맹자는 '인간의 본성은 선한데, 그 본성을 잃기 때문에 악해지는 것이다.'라고 말했지만 이는 잘못된 말이다. 인간을 본성대로 내버려 두면 선한 자질이 떠나 버려, 그것을 잃게 될 것이다. 이로 보아 인간의 본성은 악한 것이 분명하다.

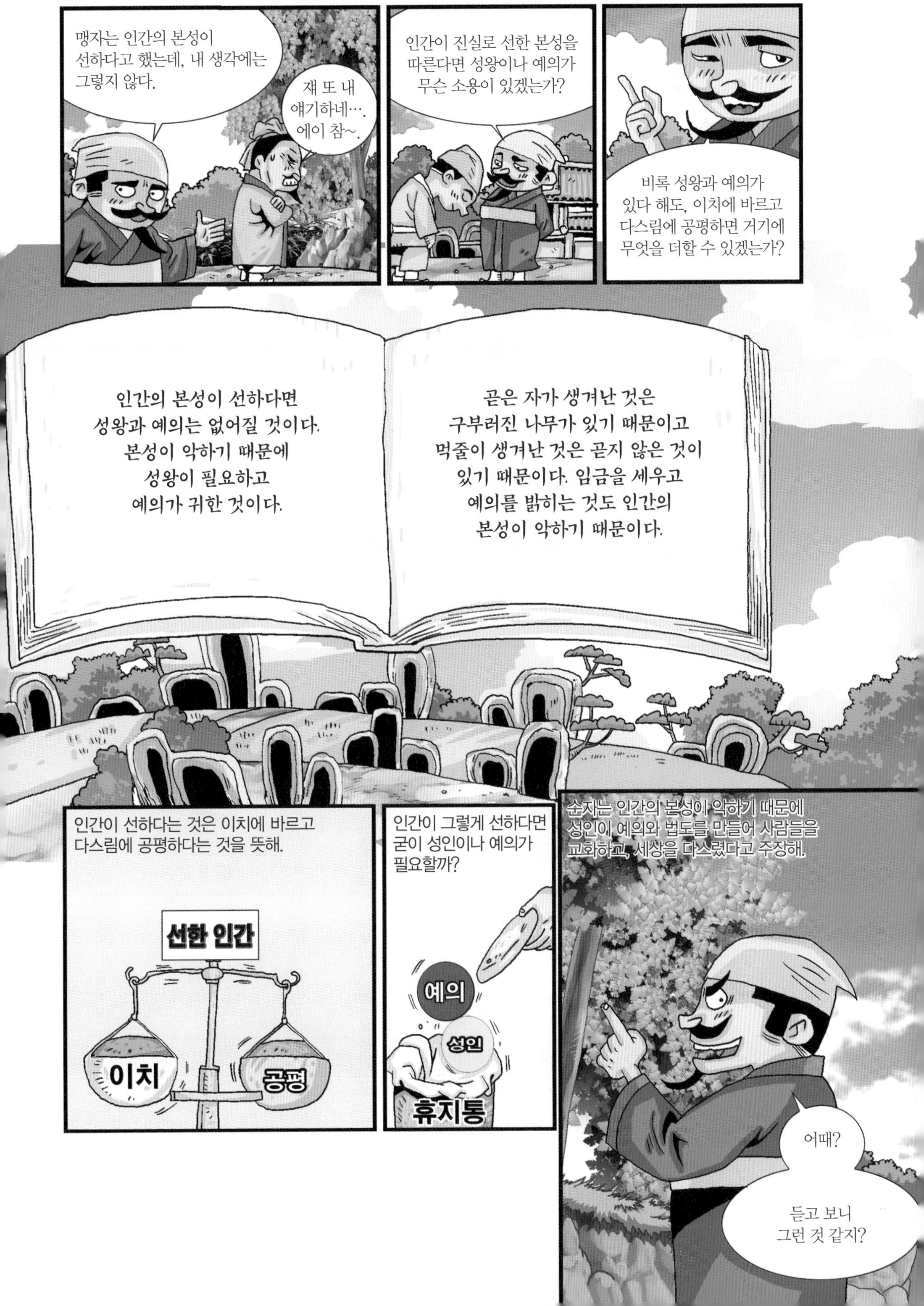
맹자는 인간의 본성이 선하다고 했는데, 내 생각에는 그렇지 않다.
쟤 또 내 얘기하네…. 에이 참~.
인간이 진실로 선한 본성을 따른다면 성왕이나 예의가 무슨 소용이 있겠는가?
비록 성왕과 예의가 있다 해도, 이치에 바르고 다스림에 공평하면 거기에 무엇을 더할 수 있겠는가?
인간의 본성이 선하다면 성왕과 예의는 없어질 것이다. 본성이 악하기 때문에 성왕이 필요하고 예의가 귀한 것이다.
곧은 자가 생겨난 것은 구부러진 나무가 있기 때문이고 먹줄이 생겨난 것은 곧지 않은 것이 있기 때문이다. 임금을 세우고 예의를 밝히는 것도 인간의 본성이 악하기 때문이다.
인간이 선하다는 것은 이치에 바르고 다스림에 공평하다는 것을 뜻해.
선한 인간
이치
공평
인간이 그렇게 선하다면 굳이 성인이나 예의가 필요할까?
예의
성인
휴지통
순자는 인간의 본성이 악하기 때문에 성인이 예의와 법도를 만들어 사람들을 교화하고, 세상을 다스렸다고 주장해.
어때?
듣고 보니 그런 것 같지?

여기서 인간을 교화시키는 예의를 만든 성인(성왕)이 어떤 존재인지 궁금해질 거야.
예의
예의는 어떤 배경에서 탄생하게 되었을까?
이에 대해 순자는 이렇게 말해.
예의는 성인이 만든 것으로, 인간의 본성에서 생겨나는 것이 아니다.
그릇은 도공의 인위적인 행위에서 생겨나는 것이지, 인간의 본성에서 생겨나는 것이 아니다.
돌 돌…
목수가 나무를 깎아 그릇을 만드는 경우도 마찬가지다.
성인은 생각을 쌓고 옛날부터 내려온 인위적인 것들을 습득해 예의를 만들고 법도를 제정했다.
그러니 예의와 법도는 성인의 인위적 행위로 생겨난 것이지, 인간의 본성에서 나온 것이 아니다.
예의.
법도.
이처럼 예의와 법도는 성인이 만든 것이다.
그러므로 성인이 대중과 똑같은 것은 본성이고, 대중보다 뛰어난 것은 인위이다.
순자는 예의와 법도 등의 규범은 인간의 본성 자체에서 생겨난 것이 아니라, 성인들이 인위적으로 만든 것이라고 강조했어.
꽥
알아들었냐?
꽥

여기서 성인은 일반 대중과 본성은 같지만 인위, 즉 후천적인 노력과 의지 면에서는 차이가 커.
일반인
정상
성인은 보통 사람에 비해 뛰어난 존재처럼 보이지만 순자는 성인도 본성은 한가지라고 했어.
성인
일반인
본성
무릇 인간의 본성은 요임금과 순임금 그리고 걸왕과 도척이 모두 같다. 군자든 소인이든 본성은 한가지이다.
수준 안 맞아서, 원.
수준은 무슨….
요임금
도척
순임금
걸왕
너희와 우린 레벨이 달라.
똑같다고 하던데?
인위가 쌓여 예의가 된 것이 인간의 본성이라면 요임금과 우임금 그리고 군자가 귀할 리 없지 않은가?
이들이 귀한 것은 인간의 본성을 교화시키고 인위를 일으킬 수 있기 때문이다.
인위
인위가 일어나 예의가 생겨난다. 따라서 성인과 예의의 관계는 옹기장이가 진흙으로 기와를 만드는 것과 같다.
예의
인위
인위가 쌓여 예의가 생겨난 것은 인간의 본성이 아니다. 걸왕이나 도척 그리고 소인들을 천하게 여기는 것은 그들이 본성을 따르고 감정을 좇아 성낼 뿐 아니라 남의 것을 탐하고 다투며 빼앗았기 때문이다.

예의가 하늘에서 뚝 떨어진 것이 아니라
성인이 만든 것인 만큼
쾅
예의
예의도 결국은 인간의 본성이 아닌가라는
의문이 들 수도 있어.
?
예의
이에 대해 순자는
부정적인 입장이었어.
NO
옹기장이가 만든 기와가 옹기장이의
본성이 아니듯이
기와 타고
고고.
쏴
성인이 만든 예의도 성인의
본성은 아니라는 거야.
예의
통
그런데 조금 전에 언급한
'도척(盜跖)'이 누구인지 알고 있니?
뭘 봐?
도척은 춘추 시대 노나라 사람으로, 부하
9000명을 거느리고 제후들을 약탈했던
도적이야.
일반적으로 큰 도적을 말할 때 언급되는
인물이지.
나 루팡이야.
친구하자.
싫어!
도척과 달리 악한 본성을 스스로 통제하고 예의와
도리를 다해 사람들의 존경을 받은 인물들도 있어.
순자의 글에도 등장하는 이들이지.
하늘이 증삼, 민자건, 효기
이 세 사람에게만 효심이라는
본성을 내려 준 것은 아니다.
그런데도 이 세 사람만
효자로 이름이 높은 이유는
무엇인가?
그것은 그들이
예의를 다했기
때문이다.
효자봉
예의의 길

공자의 제자였던 증삼은 효심이 매우 두터웠던 사람으로, 《효경》을 썼어.
엄마, 나 책 썼어.
민자건 역시 공자의 제자로, 효성과 덕행으로 유명한 인물이지.
전국 일주 시켜 드릴게요.
어느 세월에….
효기는 은나라 고종의 태자로, 그 역시 효성이 지극하기로 유명했어.
아빠! 왕 노릇 힘드시죠? 어서 제게 물려주세요.
순자는 이 세 사람만이 효도의 본성을 타고난 것이 아니라고 했어. 누구나 이들처럼 성인이 될 수 있다고 주장했지.
아무나….
저게….
순자
효자 3인방
저잣거리의 사람도 우임금과 같은 성인이 될 수 있다. 우임금이 훌륭한 임금으로 존경받는 까닭은 인의와 법도를 바르게 행했기 때문이다. 인의와 법도는 누구나 알 수 있고, 행할 수 있는 도리이다.
저잣거리의 사람도 인의와 법도를 알 수 있는 자질과 이를 행할 수 있는 능력을 갖추고 있으니 그들도 우임금처럼 될 수 있음이 분명하다.

이 말은 곧 사람이라면 모두 악한 본성을 갖고 태어나지만
누구나 노력하면 성인이 될 수 있다는 뜻이야.
성인고시 - 5일
순자는 누구나 인의와 법도를 알 수 있는 지적 바탕과 그것을 행할 수 있는 능력이 있다고 보았어.
진정한 앎은 자신이 얼마나 모르는지를 아는 것이다.
땡
이로 보아 순자의 성악설이 인간을 그저 부정적으로만 보는 것이 아니라는 것을 알 수 있어.
할 수 있다.
성악설
순자는 현실주의자답게 현실적인 한 마디를 남겼단다.
성인은 인위가 쌓여 이루어지는데, 왜 모두가 그렇게 할 수 없는가?
모두가 성인이 될 수 있는 것은 아니야.
?
소인은 군자가 될 수 있으나 군자가 되려 하지 않으며, 군자는 소인이 될 수 있으나 소인이 되려 하지 않는다.
저잣거리의 사람이 우임금 같은 성인이 될 수 있다는 말도 마찬가지다.
저잣거리의 사람이 성인이 될 수는 있으나 반드시 되는 것은 아니다. 될 수 있다고 해서 반드시 그렇게 되는 것이 아니기 때문이다. 될 수 있는 것과 되는 것의 차이는 크다.

성인이 되려면 악한 본성을 제어하기 위해 오랜 기간 공부하고 노력해야 해.
학교
학원
학원
그러나 모두가 그렇게 하지는 못하기 때문에 소인으로 남는 사람이 훨씬 많지.
군자
소인들
그렇기 때문에 순자가 의지와 노력을 계속 강조한 거야.
이처럼 순자는 후천적인 인위를 매우 중요시하며 강조했어.
인위
각자가 노력한 정도에 따라 다른 수준의 지혜를 갖는다며 다음과 같은 말을 했지.
사람에게는 성인의 지혜, 사군자(士君子)의 지혜, 하인의 지혜가 있다.
말을 많이 해도 우아하고 사리에 맞으며 화제가 계속 바뀌어도 논리가 통일되어 있고 조리가 정연한 것이 성인의 지혜이다.
또 말은 적지만 간결하고 법도가 있으며 먹줄을 친 것처럼 곧으면 이것은 사군자의 지혜이다.
반면에 말하는 것은 재빠르지만 논리가 없고 아는 것은 많지만 쓸모가 없으며 옳고 그름을 가리지 않고 남을 이기려는 생각만 있으면 이것은 하인의 지혜이다.
내 말이 맞아!

한편 순자는 사람이 살아가는 환경의 중요성에 대해서도 강조했어.
번약과 거서는 과거에 유명했던 활이다.
그러나 도지개(뒤틀린 활을 바로잡는 틀)가 없으면 스스로 바로잡히지 않는다.
도지개
마찬가지로 이름난 칼도 숫돌에 갈지 않으면 날카로워지지 않으며
유명한 말도 재갈과 채찍으로 제어하며 몰아야 천리마가 될 수 있다.
같이 가….
사람 역시 자질과 분별력이 있다 해도 반드시 현명한 스승으로부터 배우고 좋은 친구와 교제해야 한다.
좋은 친구를 사귀거라.
네, 스승님!
현명한 스승을 섬기면 성인의 도를 듣게 될 것이고
좋은 친구를 만나면 충실과 신의, 공경과 사양을 보게 될 것이다.
의리
사람은 자신도 알지 못하는 사이에 스스로 매일 인의의 길로 나아가는데, 이는 주어진 환경에 감화되는 것이다.
옛말에 자식을 알 수 없으면 그의 친구를 보고, 임금을 알 수 없으면 신하를 보라고 했다.

순자가 성악설을 통해 이야기하려는 바를
대략이나마 이해할 수 있겠니?
성악설
순자는 전국 시대 말에 극심한
사회 혼란을 몸소 체험했어.
그 과정에서 혼란을 극복하기
위해서는 인위적인 노력으로
예의를 쌓아야 한다는 것을
깨달았지.
예의
순자는 인간의 본성은 악하지만 인위를
통해 선해질 수 있다고
믿었어.
인위와 함께
하길….
심지어는 성인이 될 수도
있다고 했지.
순자는 인위를 통해 악한 본성을
극복할 수 있다고 반복해서 말했어.
인위!
인위!
선악을 절대적인 개념으로 보지 않았기
때문이야.
이는 순자가 그만큼 사람의
주체적인 노력을 강조했다는
말이기도 해.
노
력
결국 예나 지금이나 가장
중요한 것은 인간의 자발적인
개선 의지가 아닐까?
개선하라
개선

《순자》 8편 〈유효〉 편에 나오는 글을 마지막으로 다음 장으로 넘어가자.

타고난 본성은 어찌할 수 없지만
교화시킬 수는 있다.
노력을 쌓아 가는 일은 우리가
본래 지니고 있는 바는 아니다.
그러나 인위적으로 그렇게 할 수 있다.
노력으로 습속을 바로잡으면
본성이 교화될 수 있다.

5장
나라의 근간이 되는 예와 음악
순자의 사상에서 '인위'는 가장 핵심이 되는 개념이야.
인위
교화로 악한 사람도 선한 사람으로 바뀔 수 있으니까 말이야.
나 새 사람이 됐어….
얼굴은 어떻게 안 될까?
교화는 '예(禮)'를 통해 이루어질 수 있어.
예
여기서 예는 '예의(禮義)'와 같은 말로, 사람이 지켜야 할 예절과 의리를 뜻해.
계단에서 장난금지!
내려간다!
순자가 말하는 예는 단순히 예절 바른 몸가짐 수준의 것이 아니야.
감사.
사회 질서를 유지하는 도구의 의미를 가진 가치이지.
예
그래서 순자는 〈예론〉 편을 비롯해 책 전반에 걸쳐 예의 의의와 중요성을 강조했단다.
예
밑줄 쫙–. 돼지 꼬리 땡!

순자는 다음과 같이 말했어.
옛 성왕은 인간의 본성이 악하기 때문에 세상이 잘 다스려지지 않는다고 보고, 예의를 만들고 법도를 제정해 인간의 본성과 감정을 바로잡아 올바른 길로 인도했다. 그 결과 세상이 도리에 맞게 되었다.
앞에서도 말했지만 예의는 악한 본성을 지닌 인간을 교화하기 위해 옛 성왕이 만든 결과물이야.
예의
그러므로 순자의 예 이론은 성악설과 깊은 관련을 맺고 있어.
합체!
제자백가들은 각 나라가 치열하게 경쟁하던 시대에 활동했어.
쾅
그중 유가 사상가들은 왕의 도덕적인 정치, 즉 덕치주의를 내세우며
전하, 아니 되옵니다!
삼월아, 우리 다음에 보자.
도덕으로 백성들을 다스리는 군주를 이상적인 군주로 여겼어.
도덕 제일주의!
도덕
당연히 덕치주의의 입장에서 예의 의의와 정치적 기능도 강조했지.
예
특히 맹자는 인간의 네 가지 마음, 즉 사단(四端)은 인간이 본래부터 가지고 있는 선한 마음에서 비롯되는 것이라고 보았어.
이 사단을 발전시키면 사회가 안정될 거야.
인
의
예
지
바로 이 사단에 예도 포함되어 있어.
예
사양하는 마음인 사양지심(辭讓之心)이 자라난 것이 예지.
예

그러나 당시 중국의 정치 현실은 약육강식의 논리가 판치는 정글이나 다름없었어.
이리 와, 짜샤~.
형님….
현실과 동떨어진 정치사상은 환영받지 못하는 법이야.
가!
집 한 채씩 준다니까!
현실과 이상을 어떻게 결합시켜야 할까?
이상
현실
순자 역시 고민이 깊었을 거야.
순자도 유가 사상가로서 덕치주의의 범주 안에 있었기 때문이지.
덕치
주의
그러나 순자는 맹자와 달리 인간의 본성을 악하게 보았기 때문에 선천적인 도덕성은 배제했어.
도덕성
인위를 통해 사람을 선하게 만들 수 있다는 입장에 서서
인위
대표적인 인위인 예로써 사회의 질서를 유지할 수 있다고 보았어.
예
사회 질서
순자도 다른 유가 사상가들처럼 유교적 군주가 예를 바탕으로 백성들을 다스리는 나라를 꿈꿨어.
통일 국가의 이상적인 모습으로 예를 꼽은 것만 봐도 알 수 있지.
예
너는 나의 이상형….
그러나 당시 지배층들은 순자의 주장을 순순히 받아들이지 않았어.
안 돼!

순자는 〈예론〉 편에서 예의 기원에 대해 다음과 같이 설명했어.
예는 어떻게 생겨났는가?
사람은 태어날 때부터 욕망이 있다.
바라는데도 얻지 못하면 추구하게 된다.
추구하는 데 한계가 정해져 있지 않으면
다툴 수밖에 없다. 다투면 혼란스러워지고,
혼란스러워지면 궁해진다.

옛 성왕은 이러한 혼란을 싫어해 예의를 만들어 한계를 지었다.
이로써 사람들의 욕망을 충족시켜 주고 사람들이 원하는 것을 공급해 주었다.
예의

이처럼 순자는 예가 사람들이 추구하는 욕망에 제동을 걸기 위한 수단으로 생겨났다고 보았어.
끼릭
예
욕망

사람들이 타고난 욕망을 제멋대로 추구하게 둔다면 혼란이 벌어질 게 뻔해.
혼돈
욕망

그러므로 예로써 일정한 한계를 정해 주어야 한다는 것이지.
예

〈영욕〉 편을 보면 좀 더 자세한 내용이 나와.
촤르르---
천자처럼 귀해지고 온 세상을 차지할 만큼 부유해지는 것은 모든 사람들이 바라는 것이다. 그러나 사람들이 욕망을 따른다 해도 그 욕망을 다 채울 수 없고 물건도 부족할 것이다. 그래서 옛날 성왕은 예의를 제정하고 분별을 마련해 귀함과 천함의 등급을 나누었다.

어른과 아이의 차별을 두게 하고 지혜로운 이와 어리석은 이, 유능한 이와 무능한 이를 구별하는 기준을 마련했다. 그런 뒤 사람들로 하여금 각자에게 합당한 일을 맡기고 그 일을 하게 했다.

이 글을 보면 순자가 '분별'을 예의의 기능 중 하나로 생각하고 있음을 알 수 있어.
예
분별

여기서 분별은 사람들을 신분, 나이, 계층, 능력 등에 따라 등급을 매기고 차등 대우하는 것을 말해.
등급

순자는 이러한 등급에 따라 욕망에 제한을 두게 하고, 그러한 차별에 의거해 질서를 세워야 나라가 제대로 다스려질 것이라고 생각했어.

〈왕제〉 편에는 그렇게 생각한 이유가 나와 있지.
신분이 고르면
세상이 다스려지지 않고
세력이 고르면
세상이 통일되지 않으며
대중이 고르면
부릴 수 없을 것이다.
양쪽이 모두 귀하면 서로 섬길 수 없고
양쪽이 모두 천하면 서로 부릴 수 없다.
이것이 하늘의 섭리이다.
세력과 지위가 같으면서 바라는 것이 같으면
물건이 충분치 못해 다투게 된다.
다투면 어지러워지고
어지러워지면 궁해질 것이다.
사람들의 욕망이나 목표는 거의 비슷해.
gold
모두가 동등하게 대우받으며 같은 권리를 누린다면 세상이 어떻게 되겠어?
어험! 이리 오너라.
어험! 네가 오너라.
하늘이 있고 땅이 있듯이 인간 사회도 분별이 있을 수밖에 없다는 거야.
인간은 평등하다고 배워 온 우리에게는 이 글이 낯설 수도 있어.
키도 맞춰. 평등해야지.
그러나 순자가 살던 시대는 지금과 상황이 너무나 달랐어.
전화 받아요!
전화가 뭐야?
과거
현재
극심한 혼란을 극복하기 위해 이러한 주장을 펼칠 수밖에 없었지.
제발 내 말 좀 들어줘!

순자는 일단 신분의 질서나 계급의 질서가 안정되어야 한다고 보았어.
신분 질서
계급 질서
그렇다면 사람들을 어떤 방식으로 차등 대우해야 할까?
〈부국〉 편을 보면 그에 대한 설명이 자세하게 나와 있어.
₩
$
¥
성왕
옛 성왕들은 사람들 사이의 분계를 마련해 차등을 두었다.
어떤 이는 아름답게 어떤 이는 초라하게
어떤 이는 풍족하게 어떤 이는 가난하게
어떤 이는 안락하게 어떤 이는 고생하게 했다.

옥이나 상아, 쇠붙이에 조각을 하고 옷에 여러 가지 무늬를 수놓는 것은 사람들의 귀하고 천한 신분을 분별하는 데 그 목적이 있지, 겉모양을 꾸미려는 것이 아니다.
천자는 붉은 비단에 곤룡이 수놓인 옷을 입고 면류관을 쓴다.
제후는 검은 비단에 용이 수놓인 옷을 입고 면류관을 쓴다.
대부(大夫)는 *비의를 입고 면류관을 쓴다.
사(士)는 *피변을 쓰고 거기에 맞는 *소적을 입는다.

* 비의(裨衣): 제후보다 등급 낮은 사람들이 입는 제복.
* 피변(皮弁): 사슴 가죽으로 만든 관.
* 소적(素積): 흰 천으로 만든 바지.

그들의 덕은 반드시 그들의
지위에 어울려야 하고
그들의 지위는 반드시 그들이
받는 녹에 어울려야 하며
그들의 녹은 반드시 그들의
쓰임에 어울려야 한다.
어쩌면 사람을 차별하는 것이 부당하게 보일지도 몰라.
인간은 평등하다!
차별이 웬 말!
차별 금지
그러나 순자는 인간 사회가 이러한 분별에 의해 유지되어 왔다고 주장했어.
인간은 사회를 이루어 살아가는 존재이기 때문이지.
순자는 또 이렇게 말했어.
사람은 힘이 소에 못 미치고 달리기도 말보다 못한다.
그런데 왜 소와 말이 사람에게 부림을 받는가?
사람은 여럿이 모여 살며 힘을 합칠 수 있으나
소와 말은 그렇게 할 수 없기 때문이다.
사람이 그렇게 할 수 있는 것은 분별 덕분이다.
분별은 어떻게 존재할 수 있는가?
그것은 의가 있기에 가능하다.

순자는 사람이 짐승보다 신체적으로 열등한데도 그들을 지배하며 살 수 있는 것은 사람이 사회를 이루어 서로 협동하기 때문이라고 했어.
신분을 구별하고 그에 맞춰 각자 분수를 지키며 산 덕분이라고 했지.
순자는 이러한 분별을 매우 중요하게 여기며 그 핵심이 예라고 가르쳤어.
분별
예
사회 질서를 유지하는 데 매우 중요하지.
순자가 말한 예는 사회 질서를 유지시키는 규범으로서 정치적으로 대단히 중요한 기능을 해.
물론 일차적으로는 개인의 행동을 규정하는 기준이 되지.
예
〈수신〉 편을 보면 순자의 생각을 좀 더 정확하게 알 수 있어.
예는 선한 것을 분별하는 법칙이다. 혈기와 의지와 생각을 활용하는 데 있어 예를 따르면 잘 다스려지고 잘 통한다. 그러나 예를 따르지 않으면 어지러워진다.
먹고 마시고 옷 입고 생활하는 데도 예를 따르면 조화롭고 절도가 있지만, 예를 따르지 않으면 병폐가 생긴다. 겉모양과 몸가짐, 일을 행함에 있어 예를 따르면 우아해지지만, 예를 따르지 않으면 오만하고 편벽되고 저속해진다.

그러므로 사람에게 예가 없으면 제대로 살아가지 못하고 일을 하는 데 예가 없으면 일을 성취할 수 없으며 나라에 예가 없으면 편안하지 못하다.
예는 일상생활에서도 공기나 물처럼 늘 가까이해야 하는 존재인 거야.
그래서 순자는 제사를 지내는 법과 장례를 치르는 법 등을 다음과 같이 자세히 가르쳤어.
삼년상은 왜 치르는 것인가?
삼년상은 인정에 맞도록 형식을 정한 것으로 지극한 아픔이 극점에 이르렀기 때문이다. 거친 상복을 입고 움막에 거처하며 죽을 먹고 흙덩이를 베는 것은 지극한 아픔을 나타내기 위한 것이다.
여기 세 번째 산소 앞인데요, 죽 두 그릇만 배달해 주세요.
삼년상은 25개월 만에 끝나는데, 이는 애통함이 다하지 않았어도 사자를 보내는 데 끝이 있어야 하고 일상생활로 돌아가는 데 절도가 있어야 하기 때문이다.
이와 같은 가르침은 훗날 대표적인 경전이자 오경(五經)의 하나인 《예기(禮記)》 등에 전해지며 중국 예 이론의 바탕이 되었단다.

옛날에는 부모가 세상을 뜨면 자식들이 삼년상을 치르고
임무 교대하자. 수고해라, 동생아.
왕이 죽으면 신하들이 삼년상을 치렀으며
폭군이었는데 잘 죽었다.
그러게.
남편이 세상을 뜨면 아내가 삼년상을 치렀단다.
삼 년 뒤에 소개팅 좀….
순자는 천자부터 서민, 심지어 죄인에게까지도 각 신분에 맞는 장례법을 가르쳐 주었어.
적어, 적어….
제사를 지낼 때의 준비 요령과 그 의미 등도 상세히 기록해 두었지.
그러나 형식이 지나치게 까다로운 부분도 있었어.
형식을 너무 따지면 참뜻이 경시되어 주객이 전도되는 현상이 나타나기 쉬워.
이거 다 외워! 하나라도 틀려서는 안 돼~.
이걸 다?
내가 이런 문제가 발생할 줄 알았지….
그래서 순자는 예의 형식에 대한 비중과 사람과의 감정 조화에 대해서도 자세히 설명해 주었어.
돈 갚아라, 오버.
모든 예는 소탈함에서 시작해 형식적인 꾸밈에서 완성되며 기쁨에서 끝을 맺는다. 따라서 지극히 잘 갖춰진 예는 감정과 형식을 모두 다하는 것이고, 그 다음의 예는 감정과 형식이 어느 한편에 치우쳐 있는 것이며 가장 낮은 예는 감정에만 치우쳐 있는 것이다.
안 들린다, 오버.

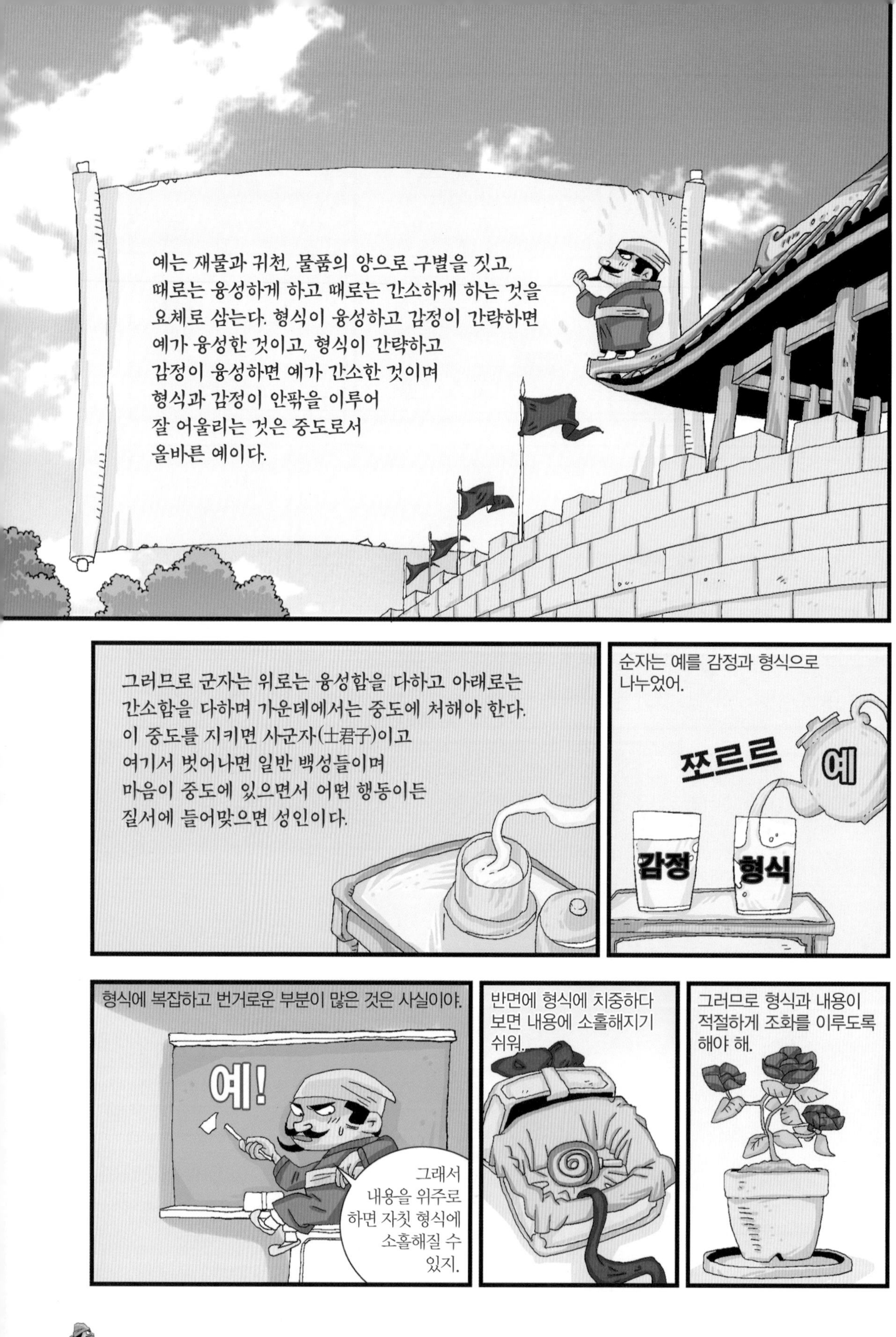
예는 재물과 귀천, 물품의 양으로 구별을 짓고, 때로는 융성하게 하고 때로는 간소하게 하는 것을 요체로 삼는다. 형식이 융성하고 감정이 간략하면 예가 융성한 것이고, 형식이 간략하고 감정이 융성하면 예가 간소한 것이며 형식과 감정이 안팎을 이루어 잘 어울리는 것은 중도로서 올바른 예이다.
그러므로 군자는 위로는 융성함을 다하고 아래로는 간소함을 다하며 가운데에서는 중도에 처해야 한다. 이 중도를 지키면 사군자(士君子)이고 여기서 벗어나면 일반 백성들이며 마음이 중도에 있으면서 어떤 행동이든 질서에 들어맞으면 성인이다.
순자는 예를 감정과 형식으로 나누었어.
쪼르르
예
감정
형식
형식에 복잡하고 번거로운 부분이 많은 것은 사실이야.
예!
그래서 내용을 위주로 하면 자칫 형식에 소홀해질 수 있지.
반면에 형식에 치중하다 보면 내용에 소홀해지기 쉬워.
그러므로 형식과 내용이 적절하게 조화를 이루도록 해야 해.

순자는 예에도 근본이 있다고 보았어.
예에는 세 가지 근본이 있다. 천지는 생명의 근본이고 선조는 종족의 근본이며 임금은 다스림의 근본이다. 천지가 없다면 생명이 어떻게 태어나고 선조가 없다면 자손이 어떻게 나오며 임금이 없다면 세상이 어떻게 다스려지겠는가?
이 세 가지 중 하나라도 없으면 편안한 사람이 없을 것이다. 그러므로 위로는 하늘을 섬기고 아래로는 땅을 섬기며 선조와 임금을 존경해야 한다. 이것이 예의 세 가지 근본이다.
천지는 곧 하늘과 땅을 말해.
하늘
땅
천지의 조화와 운행은 한순간도 멈추지 않아.
순자는 천지와 선조, 임금 이 세 가지에 따라 질서가 이루어진다고 했어.
천지
선조
임금
그리고 이 질서를 만들고 지키는 것이 예라고 했지.
예
질서
순자에게 있어 예는 나라의 기틀이 되는 것이나 다름없는 것으로, 사람이 사는 세상에서 가장 소중한 것이었어.
예

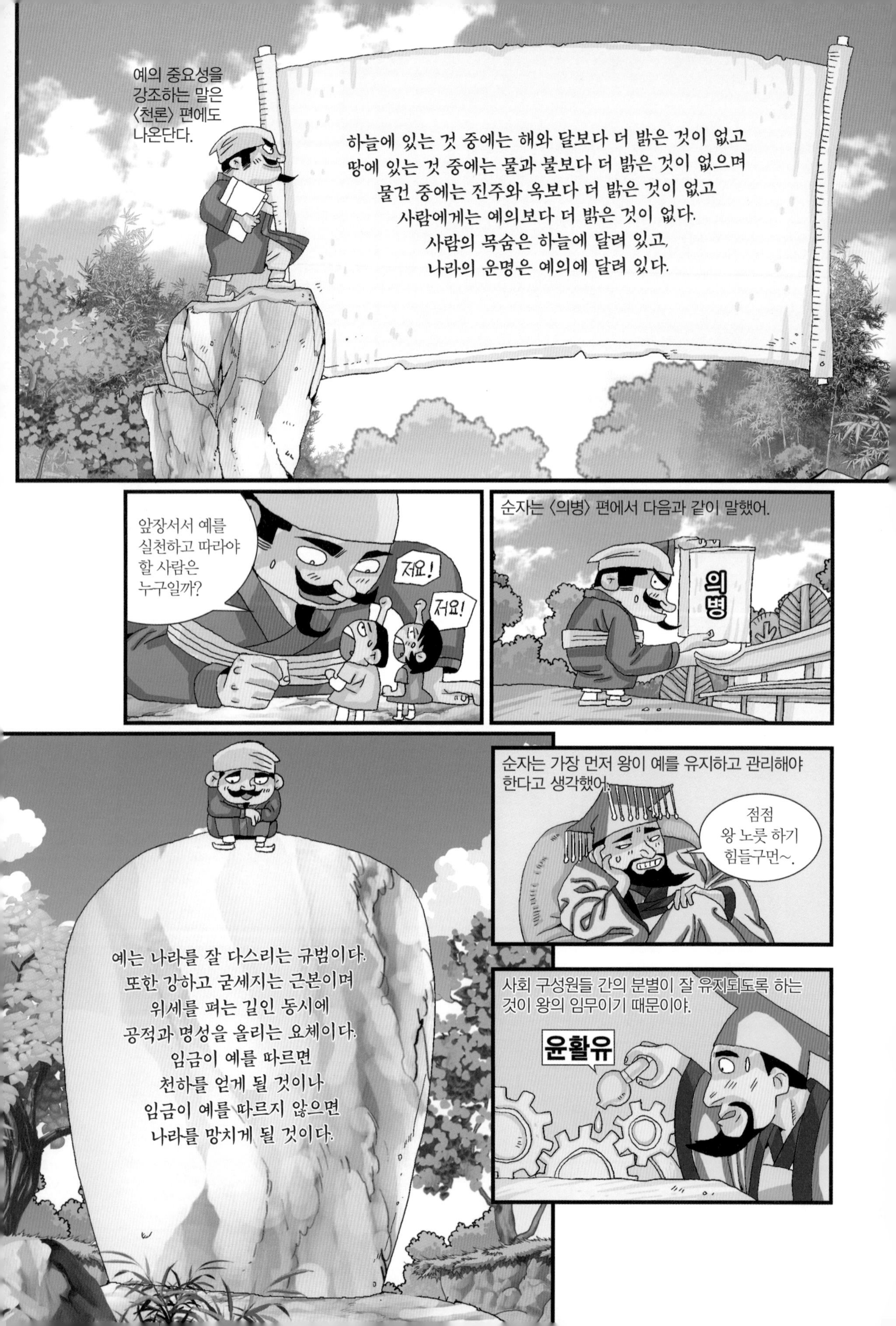

예의 중요성을 강조하는 말은 〈천론〉 편에도 나온단다.
하늘에 있는 것 중에는 해와 달보다 더 밝은 것이 없고
땅에 있는 것 중에는 물과 불보다 더 밝은 것이 없으며
물건 중에는 진주와 옥보다 더 밝은 것이 없고
사람에게는 예의보다 더 밝은 것이 없다.
사람의 목숨은 하늘에 달려 있고,
나라의 운명은 예의에 달려 있다.
앞장서서 예를 실천하고 따라야 할 사람은 누구일까?
저요!
저요!
순자는 〈의병〉 편에서 다음과 같이 말했어.
의병
예는 나라를 잘 다스리는 규범이다.
또한 강하고 굳세지는 근본이며
위세를 펴는 길인 동시에
공적과 명성을 올리는 요체이다.
임금이 예를 따르면
천하를 얻게 될 것이나
임금이 예를 따르지 않으면
나라를 망치게 될 것이다.
순자는 가장 먼저 왕이 예를 유지하고 관리해야 한다고 생각했어.
점점 왕 노릇 하기 힘들구먼~.
사회 구성원들 간의 분별이 잘 유지되도록 하는 것이 왕의 임무이기 때문이야.
윤활유

〈왕제〉 편을 보면 좀 더 자세히 알 수 있어.
하늘과 땅은 삶의 시작이고 예의는 다스림의 시작이며 군자는 예의의 시작이다. 또 예의를 만들고 그것을 통용케 하며 수양을 통해 예의가 무겁게 쌓이도록 해 그것을 애호하는 것은 군자의 시작이다.
하늘과 땅은 군자를 낳았고 군자는 하늘과 땅을 다스리니, 군자는 하늘과 땅의 조화에 참여하고 만물을 다스리며 백성들의 부모가 된다.
왕은 악한 사람이 선하게 변할 수 있다는 가능성을 믿고 예의를 만들어 백성들의 변화를 꾀해야 해.
예의
이러한 예는 강제적인 방법이 아닌, 배움과 익힘에 의해 행해져야 하지.
이 예에 강제성이 더해지면 바로 법과 제도가 되는 것이란다.
법·제도
한편 순자는 예와 함께 음악의 역할도 중요하게 보았어.
음악은 감정을 순화시켜 주고 사람들이 조화를 이루도록 도와주지.
순자 밴드

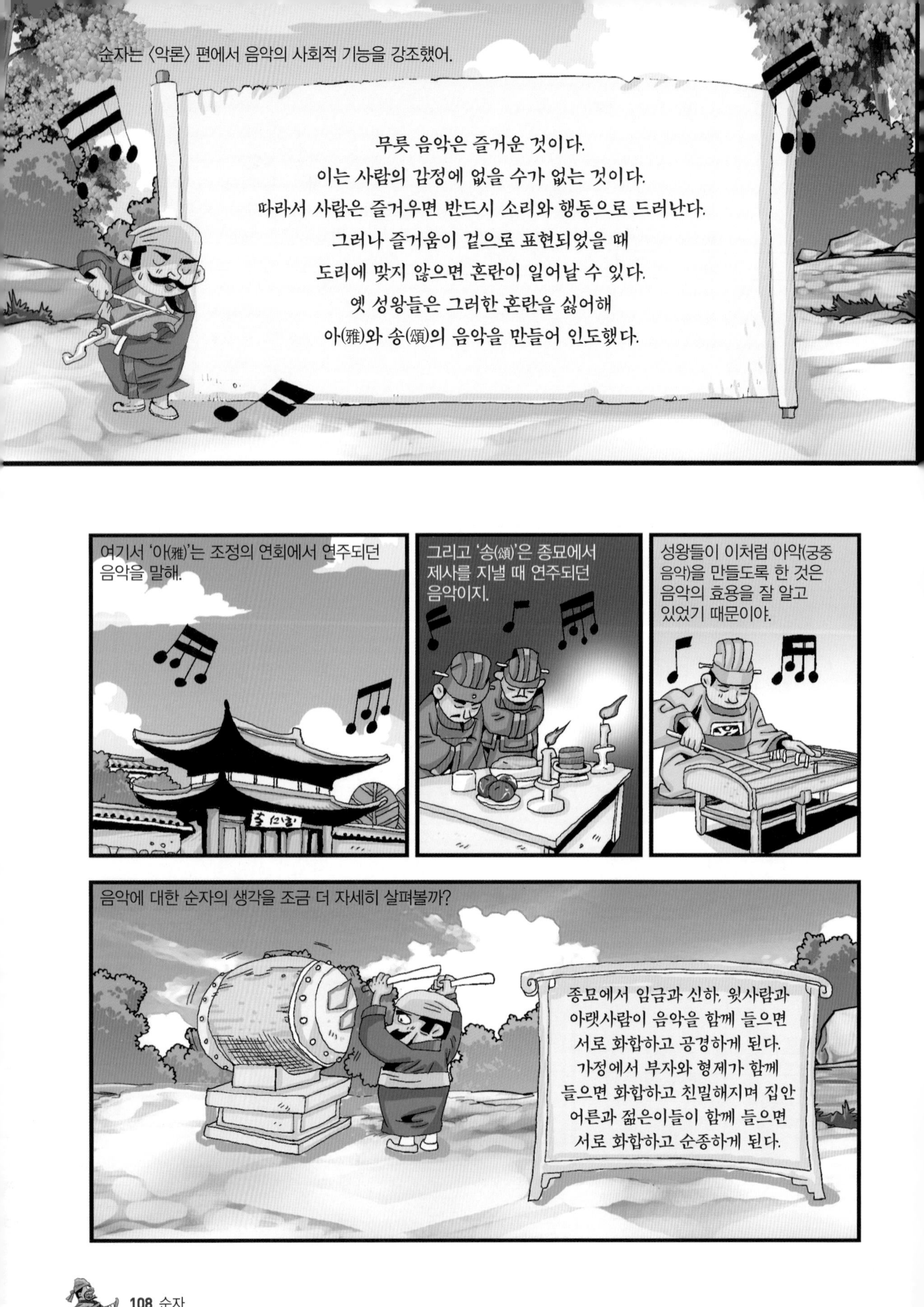
순자는 〈악론〉 편에서 음악의 사회적 기능을 강조했어.
무릇 음악은 즐거운 것이다. 이는 사람의 감정에 없을 수가 없는 것이다. 따라서 사람은 즐거우면 반드시 소리와 행동으로 드러난다. 그러나 즐거움이 겉으로 표현되었을 때 도리에 맞지 않으면 혼란이 일어날 수 있다. 옛 성왕들은 그러한 혼란을 싫어해 아(雅)와 송(頌)의 음악을 만들어 인도했다.
여기서 '아(雅)'는 조정의 연회에서 연주되던 음악을 말해.
그리고 '송(頌)'은 종묘에서 제사를 지낼 때 연주되던 음악이지.
성왕들이 이처럼 아악(궁중 음악)을 만들도록 한 것은 음악의 효용을 잘 알고 있었기 때문이야.
음악에 대한 순자의 생각을 조금 더 자세히 살펴볼까?
종묘에서 임금과 신하, 윗사람과 아랫사람이 음악을 함께 들으면 서로 화합하고 공경하게 된다. 가정에서 부자와 형제가 함께 들으면 화합하고 친밀해지며 집안 어른과 젊은이들이 함께 들으면 서로 화합하고 순종하게 된다.

그러므로 음악은 한 가지 기준을 잘 살펴 화합을 정하는 것이고, 여러 사물을 견주어 음절을 꾸미는 것이며 여러 악기가 합주해 아름다운 형식을 이루는 것이다. 이것으로 사람의 도리를 통일해 이끌어 갈 수 있고 만물의 변화를 다스릴 수 있다. 이것이 옛 성왕들이 음악을 만든 근거이다.
음악이 없는 생활을 상상할 수 있을까?
음악은 운명이야….
이는 고대 중국에서도 마찬가지였어.
음악은 예와 더불어 매우 중요한….
관혼상제 의식에도 반드시 음악이 연주되었지.
관 혼 상 제
이는 악기들이 조화를 이루는 것과 인간 사회의 이치를 같게 보았기 때문이야.
순자는 음악이 사람의 감정을 표현한다는 점에서 음악을 제대로 익혀야 한다고 했어.
음악이라 생각하고 참자….
그러나 묵자는 음악을 부정적으로 생각했어.
음악 싫어.
사치와 향락을 비판했던 묵자는 음악 소비가 사치의 상징이라며 비악(非樂)을 주장했지.
백성들은 굶주리는데 통치자들이 음악이나 즐기고 있으니…. 국가의 한정된 자원과 예산을 축내는 음악은 백성들의 이익에 반하는 것이야.

묵자가 이렇게 생각한 데도
일리는 있어.
내 말이
다 맞다니까.
도탄에 빠진 민생을 돌보지 않으면서 음악에 빠져 있는
지배층들의 행동은 용서할 수 없는 일이잖아?
에라….
그러나 순자는 묵자가 음악의 의의와 기능을 제대로
이해하지 못하고 부정하는 것이라고 생각했어.
음악도 모르는
감정이 메마른 녀석.
자기는 알면
얼마나 안다고….
순자가 보기에 음악은 옛날부터 예와 함께
백성들을 이끌어 온 양대 축과 같은 것이었어.
예
음악
사람들의 성정을 변화시키며 사회에 심대한
영향을 미쳐 왔기 때문이지.
보기 좋군.
따라서 순자는 묵자의
비악론을 용납할 수 없었어.
비악론
순자가 묵자를 어떻게
비판했는지 한번
살펴볼까?
어찌나
화가
나는지!

음악이 반듯하면 백성들은 화합하고 빗나가지 않으며
음악이 장엄하면 세상에 질서가 있어 어지럽지 않게 된다.
이렇게 백성들이 화합하고 질서가 있으면 군대가
강해지고 성이 견고해져 적들이 감히 침략하지 못한다.
그런데도 묵자는 그것을 부정했다.
묵자의 태도는 장님이 희고 검은 것을 모르는 것과 같고,
귀머거리가 맑고 탁한 소리를 구별하지 못하는 것과 같으며
남쪽의 초나라를 북쪽에 가서 찾으려 하는 것과 같다.

순자는 음악을 예와 함께 사람들의 마음을 바로잡아 주는 위대한 것으로 보았어.

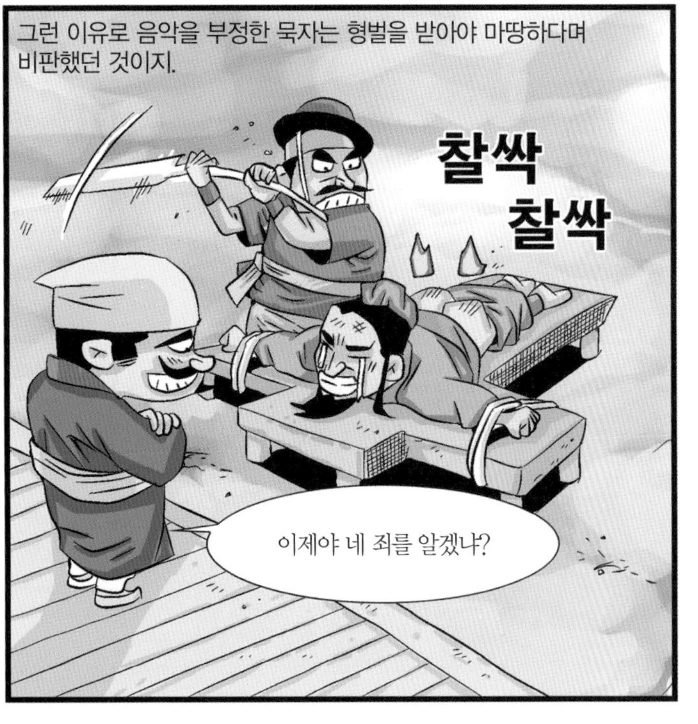
그런 이유로 음악을 부정한 묵자는 형벌을 받아야 마땅하다며 비판했던 것이지.
찰싹
찰싹
이제야 네 죄를 알겠냐?

6장
왕도 정치와 패도 정치
순자는 왕이 덕치주의를 바탕으로 '예'로써 국가를 다스려야 한다고 주장했어.
예
덕치주의
힘으로 모든 것을 해결하려는 군주들에게 예와 음악을 통치 수단으로 권유했지.
드세요.
예
음악
나라를 덕(德)으로 다스려야 한다는 덕치주의는 유가 사상의 바탕이 되는 중요한 개념이야.
공자는 《논어》의 〈위정〉 편에서 다음과 같이 말했어.
덕으로 백성들을 다스리고 예로 나라의 질서를 유지하면 백성들은 잘못을 부끄러워하며 착하게 살고자 한다.
맹자도 《맹자》의 〈공손추 상〉 편에서 이렇게 말했지.
덕을 베풀고 백성들을 사랑하며 어진 정치를 하는 사람은 왕자(王者)이다. … 덕으로 다른 사람을 복종시킨다면 상대방은 마음에서 우러나 진심으로 복종한다.

'덕치'는 백성들에게 사랑과 덕을 베푸는 어진 정치를 뜻해.
옛다! 받아라.
사랑
덕
도덕으로 백성들을 교화하는 정치이기도 하지.
도
덕
교화
왕이 덕치를 베풀려면 백성들을 아끼고 어여삐 여기는 마음이 있어야 해.
이쁜 내 백성들.
아잉….
왕이 먼저 인자(仁者), 즉 어진 사람이 되어야 하는 거야. 그리고 왕 자신의 도덕성도 높아야 하지.
도덕성
맹자는 이런 군주를 가리켜 '왕자(王者, 왕도 정치를 펼치는 사람)'라고 했어.
이상적인 군주상이지.
이 내용은 《순자》의 〈왕제〉와 〈강국〉, 〈의병〉 등 여러 편의 글에도 잘 나타나 있어.
순자는 왕자(王者)의 정치는 어떤 것이어야 하는지, 또 왕은 어떤 마음가짐을 가지고 어떤 방법으로 나라를 다스려야 하는지에 대해 자세히 썼어.
정치는 어떻게 해야 하는가? 어질고 유능한 사람은 바로 등용하고 변변치 않고 무능한 사람은 바로 파면시킨다. 매우 악한 사람은 처벌하고 일반 백성들은 교화시킨다.
임금이나 사대부의 자손이라 해도 행실이 예의에 어긋나면 서민으로 내리고, 서민의 자손이라 해도 학문을 쌓아 행실이 바르고 예의에 합당하면 *경상이나 사대부로 삼는다.

* 경상(卿相): 육경(六卿)과 삼상(三相)을 아울러 이르는 말로 높은 벼슬을 뜻함.

앞에서 신분의 차등과 구별을 강조한 것과는 조금 다르지?
왜 이랬다 저랬다 하세요?
설명해 줄게….
이것은 순자가 신분을 고정불변의 것이 아니라고 생각했기 때문이야.
신분상승
학문과 행실, 예의에 따라 신분은 얼마든지 달라질 수 있고, 또 달라져야 한다고 생각했거든.
인간은 교육으로 바뀔 수 있다!
순자는 인재를 등용할 때 인성과 능력이 기준에 미달되면 물러나게 해야 한다고 생각했어.
아… 안 빠지네. 살을 빼든지 산타를 그만두든지 해야지~.
지금이야 당연한 이야기지만 당시에는 대단히 획기적인 발상이었어.
출생의 조건이 아니라 개인의 인성과 능력, 행동에 따라 신분과 지위가 결정되어야 한다니 말이야.
주장합니다!
순자는 이런 말을 하기도 했어.
간사하고 안정되지 못한 백성들은 가르치면서 기다려야 한다.
그들을 격려할 때는 상을 내리고, 징계할 때는 형벌을 내린다.
자기 직분에 안정되면 길러 주나 안정되지 못하면 버린다.
또한 다섯 가지 큰 병을 앓는 이들을 부양해 주고
재주에 따라 일을 시키며 옷과 양식을 관청에서
베풀어 주어 모든 이를 빠짐없이 보살핀다.
재주와 행실이 시국에 반하면 용서 없이 사형에 처한다.
이런 것을 하늘의 덕이라 하고, 왕자의 정치라 한다.

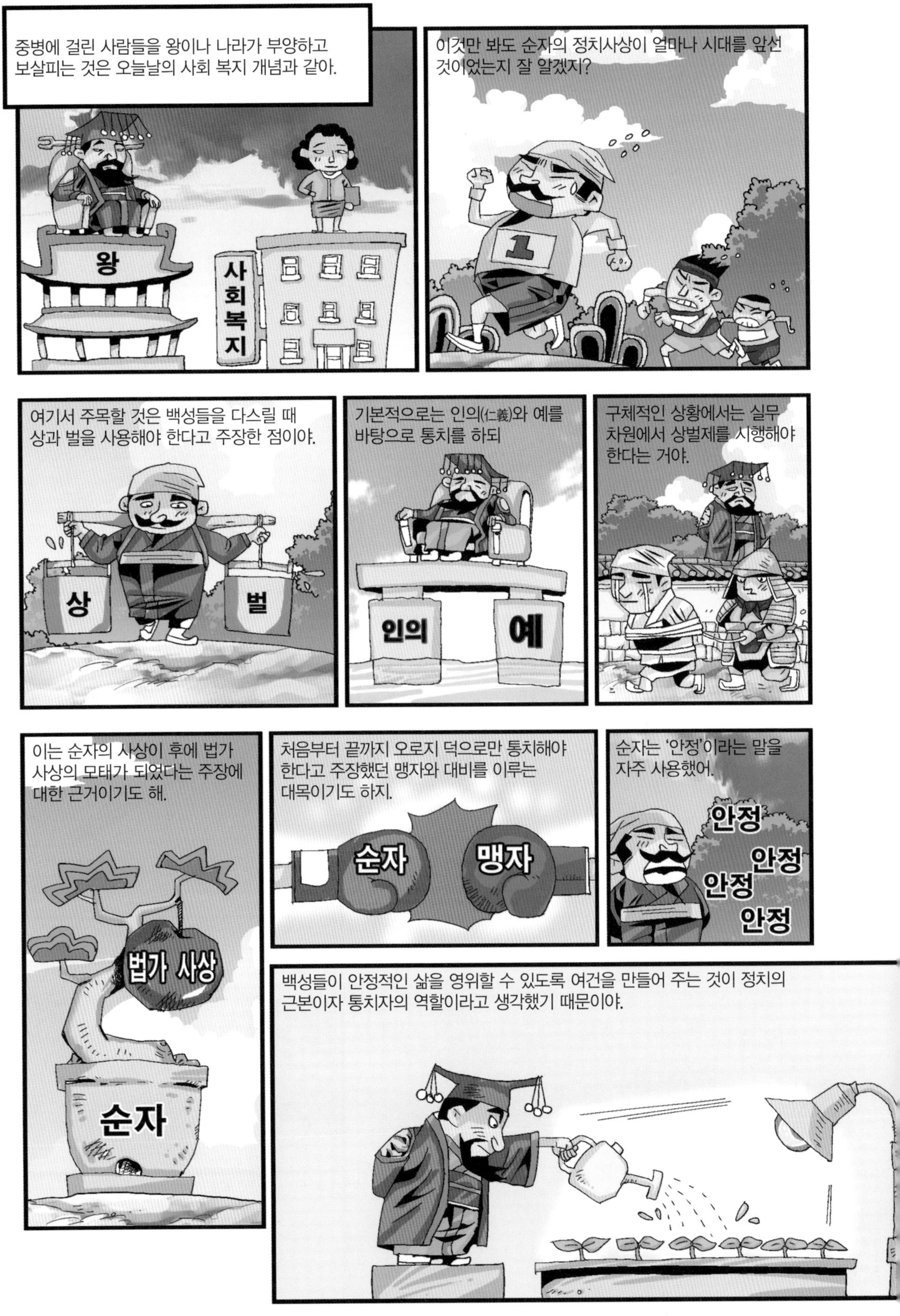
중병에 걸린 사람들을 왕이나 나라가 부양하고 보살피는 것은 오늘날의 사회 복지 개념과 같아.
왕
사회복지
이것만 봐도 순자의 정치사상이 얼마나 시대를 앞선 것이었는지 잘 알겠지?
1
여기서 주목할 것은 백성들을 다스릴 때 상과 벌을 사용해야 한다고 주장한 점이야.
상
벌
기본적으로는 인의(仁義)와 예를 바탕으로 통치를 하되
인의
예
구체적인 상황에서는 실무 차원에서 상벌제를 시행해야 한다는 거야.
이는 순자의 사상이 후에 법가 사상의 모태가 되었다는 주장에 대한 근거이기도 해.
법가 사상
순자
처음부터 끝까지 오로지 덕으로만 통치해야 한다고 주장했던 맹자와 대비를 이루는 대목이기도 하지.
순자
맹자
순자는 '안정'이라는 말을 자주 사용했어.
안정
안정
안정
안정
백성들이 안정적인 삶을 영위할 수 있도록 여건을 만들어 주는 것이 정치의 근본이자 통치자의 역할이라고 생각했기 때문이야.

백성들이 정치에 놀라면 군자는
그의 자리가 안정되지 못하므로
백성들에게 은혜를 베푸는 것이 좋다.
어진 인재를 뽑아 쓰고 신실한 사람을
등용해 효심과 우애를 장려하며
의지할 곳 없는 이들을 거두고
형편이 어려운 이들을 도와준다.
이렇게 하면 백성들이
정치에 안심하게 되는데
그런 후에야 군자의 자리도
안정될 수 있다.
'임금은 배요, 백성들은 물이다.
물은 배를 띄우기도 하지만
뒤집어엎기도 한다.'라는
말은 바로 이를 뜻하는
말이다.
순자는 사람들이 안심하고 편안하게 살 수 있도록 국정을
운영하는 것을 가장 중요하게 여겼어.
백성들이 불안해하면 나라가 뒤숭숭해지고,
그러면 결국 임금의 자리도 위태로워진다고
경고했지.
배고파. 그만하자.
어!
물은 배를 띄우기도 하지만 뒤집어엎기도 한다는 말을 듣는다면
권력자들도 뜨끔할 거야.
우아, 뒤집어 진다!
우리도 화나면 무서워!
임금
백성
백성들이 나라의 운명을 좌우한다는 뜻이니까.
나 좀 잘 봐줘….
하는 거 봐서.

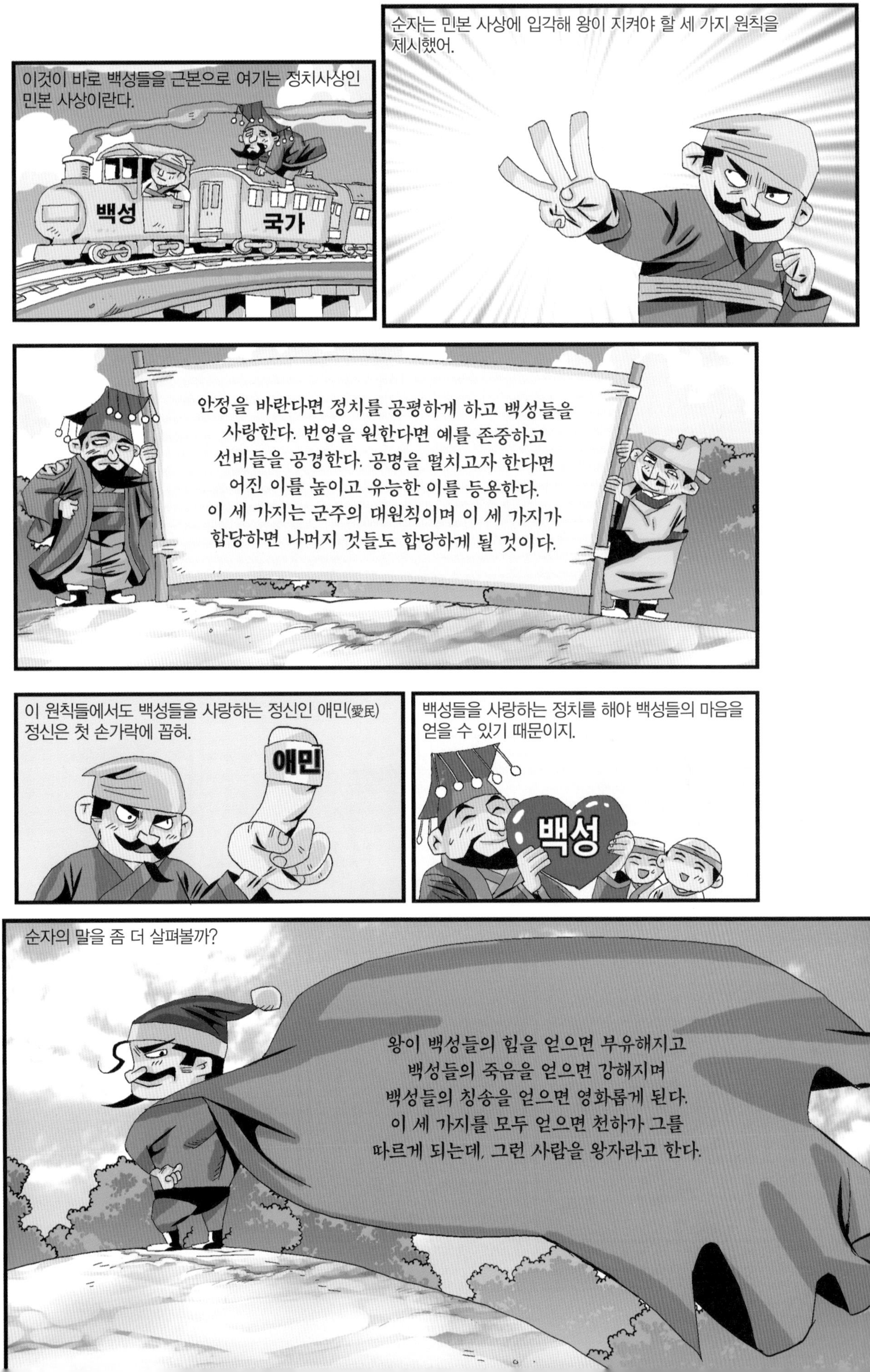
이것이 바로 백성들을 근본으로 여기는 정치사상인 민본 사상이란다.
백성
국가
순자는 민본 사상에 입각해 왕이 지켜야 할 세 가지 원칙을 제시했어.
안정을 바란다면 정치를 공평하게 하고 백성들을 사랑한다. 번영을 원한다면 예를 존중하고 선비들을 공경한다. 공명을 떨치고자 한다면 어진 이를 높이고 유능한 이를 등용한다. 이 세 가지는 군주의 대원칙이며 이 세 가지가 합당하면 나머지 것들도 합당하게 될 것이다.
이 원칙들에서도 백성들을 사랑하는 정신인 애민(愛民) 정신은 첫 손가락에 꼽혀.
애민
백성들을 사랑하는 정치를 해야 백성들의 마음을 얻을 수 있기 때문이지.
백성
순자의 말을 좀 더 살펴볼까?
왕이 백성들의 힘을 얻으면 부유해지고 백성들의 죽음을 얻으면 강해지며 백성들의 칭송을 얻으면 영화롭게 된다. 이 세 가지를 모두 얻으면 천하가 그를 따르게 되는데, 그런 사람을 왕자라고 한다.

덕이 높다는 명성으로 백성들을 선도하고 예의를 밝혀 그들을 이끌어야 한다. 또한 충성과 신의를 다해 백성들을 사랑하고 현명함과 유능함으로 그들을 구분해야 한다.
벼슬과 옷과 상을 내려 백성들이 거듭 힘쓰도록 하고 그들이 맡은 일들을 적절히 조정해 모든 이들을 널리 보살피며 갓난아이를 기르듯 백성들을 길러야 한다.
이처럼 백성들을 사랑하고 위하면 그들은 저절로 임금을 존경하고 따를 거야.
그러나 세상에는 이렇게 애민 정신이 충만한 왕자들만 있는 것은 아니야.
순자는 덕으로 정치를 하는 왕자와
힘으로 정치를 하는 패자를 항상 대비시켰어.
그러면서 무릇 군주라면 왕자를 지향해야 한다고 주장했지.
왕자
덕치야말로 국가를 강대하고 평화롭게 이끌어 갈 수 있는 첩경이라고 강조했어.
덕치

순자는 왕자와 패자의 차이점을 다음과 같이 구분했어.
왕자는 사람의 마음을 얻고자 하고 패자는 동맹국을 얻고자 하며 강자(彊者)는 땅을 얻고자 한다. 사람의 마음을 얻고자 하는 이는 제후들을 신하로 삼게 될 것이고, 동맹국을 얻고자 하는 이는 제후들과 벗이 될 것이나 땅을 얻고자 하는 이는 제후들과 적이 될 것이다.
여기서 '강자(彊者)'는 영토를 늘리는 일에만 관심이 있는 왕을 말해.
쾅
내 땅
남의 나라 땅을 호시탐탐 넘보고, 전쟁도 불사하는 유형의 군주들이 강자에 속하지.
식민지 확장에 몰두했던 19세기 서양의 제국주의 군주들처럼 말이야.
식민지
식민지
식민지
식민지
식민지
순자는 강한 자가 오히려 약해질 것이라고 말했어.
이들은 남의 나라 백성들과 싸워서 이겨야 하므로 남의 나라 백성들을 많이 다치게 해서 그들의 미움을 받게 될 것이다. 또한 자기 나라 백성들도 많이 다치게 만들어 그들에게 미움을 받게 될 것이다. 이것이 강한 자가 오히려 약해지는 이유이다.

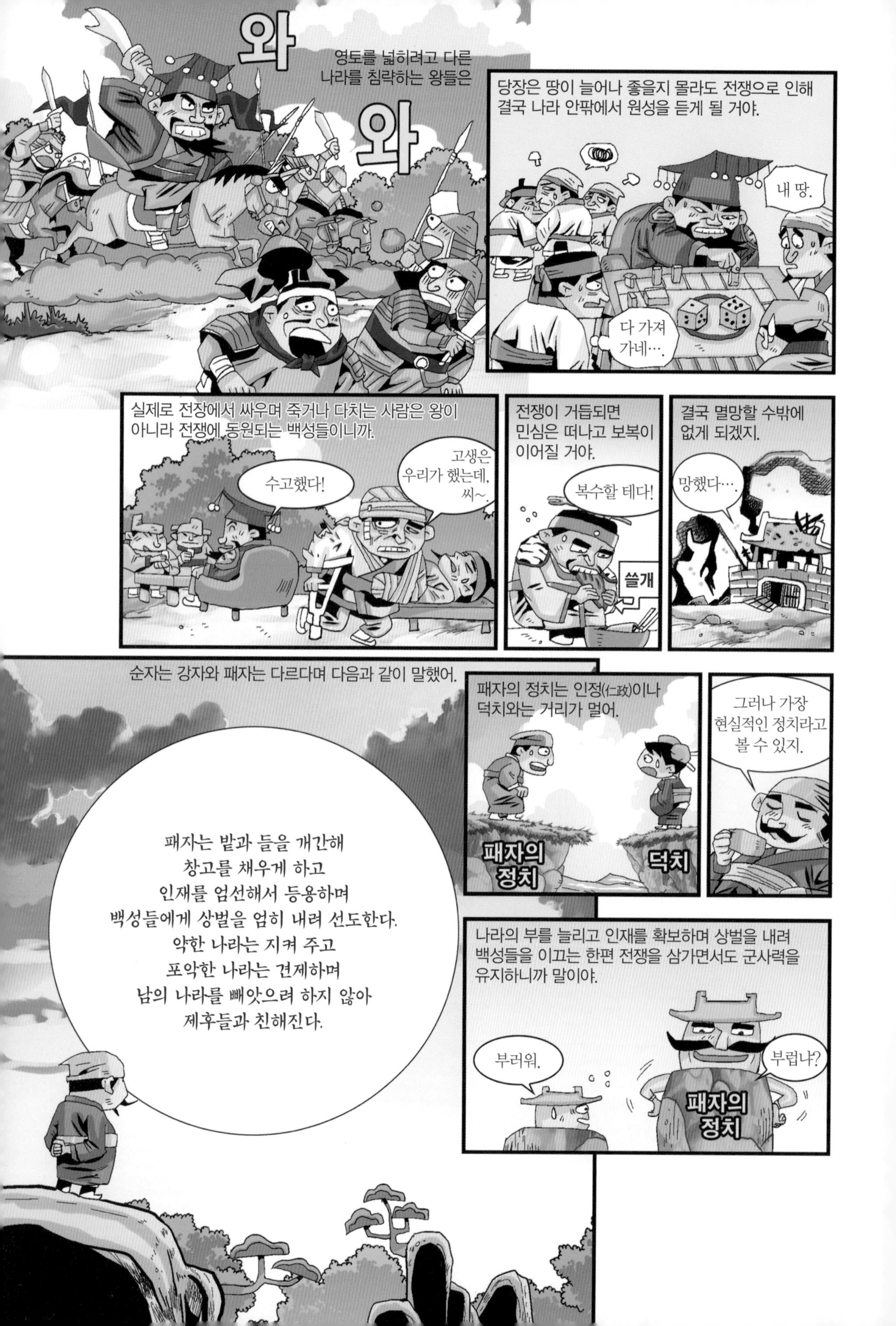
와
영토를 넓히려고 다른 나라를 침략하는 왕들은
와
당장은 땅이 늘어나 좋을지 몰라도 전쟁으로 인해 결국 나라 안팎에서 원성을 듣게 될 거야.
내 땅.
다 가져 가네….
실제로 전장에서 싸우며 죽거나 다치는 사람은 왕이 아니라 전쟁에 동원되는 백성들이니까.
수고했다!
고생은 우리가 했는데, 씨~.
전쟁이 거듭되면 민심은 떠나고 보복이 이어질 거야.
복수할 테다!
쓸개
결국 멸망할 수밖에 없게 되겠지.
망했다….
순자는 강자와 패자는 다르다며 다음과 같이 말했어.
패자는 밭과 들을 개간해 창고를 채우게 하고 인재를 엄선해서 등용하며 백성들에게 상벌을 엄히 내려 선도한다. 약한 나라는 지켜 주고 포악한 나라는 견제하며 남의 나라를 빼앗으려 하지 않아 제후들과 친해진다.
패자의 정치는 인정(仁政)이나 덕치와는 거리가 멀어.
패자의 정치
덕치
그러나 가장 현실적인 정치라고 볼 수 있지.
나라의 부를 늘리고 인재를 확보하며 상벌을 내려 백성들을 이끄는 한편 전쟁을 삼가면서도 군사력을 유지하니까 말이야.
부러워.
부럽나?
패자의 정치

그러나 유가에서는 이 같은 패자의 정치를 긍정적으로 보지 않았단다.
대충 먹고 나가슈~.
유가
쾅
공자는 패자에 대해 아예 언급조차 하지 않았고 맹자는 이를 철저히 배척했지.
패자! 그래 패 주자~.
노코멘트.
순자는 유가 사상가였지만 현실적인 통치 방법으로 패자를 수용하는 입장이었어.
늙은 왕자
왕자의 정치가 좋지만….
순자는 왕자에 대해 이렇게 말했어.
왕자는 어짊(仁)과 의로움(義), 위엄(威)이 천하에 드높다. 따라서 천하에 그와 친하기를 원하지 않는 이가 없고 그를 귀히 여기지 않는 이가 없으며 감히 그에게 대적하는 이가 없다. 그러므로 싸우지 않고도 이기고 공격하지 않고도 얻게 되며 군대를 동원하지 않아도 천하가 복종한다.
순자는 어짊과 의로움에 위엄까지 갖춰야 진정한 왕자가 될 수 있다고 했어.
그래. 왕자가 못 될 거라면 최소한 패자라도 되어야 해.
알겠습니다.
패자도 못 된다면 나라는 점점 멸망의 길을 걷거나 계속 그 상태를 유지할 수밖에 없다고 했지.
국가
임금이 일반적인 관습을 따르며 백성들에게 너그럽게만 해도 왕위는 그럭저럭 유지될 수 있어.
좀 모자라도 착하잖아. 한 번 더 믿어 보자.
기호1번
할 수 없지 뭐…. 구관이 명관이라는 말도 있으니까.
그러나 정치도 제대로 못하면서 백성들을 함부로 대해 원망을 사게 되면 왕위는 결코 보장될 수 없지.
썩 꺼져라!
와
또 내 눈에 띄면 끝이야!

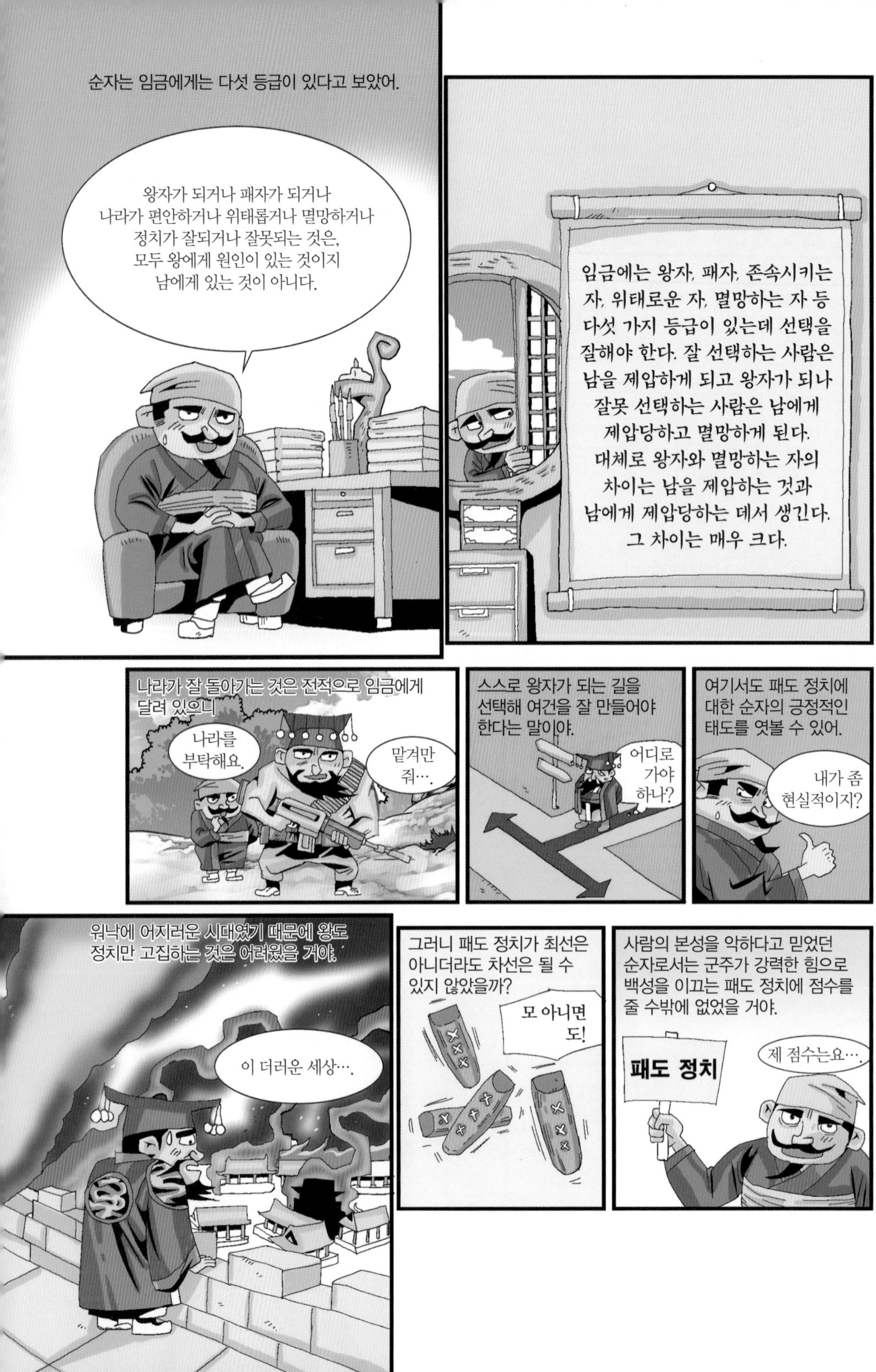
순자는 임금에게는 다섯 등급이 있다고 보았어.
왕자가 되거나 패자가 되거나 나라가 편안하거나 위태롭거나 멸망하거나 정치가 잘되거나 잘못되는 것은, 모두 왕에게 원인이 있는 것이지 남에게 있는 것이 아니다.
임금에는 왕자, 패자, 존속시키는 자, 위태로운 자, 멸망하는 자 등 다섯 가지 등급이 있는데 선택을 잘해야 한다. 잘 선택하는 사람은 남을 제압하게 되고 왕자가 되나 잘못 선택하는 사람은 남에게 제압당하고 멸망하게 된다. 대체로 왕자와 멸망하는 자의 차이는 남을 제압하는 것과 남에게 제압당하는 데서 생긴다. 그 차이는 매우 크다.
나라가 잘 돌아가는 것은 전적으로 임금에게 달려 있으니
나라를 부탁해요.
맡겨만 줘….
스스로 왕자가 되는 길을 선택해 여건을 잘 만들어야 한다는 말이야.
어디로 가야 하나?
여기서도 패도 정치에 대한 순자의 긍정적인 태도를 엿볼 수 있어.
내가 좀 현실적이지?
워낙에 어지러운 시대였기 때문에 왕도 정치만 고집하는 것은 어려웠을 거야.
이 더러운 세상….
그러니 패도 정치가 최선은 아니더라도 차선은 될 수 있지 않았을까?
모 아니면 도!
사람의 본성을 악하다고 믿었던 순자로서는 군주가 강력한 힘으로 백성을 이끄는 패도 정치에 점수를 줄 수밖에 없었을 거야.
패도 정치
제 점수는요….

순자는 왕자가 나라를 다스릴 때 유념해야 할 세 가지에 대해서도 언급했어.
피가 되고 살이 되는 말!
군사들을 편안하게 해 주고 포악한 나라들이 서로 싸우는 것을 관망하며 백성들을 세심히 독려하면 천하제일의 강한 군대가 될 것이다. 또 윤리를 존중하고 어진 이를 등용하며 백성들을 잘 먹여 살리면 천하에서 제일 아름다운 명성을 누리게 될 것이다. 각자의 직분에 힘쓰며 재물을 모으고 낭비하지 않는다면 재물이 쌓여 나라가 부유해질 것이다.
순자는 어진 정치를 하면 명성과 군사력 그리고 *국부를 저절로 가질 수 있을 것이라고 했어.
명성
군사력
국부
이 세 가지가 있으면 천하가 저절로 굴복하게 되는데, 요임금과 순임금이 그렇게 했다는 거야.
우리가 그랬지롱~.
순임금
요임금
여기서 순자의 주장은 공자나 맹자의 주장과 다른 점을 보여.
내가 좀 유별나지?
순자는 군사력과 국부를 중시했거든.
군사력, 요!
국부, 요!
덕치도 중요하지만, 나라가 부강해지기 위해서는 이런 부분도 절대 소홀히 해서는 안 된다고 생각한 거야.
저희만 믿고 덕치를 베푸세요.
그래, 그래.
돈
공자나 맹자에 비해 순자가 좀 더 현실을 중요하게 여겼다는 것을 알 수 있겠지?
현실을 직시해야 해!

* 국부(國富): 나라가 가진 경제력.

순자는 〈왕패〉 편에서 군주의 정치를
왕도와 패도로 나누어 설명했어.
왕도
패도
나라를 다스리는 사람이
의로움을 행하면 왕자가 된다.
백성들로 하여금 예의를 중시하게
하면 아무도 그를 해할 수 없다.
그와 더불어 정치하는 사람들은 모두
의로운 선비들이며, 그들이 반포하는
법률은 모두 의로운 법이다.
왕이 신하들과 향하는 목표가 모두
의로운 뜻이면 그 의로움 때문에
백성들은 임금을 우러르게 된다.
이로써 기본 법도가 세워지고
나라가 안정되며
천하가 안정된다.
온 나라가 의로움으로
만사를 행하면
하루 만에 명성이 드러난다.
탕임금과 무왕의 경우가
그러하다. 이것이 바로
'의로움을 행하면
왕자가 된다.'는 것이다.
탕임금과 무왕의 시작은 미미했어.
그러나 의로움을 바탕으로 천하를 통일하고 제후들을 신하로
삼았지. 순자는 바로 이러한 점을 강조하려 한 거야.
만세!
폐하 만세!

순자는 패자와 망자(亡者)를 비교하기도 했어.
나라를 다스리는 사람은 신의가 알려지면 패자가 된다. 덕과 의로움은 충분치 않더라도 상벌의 기준이 사람들에게 믿음을 주고, 신하들로부터 약속을 지키는 사람이라는 신임을 받으며 백성들과 동맹국을 속이지 않는다면 군대는 강해지고 나라는 통일되며 위세를 떨치게 될 것이다.
오패(五覇)가 바로 그런 임금들이었다.

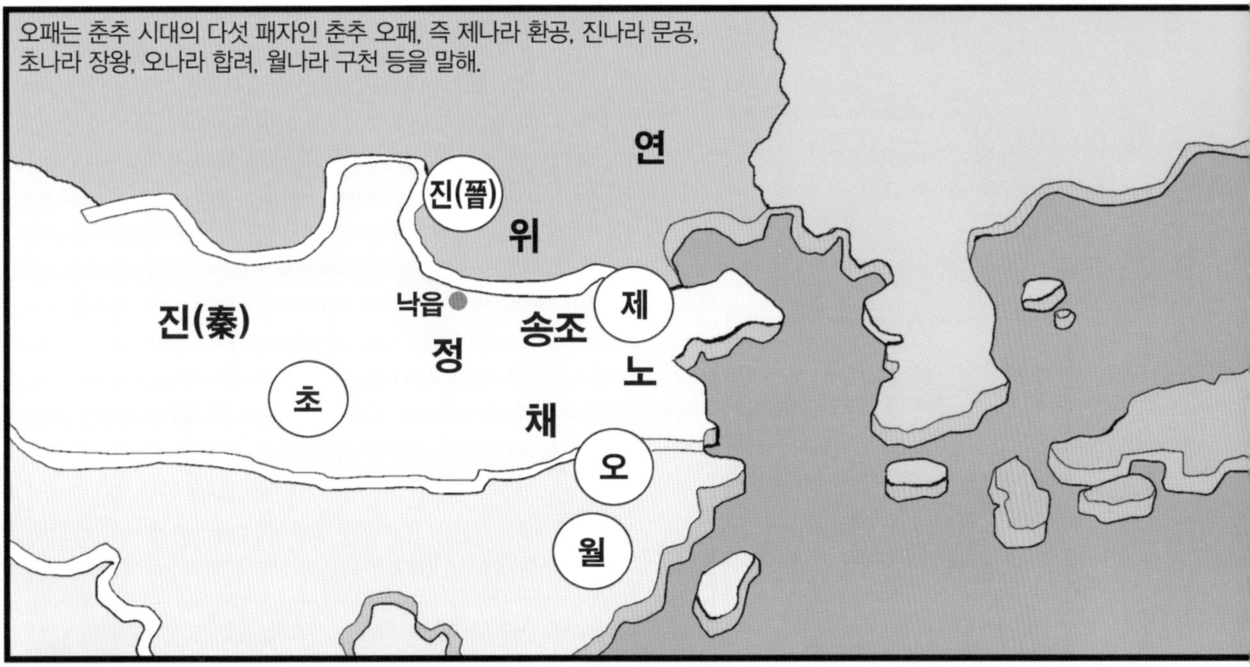
오패는 춘추 시대의 다섯 패자인 춘추 오패, 즉 제나라 환공, 진나라 문공, 초나라 장왕, 오나라 합려, 월나라 구천 등을 말해.
연
진(晉)
위
낙읍
진(秦)
정
송
조
제
노
초
채
오
월

당시 제후들은 세력을 다투며 뭉치고 흩어지기를 반복했어.

이 제후들 사이의 회합이나 맹약을 회맹(會盟)이라고 했는데 그것의 맹주가 된 제후를 패자라고 했지.
내가 '갑'이야.

당시 패자는 제후들을 불러 모을 정도의 세력이 있어야만 될 수 있었어.
왔나?
형님.
형님.

순자는 오패의 정치를 이렇게 평가했어.

백성들의 교화에 근본을 두지 않고 예의를 존중하지 않으며 문화와 도리를 기본으로 삼지 않는다. 그러면서 나라를 부강하게 만들 방책에만 마음을 쓴다.

또 일이 힘든지 쉬운지 그것만을 따지며, 재물을 쌓고 군비를 갖추는 일에만 힘쓴다. 이들은 모두 외진 곳의 나라였으나 위세를 떨쳐 중원의 나라들을 위태롭게 했다. 이는 그들이 대체적으로 신임을 받았기 때문이다. 이것이 신의만 인정받아도 패자가 된다는 것이다.

만약에 패자들이 신의마저 없었다면 어떻게 되었을까요?

나라를 다스리는 사람이 권모술수를 행하면 망자가 된다. 오직 이익만을 추구하며 백성들과 동맹국을 속이고 남의 재물을 탐내면 백성들의 사이는 벌어지고 침략을 면할 수 없어 결국 망하게 될 것이다.

예의를 따르지 않고 신의도 인정받지 못하며 권모술수만 쓰는 왕들의 최후는 험할 수밖에 없다는 것이 순자의 결론이야.

한편 순자는 '용인술(用人術)'을 중요하게 생각했어.
역시 좋은 술이야.
용인술
용인술이란 사람을 적절한 곳에 쓰는 능력을 말해.
감옥
야, 죄수! 우리 위치가 매우 이상한 것 같지 않나?
나도 좀 어색하네….
'인사(人事)가 만사(萬事)'라는 말이 있어.
형님, 모두 처리했습니다.
정말? 수고했어!
좋은 인재를 뽑아 알맞은 자리에 배치하는 것이 모든 일을 잘 풀리게 하는 핵심이라는 뜻이지.
넌 여기서 성문을 지켜.
오늘날에도 이 용인술이 일의 성패를 좌우한다고 해.
사람이 미래다.
순자도 이 점을 지적했단다.
잘 다스려지는 나라는 사람들의 직분이 정해져 있다. 임금과 재상, 신하, 관리들이 각자 자신의 직분에 삼가 힘쓴다. 이것이 잘 다스려지는 나라의 징조이다.
임금은 사람들을 관직에 임명하는 것이 본분이고 보통 사람은 자기 능력으로 일하는 것이 본분이다. 임금 혼자 천하의 모든 일을 주관하면서도 바쁘지 않은 것은 다른 사람에게 일을 시키기 때문이다. 임금은 크게는 천자로서 천하를 다스리고, 작게는 제후로서 나라를 다스린다. 덕을 따져 인재를 골라 벼슬자리에 앉히는 것은 성왕의 도이며 유가에서 삼가 지키는 일이다.

순자는 왕의 가장 중요한 직분으로
내가 너희의 왕이야.
능력 있는 사람을 관직에 임명하는 일을 꼽았어.
발레리나가 될래요.
장군감 인데….
자기가 일하기보다는 인재를 잘 등용해야 한다는 말이야.
어서 오세요.
험.
만약 그렇게 하지 못한다면 겨우 현상만 유지하거나 결국 망하게 될 거야.
딱딱
순자는 사람을 쓰는 일에 대해 다음과 같이 말했어.
나라는 크게 다스리면 커지고, 작게 다스리면 작아진다. 크게 다스리는 사람은 이익보다 의로움을 앞세우고 *친소를 가리지 않으며 귀천을 상관하지 않는다. 능력 있는 사람을 구할 뿐이다.

* 친소(親疏): 친함과 친하지 아니함.

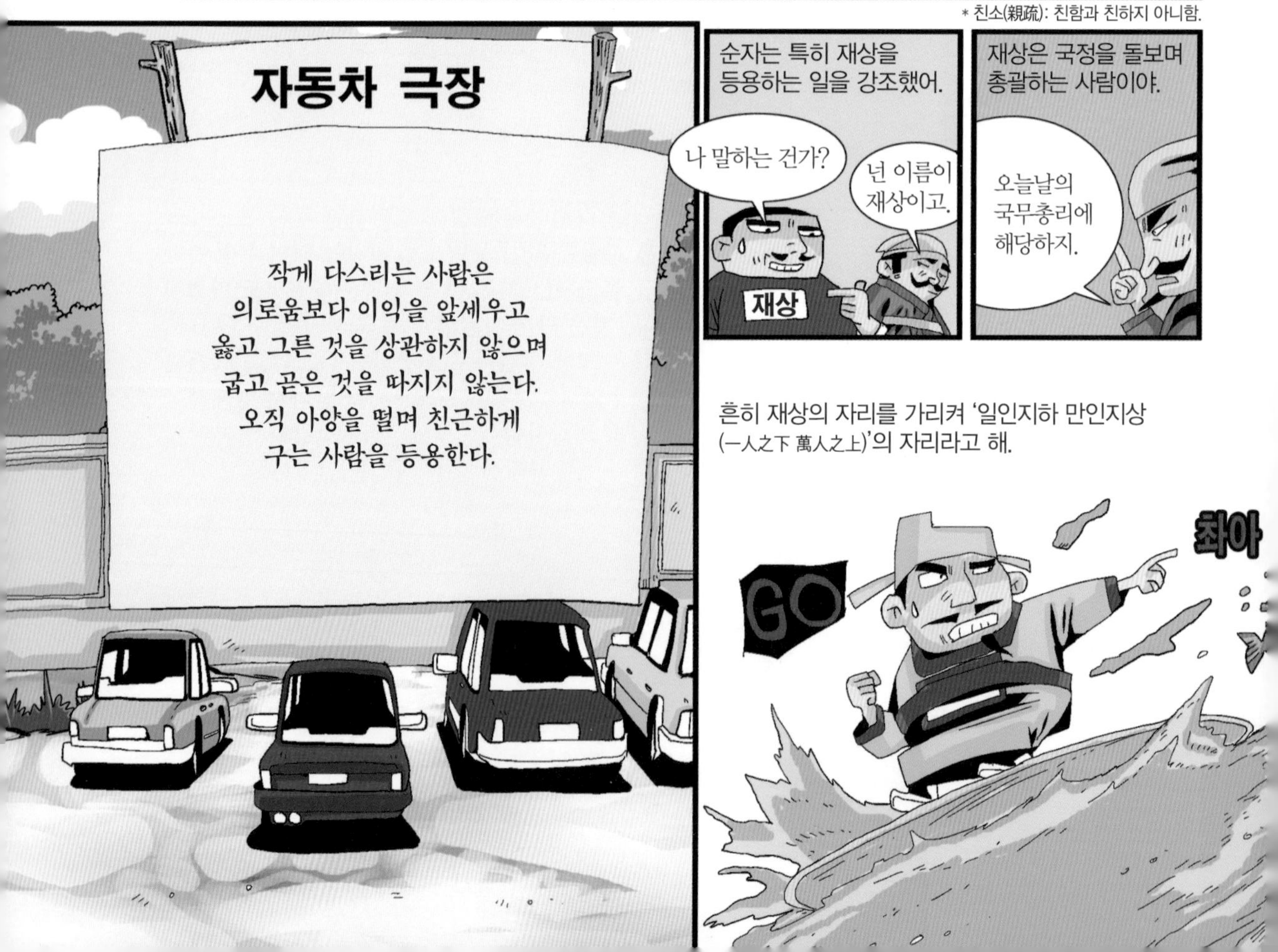

자동차 극장
작게 다스리는 사람은 의로움보다 이익을 앞세우고 옳고 그른 것을 상관하지 않으며 굽고 곧은 것을 따지지 않는다. 오직 아양을 떨며 친근하게 구는 사람을 등용한다.
순자는 특히 재상을 등용하는 일을 강조했어.
나 말하는 건가?
넌 이름이 재상이고.
재상
재상은 국정을 돌보며 총괄하는 사람이야.
오늘날의 국무총리에 해당하지.
흔히 재상의 자리를 가리켜 '일인지하 만인지상(一人之下 萬人之上)'의 자리라고 해.
GO
촤아

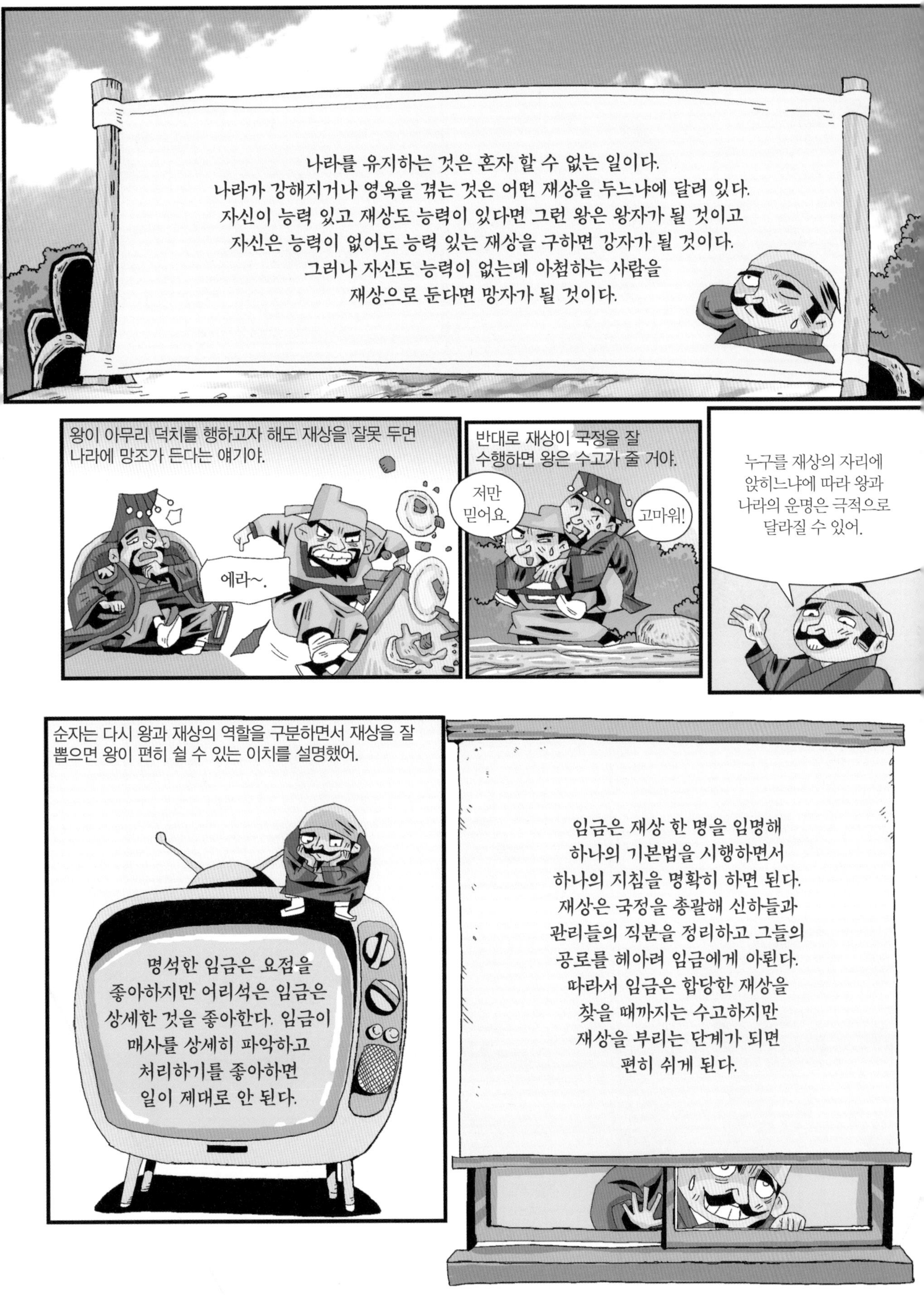
나라를 유지하는 것은 혼자 할 수 없는 일이다.
나라가 강해지거나 영욕을 겪는 것은 어떤 재상을 두느냐에 달려 있다.
자신이 능력 있고 재상도 능력이 있다면 그런 왕은 왕자가 될 것이고
자신은 능력이 없어도 능력 있는 재상을 구하면 강자가 될 것이다.
그러나 자신도 능력이 없는데 아첨하는 사람을
재상으로 둔다면 망자가 될 것이다.
왕이 아무리 덕치를 행하고자 해도 재상을 잘못 두면 나라에 망조가 든다는 얘기야.
에라~.
반대로 재상이 국정을 잘 수행하면 왕은 수고가 줄 거야.
저만 믿어요.
고마워!
누구를 재상의 자리에 앉히느냐에 따라 왕과 나라의 운명은 극적으로 달라질 수 있어.
순자는 다시 왕과 재상의 역할을 구분하면서 재상을 잘 뽑으면 왕이 편히 쉴 수 있는 이치를 설명했어.
명석한 임금은 요점을 좋아하지만 어리석은 임금은 상세한 것을 좋아한다. 임금이 매사를 상세히 파악하고 처리하기를 좋아하면 일이 제대로 안 된다.
임금은 재상 한 명을 임명해 하나의 기본법을 시행하면서 하나의 지침을 명확히 하면 된다. 재상은 국정을 총괄해 신하들과 관리들의 직분을 정리하고 그들의 공로를 헤아려 임금에게 아뢴다. 따라서 임금은 합당한 재상을 찾을 때까지는 수고하지만 재상을 부리는 단계가 되면 편히 쉬게 된다.

적임자를 재상으로 임명하면 최고 통치자도 국정을 맡기고 편히 지낼 수 있다는 얘기야.
내일 아침까지 보고서 올려.
퇴근 시간인데….
그렇다고 해서 재상에게 모든 것을 떠넘기고 방관해도 된다는 뜻은 아니야.
나 안 해~.
우당탕
그만큼 재상의 역할이 중요하다는 말이지.
부탁해.
순자는 오패 중에서도 으뜸으로 꼽히는 제나라의 환공과 재상 관중을 예로 들었어.
제나라 환공은 사치하고 방탕하며 행실이 어지러웠다. 그런데도 망하지 않고 제후들을 규합해 오패의 우두머리가 되었다. 이는 그가 관중에게 나랏일을 처리할 만한 능력이 있다고 보고 정치를 일임했기 때문이다. 그러니 그가 패자가 된 것은 합당한 일이다.
제나라 환공은 당시 오패 가운데 첫 번째로 패자가 되었어.
제나라
자신의 행실과 관계없이 관중의 사람됨과 능력을 알아보고 재상으로 등용한 덕분이었지.
내가 사람 하나는 잘 뽑았어.
더구나 관중은 한때 환공과 원수지간으로 환공의 목숨을 노렸던 사람이었어.
그런데도 이런 사람을 과감하게 재상으로 발탁한 환공의 배포가 참으로 대단하지 않니?

나라를 운영하는 길은 멀고도 험해.
재상을 잘 뽑아 일을 맡긴다 해도 군주가 신경 써야 할 일은 한두 가지가 아니지.
다스리는 법이 없는 나라도 없지만 어지럽히는 법이 없는 나라도 없다. 현명한 선비가 없는 나라도 없지만 무능한 선비가 없는 나라도 없다. 성실한 백성들이 없는 나라도 없지만 흉악한 백성들이 없는 나라도 없다. 아름다운 풍속이 없는 나라도 없지만 악한 풍속이 없는 나라도 없다.
나라의 법이 잘 다스려지고 신하가 현명하며 백성들이 성실하고 풍속이 아름다우면 싸우지 않고도 승리해 천하가 복종하게 된다. 사방 백 리밖에 안 되는 땅에서 상나라 탕왕과 주나라 무왕이 각각 천하를 통일하고 사람들의 복종을 받은 것도 이 네 가지를 갖추고 있었기 때문이다.
법, 선비, 백성들, 풍속의 좋은 점들을 취해 잘 발전시키면 왕자가 되지만 그렇지 못하면 망자가 되는 거야.
이는 역사를 살펴보면 잘 알 수 있어.
HISTORY
본래 작은 지방을 다스리던 제후였으나 하나라 걸왕을 무너뜨리고 상나라를 건국해 천자가 된 탕왕과
탕왕
걸왕
은나라의 폭군인 주왕을 물리치고 천자의 자리에 오른 무왕처럼 말이야.
천자

7장 부국강병의 길

부강한 나라를 만드는 핵심은 경제에 달려 있어.
경제는 '경세제민(經世濟民)'이라는 한자어를 줄인 말이야.
경 세 제 민
'세상을 경영해 백성들을 구제한다.'는 뜻이지.
순자는 경제에 대해 이렇게 말했어.
쓸 때 아껴 써서 백성들이 넉넉하게 살 수 있도록 해 주고, 남는 것을 잘 저장해 놓으면 나라가 부유해질 것이다.
무엇보다 예에 따라 소비를 절약하고 정치로써 백성들의 살림살이를 넉넉하게 해야 한다.
왕이 법에 따라 세금을 거두고 백성들은 예에 따라 소비를 절약한다면 남는 것이 산처럼 많을 것이다.

세금은 나라를 운영할 때 가장 중요한 요소 중 하나야.
쪽
쪽
피 같은 내 돈!
세금
위정자는 많이 거두고 싶어 하지만 백성들은 덜 내고 싶어 하지.
내 거야! 다 가져갈 거야.
고마해라~. 마이 묵었잖아….
세금을 너무 많이 거두면 나라는 부유해질지 몰라도 백성들은 가난해질 수밖에 없어.
국가
아빠, 배고파.
휴~.
나라의 부가 국민의 부와 꼭 일치하는 것은 아니거든.
하물며 나라가 임금의 개인 소유물처럼 여겨지던 옛날에는 말할 것도 없었지.
내 거야.
국가
순자는 왕이 세금을 너무 많이 거두면 안 된다고 말했어.
예의를 닦는 임금은 왕자가 되고, 올바른 정치를 펴는 임금은 강자가 되며 백성들의 마음을 얻는 임금은 편안해지나 세금을 가혹하게 거두는 임금은 망하게 된다.

왕자는 백성들을 부유하게 하고 패자는 선비들을 부유하게 한다.
현상 유지만 하는 나라는 *고관대작들을 부유하게 하고 망해 가는 나라는 임금을 부유하게 한다.
임금의 금고와 창고가 가득 차도 백성들은 가난할 뿐이다.
이를 두고 위는 넘쳐 나고 아래는 바닥이 났다고 하는데, 나라가 멸망하는 것을 보게 될 것이다.
세금을 가혹하게 거두는 것은 나라를 망치고 임금을 위태롭게 만들 뿐 아니라
외적을 불러들이는 일이니, 명석한 임금은 그렇게 하지 않는다.

* 고관대작(高官大爵): 지위가 높고 훌륭한 벼슬 또는 그런 위치에 있는 사람.

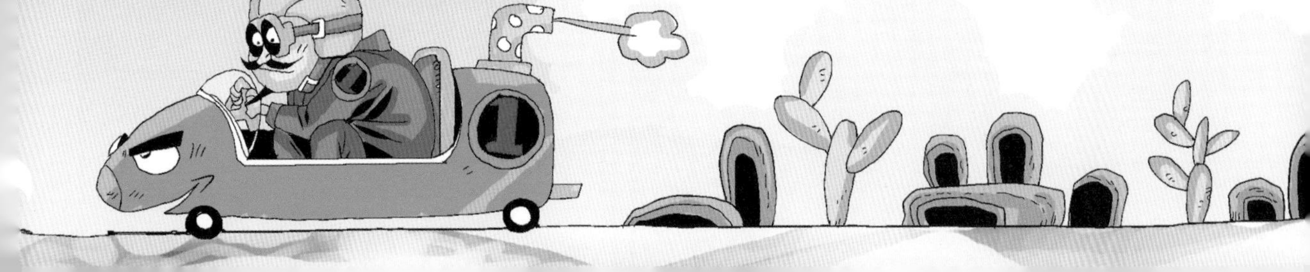

과중한 세금은 결국 나라의 멸망으로
이어진다는 거야.
세금
쾅
쾅
백성들이 가난하면 나라의
경제도 허약해져.
한 푼 줍쇼~.
그러면 틈을 노리던 외적의
침입에 쉽게 무너질 수도
있어.
순자가 살던 당시에 세금이
적정하게 부과되었다면 순자는
이런 이야기를 반복하지 않았을
거야.
세금! 세금!
오오, 세금!
당시 백성들은 *가렴주구에 시달리고 있었어. 순자는 이에
대해 이렇게 말했지.
지금 세상이 어떤가 하면,
세금을 많이 거둬 백성들의 재물을
빼앗고 논밭에 세금을 무겁게 부과해
백성들의 양식을 빼앗으며 시장에도 세금을
가혹하게 부과해 백성들이 장사하기
어렵게 만들고 있다.

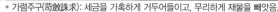

* 가렴주구(苛斂誅求): 세금을 가혹하게 거두어들이고, 무리하게 재물을 빼앗음.

순자는 궁극적으로 백성들과 임금은 경제적 운명
공동체라고 했어.
백성들이 가난하면 임금도 가난해진다.
백성들이 부유하면 임금도 부유해진다.
시골의 마을과 논밭, 들판은 부의 근본이고
나라의 양곡 창고는 부의 말단이다.
백성들이 화합해 질서 있게 일하는 것은
재물의 근원이고, 세금을 거두고 창고에
물건을 쌓아 놓는 것은 재물의 말류이다.
이는 나라 재정의 근본은 백성들에게 있으니
왕이 자기 배만 불리려 들다 가는
망하게 된다는 경고야.
너무 많이
실었어.
욕심이
과했다….
멀쩡했던 나라가 망하는 것은 왕이 탐욕에 눈이
멀어서라는 거야.

순자는 다음과 같이 예를 들었어.
메 뉴
옛날에는 나라의 수가 일만에 달했으나 지금은 십여 개뿐이다. 이는 부유함을 추구하다 나라를 잃고 이익만을 좇다 스스로 위태로워졌기 때문이다.
뭐 먹을래?
메뉴가 어려워요.
논밭과 들판은 황량한데 임금의 곳간은 곡식이 가득하고 백성들은 가난한데 임금의 창고는 재물로 가득하다면 이는 나라가 망해 가는 징조이다. 임금과 재상이 부의 근본을 함부로 여기고 재물을 거두어들이는 말단의 일만 하면서도 이것이 나쁜 일인 줄 모른다면 그 나라는 머지않아 망할 것이다. 일국의 군주라도 자기 한 몸 둘 곳이 없게 될 것이다.
촤르르..
이런 일은 덕으로 정치하는 왕자에게는 결코 일어날 수 없는 일이겠지?
전하, 옆나라가 망했다 하옵니다.
다 먼 나라 얘기야. 걱정 마.
순자는 왕자의 경제 정책은 어떤 것인지
경제
실질적인 관점에서 자세히 설명했단다.
왕자의 경제 정책은 백성들을 먹여 살리는 바탕이 된다. 농사를 지으면 수확물의 십분의 일을 세금으로 걷는다. 시장에서는 검사를 하되 세금은 걷지 않으며 철에 따라 산과 숲, 연못에서의 사냥이나 고기잡이를 허용하거나 금지하되 세금은 걷지 않는다.

순자는 땅에 등급을 매겨 세금을 걷고, 거리를 참작해 공물을 받아야 한다고 주장했어.
재물과 양곡이 유통되도록 해 한곳에 쌓이는 일이 없도록 하고
서로 가져가고 가져오게 해 천하가 한 집안처럼 되도록 한다.
이렇게 되면 천하의 모두가 다스림을 편안히 즐길 것이다.
이는 세금을 알맞게 거두고 물자가 원활히 유통되도록 해서 경제가 잘 운영되면 나라가 저절로 부유해지고 잘 다스려질 거라는 말이야.
순자는 유통의 중요성도 크게 강조했어.
연못에 사는 사람도 나무가 풍족하고 산에 사는 사람도 물고기가 풍족하다. 농부들은 나무를 깎지 않고 질그릇을 굽지 않지만 용품이 넉넉하다. 공인들과 상인들은 농사를 짓지 않지만 양식이 풍족하다.
유통이 원활히 이루어질 때 모두가 편안해질 것으로 보았지.
호랑이와 표범은 사납지만 군자는 그 가죽을 벗겨 쓰고 있다. 천지간의 모든 것은 그 아름다움을 다하고 그 용도에 미치고 있다.
위로는 그 물건들로 현명하고 어진 이들을 장식하나 아래로는 백성을 먹여 살리니 모두 편안하다.

각지의 특산물과 생산품이 서로 거래되고
교환되며 분배되는 것이 곧 유통이야.
유통

오늘날 우리가 시장이나 백화점, 인터넷 쇼핑몰 등에서
세계 각지의 물건을 편하게 구입할 수 있는 것도
유통으로 설명할 수 있어.
택배요!
네!
또야? 아이구~.
택배
택배
택배
택배
택배

유통은 말 그대로 물 흐르듯이 이루어져야 해.

그래야만 민생이 안정되고, 나아가 화평한 세상을
이룩할 수 있지.
태평성대

순자는 통치자가 유통의 중요성을 깊이
인식하고 있어야 한다고 했어.
유통 기한이?
그 유통이 아니거든요?
통조림

그러려면 먼저 각 산지의
자원을 효율적으로 관리해야
해.
합격
불
불합격

순자는 이 단계에서 '때'를
잘 맞추는 것이 핵심이라고
했어.
한겨울에 웬 선풍기?

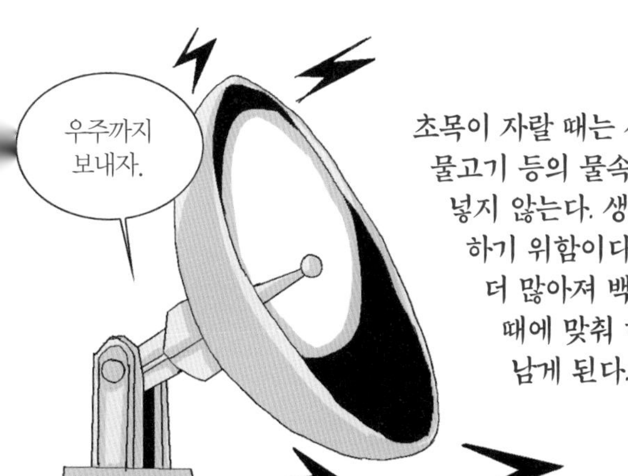
우주까지 보내자.

초목이 자랄 때는 산과 숲에 도끼를 들이지 않는다. 물고기 등의 물속 생명체들이 산란할 때는 물에 그물과 독약을 넣지 않는다. 생명을 일찍 빼앗거나 성장이 중단되지 않도록 하기 위함이다. 고기잡이를 철에 따라 금지하면 하천에 고기가 더 많아져 백성들이 먹고도 남게 된다. 나무를 심고 베는 것을 때에 맞춰 하면 민둥산이 되지 않아 백성들이 재목을 쓰고도 남게 된다.

눈앞에 있다고 해서 마구 잡거나 써 버리지 말고 자원을 관리해야 한다는 거야.
나무가 다 어디 갔냐?
그러자면 '지켜야 할 선'은 지켜야 한다는 말이지.
나 임신했어.
이는 오늘날의 환경 문제와도 맥을 같이하는 대목이야.
악!
순자는 농사를 짓는 것도 때를 잘 맞추는 것이 중요하다고 했어.
농사를 지을 때 봄에는 밭을 갈고 여름에는 김을 매며 가을에는 수확해 겨울에 저장하는 네 가지 일을 '때' 맞춰 행하면 백성들이 양곡을 먹고도 남게 된다.
이처럼 하늘과 땅을 살피고 때를 잘 맞춰 천지에 만물이 가득하게 만드는 것이 바로 왕자의 다스림이란다.
결혼할 때가 됐어요.
내가 봉이냐?
밥 때 됐어요.
한편 순자는 자원이 고갈될 것에 대해서는 걱정하지 않았어.
몰라~.
관리만 잘하면 자원은 쓰고 남을 만큼 넉넉해.

그러면서 묵자의 '절용(節用) 이론'을 비판했단다.

묵자는 물자가 부족하게 될까 봐 걱정한다.
그러나 그것은 묵자의 개인적인 생각이자 지나친 생각이다.
천지가 생산하는 만물은 본디 넉넉해서 사람들을 먹이기에 족하며
의복의 재료가 되는 것도 마찬가지이다. 물자의 사용을 절약하자는
묵자의 주장은 오히려 천하를 가난하게 만드는 것이다.

이처럼 순자는 묵자를 자주 비판했어.
묵자 재는….
또 내 뒷담화를….
그것은 묵자가 신분에 관계없이 부지런히 일하고 절약하며 검소하게 살아야 한다고 주장했기 때문이야.
두 번 보지 마. 짜다.
묵자가 음악을 부정했던 것도 음악이 사치스럽고 비생산적이라는 이유에서였지.
노세 노세 젊어서 노세….
절약하지 않으면 나중에 물자가 부족해질 것이라고 걱정했던 묵자는 물건을 아껴 쓰라는 절용 이론을 주장했어.
반면에 순자는, 물자는 본디 넉넉하기 때문에 부족해질 일은 없다고 했지.
맘껏 마셔, 공기.
물론 지나친 낭비를 막기 위해 아껴 쓰라는 말을 하기는 했어.
그러나 아껴 쓰는 데 있어 순자와 묵자의 생각은 방향이 달랐어.
순자
묵자
공자
순자는 사람이 적극적으로 생산 활동을 벌이면서 자원을 지혜롭게 관리하면 물자는 늘 풍족할 것이라고 믿었어. 그래서 다음과 같은 말을 했단다.
선왕들은 임금에게 아름다운 장식과 위엄이 있어야 백성들을 통치할 수 있다는 것을 알고 있었다. 그래서 아름다운 음악과 장식, 여러 종류의 가축과 곡식 등을 써서 사람을 부리고 나라를 다스렸으며 상벌제를 엄격하게 시행했다.
이로써 현명하고 유능한 이들이 마땅한 벼슬을 하게 되고 어리석은 이들은 물러났다. 이렇게 되면 만물이 변화에 적절히 호응해 하늘의 때와 땅의 이치에 잘 맞추게 되고 사람들도 화합하게 된다. 그러면 천하에 재화가 흘러넘쳐 저장할 곳이 없게 된다. 부족함을 왜 걱정하겠는가?

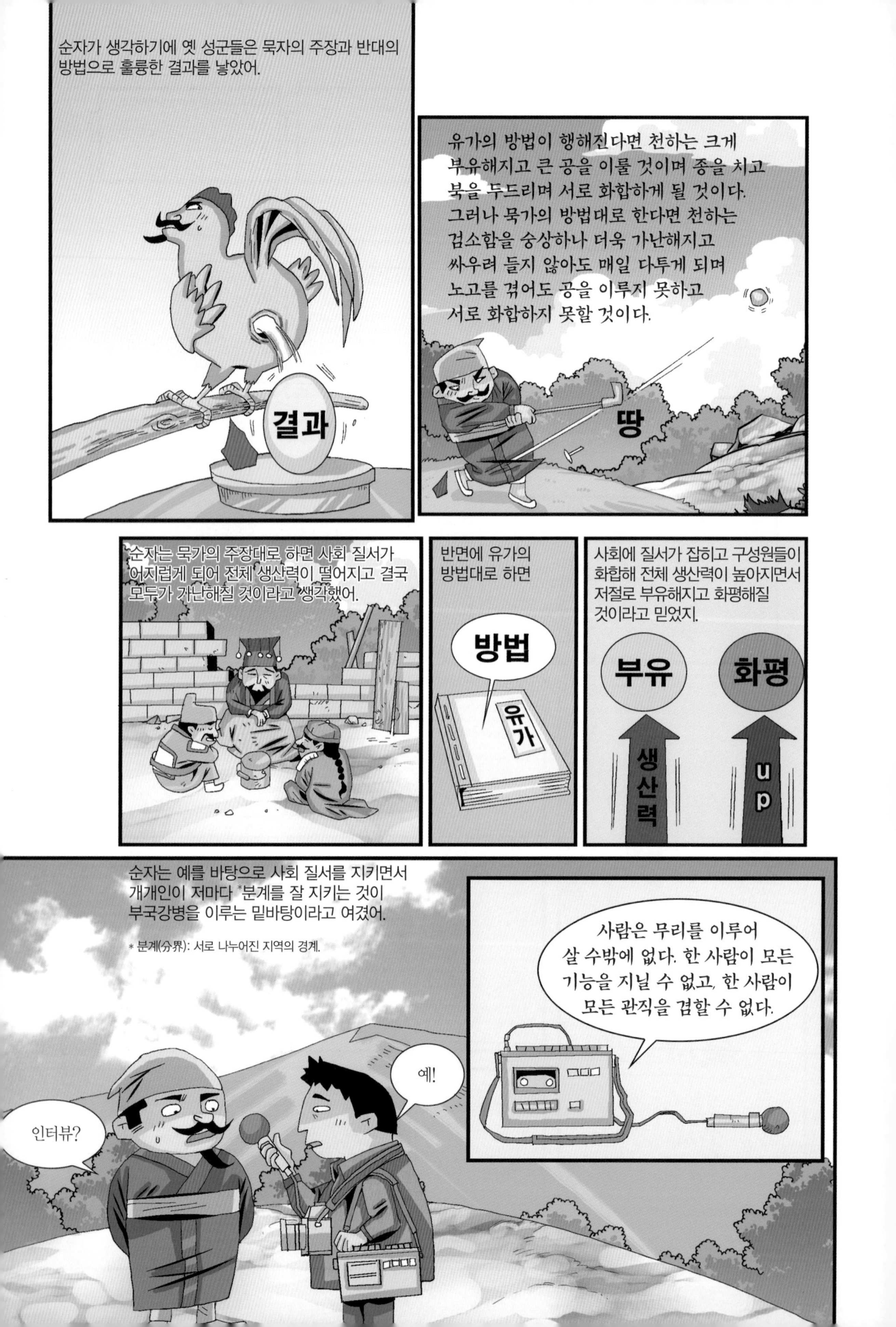

순자가 생각하기에 옛 성군들은 묵자의 주장과 반대의 방법으로 훌륭한 결과를 낳았어.
결과
유가의 방법이 행해진다면 천하는 크게 부유해지고 큰 공을 이룰 것이며 종을 치고 북을 두드리며 서로 화합하게 될 것이다. 그러나 묵가의 방법대로 한다면 천하는 검소함을 숭상하나 더욱 가난해지고 싸우려 들지 않아도 매일 다투게 되며 노고를 겪어도 공을 이루지 못하고 서로 화합하지 못할 것이다.
땅
순자는 묵가의 주장대로 하면 사회 질서가 어지럽게 되어 전체 생산력이 떨어지고 결국 모두가 가난해질 것이라고 생각했어.
반면에 유가의 방법대로 하면
방법
유가
사회에 질서가 잡히고 구성원들이 화합해 전체 생산력이 높아지면서 저절로 부유해지고 화평해질 것이라고 믿었지.
부유
화평
생산력
up
순자는 예를 바탕으로 사회 질서를 지키면서 개개인이 저마다 *분계를 잘 지키는 것이 부국강병을 이루는 밑바탕이라고 여겼어.
* 분계(分界): 서로 나누어진 지역의 경계.
사람은 무리를 이루어 살 수밖에 없다. 한 사람이 모든 기능을 지닐 수 없고, 한 사람이 모든 관직을 겸할 수 없다.
예!
인터뷰?

사람은 서로 도와야 곤궁해지지 않는다. 여럿이 무리 지어 사는 데 분계가 없다면 서로 다투게 된다. 따라서 환난을 피하려면 분계를 명확히 해야 한다. 직업에 있어서도 서로 힘든 일을 꺼리고 공리(功利)만을 좇으며 분계가 없다면 재난이 생기게 된다.
복사해서 돌려~.
순자는 사회의 분계가 어떻게 구성되어야 하는지, 또 각 분계의 할 일은 무엇인지에 대해 다음과 같이 구체적으로 설명했어.
천하가 풍족해지는 길은 사회의 분계를 명확히 하는 데 있다. 땅의 경계를 분명히 하고 논밭의 곡식이 잘 자라도록 하며 논밭을 비옥하게 가꾸는 것은 농부의 일이다. 또 때에 맞춰 백성들이 열심히 일하도록 독려하고 서로 화합하게 해 구차하게 지내지 않도록 하는 것은 지방 관리의 일이다.
post
고지대라 해도 가뭄이 들지 않고 저지대라 해도 침수가 되지 않도록 하며 추위와 더위가 계절에 따라 조화를 이루어 오곡이 때에 맞게 영글도록 하는 것은 하늘의 일이다. 사람들을 아끼고 보살펴 흉작이나 홍수, 가뭄이 오더라도 헐벗고 굶주리지 않도록 하는 것은 성군과 현명한 재상의 일이다.
저마다 자기 본연의 일에 힘쓰고 재물을 모으며 낭비하지 않으면, 신하와 백성들이 제도에 따르게 되므로 재물이 쌓여 나라는 저절로 부유해질 것이다.

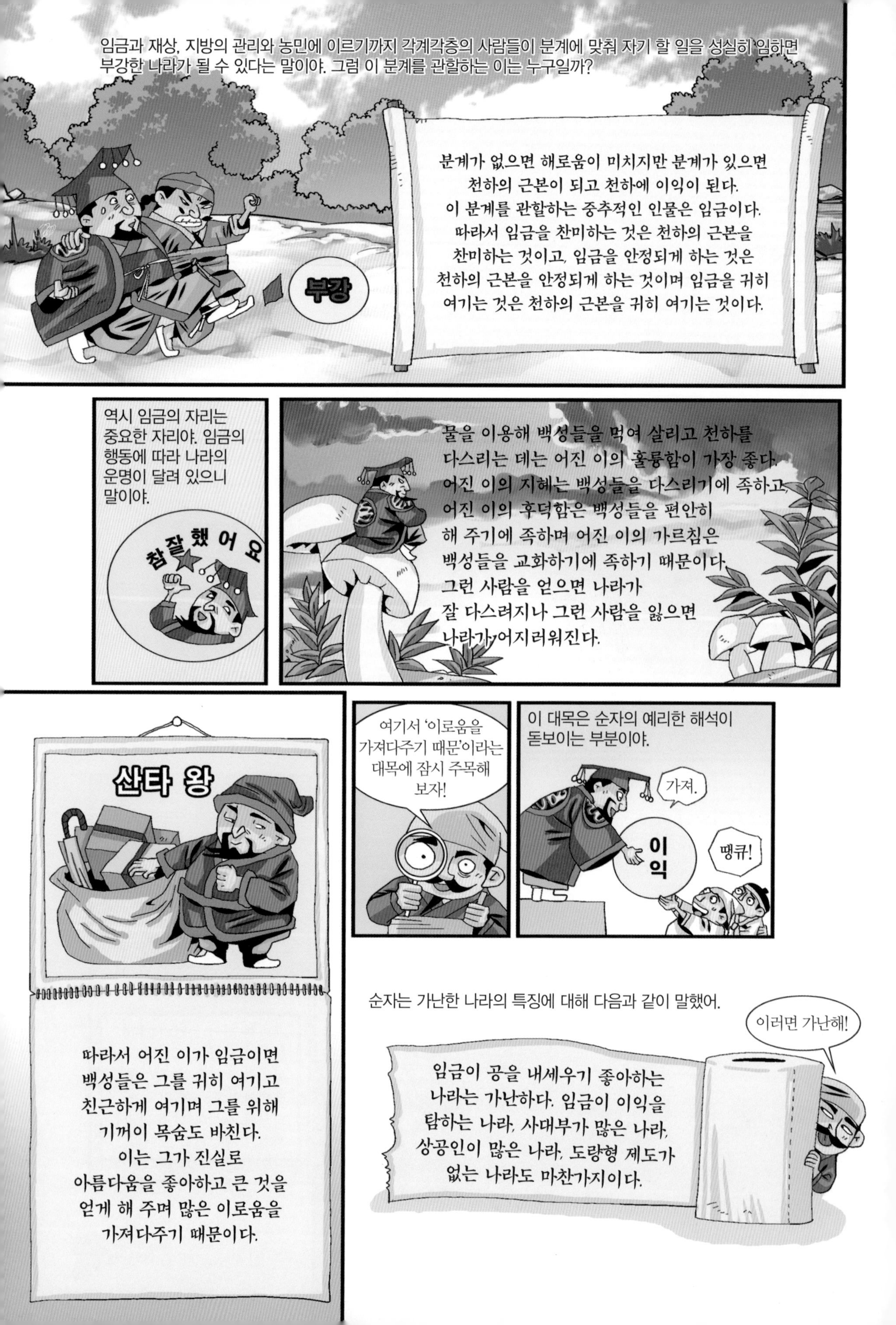
임금과 재상, 지방의 관리와 농민에 이르기까지 각계각층의 사람들이 분계에 맞춰 자기 할 일을 성실히 임하면 부강한 나라가 될 수 있다는 말이야. 그럼 이 분계를 관할하는 이는 누구일까?
분계가 없으면 해로움이 미치지만 분계가 있으면 천하의 근본이 되고 천하에 이익이 된다. 이 분계를 관할하는 중추적인 인물은 임금이다. 따라서 임금을 찬미하는 것은 천하의 근본을 찬미하는 것이고, 임금을 안정되게 하는 것은 천하의 근본을 안정되게 하는 것이며 임금을 귀히 여기는 것은 천하의 근본을 귀히 여기는 것이다.
부강
역시 임금의 자리는 중요한 자리야. 임금의 행동에 따라 나라의 운명이 달려 있으니 말이야.
참잘했어요
물을 이용해 백성들을 먹여 살리고 천하를 다스리는 데는 어진 이의 훌륭함이 가장 좋다. 어진 이의 지혜는 백성들을 다스리기에 족하고, 어진 이의 후덕함은 백성들을 편안히 해 주기에 족하며 어진 이의 가르침은 백성들을 교화하기에 족하기 때문이다. 그런 사람을 얻으면 나라가 잘 다스려지나 그런 사람을 잃으면 나라가 어지러워진다.
산타 왕
따라서 어진 이가 임금이면 백성들은 그를 귀히 여기고 친근하게 여기며 그를 위해 기꺼이 목숨도 바친다. 이는 그가 진실로 아름다움을 좋아하고 큰 것을 얻게 해 주며 많은 이로움을 가져다주기 때문이다.
여기서 '이로움을 가져다주기 때문'이라는 대목에 잠시 주목해 보자!
이 대목은 순자의 예리한 해석이 돋보이는 부분이야.
가져.
이익
땡큐!
순자는 가난한 나라의 특징에 대해 다음과 같이 말했어.
이러면 가난해!
임금이 공을 내세우기 좋아하는 나라는 가난하다. 임금이 이익을 탐하는 나라, 사대부가 많은 나라, 상공인이 많은 나라, 도량형 제도가 없는 나라도 마찬가지이다.

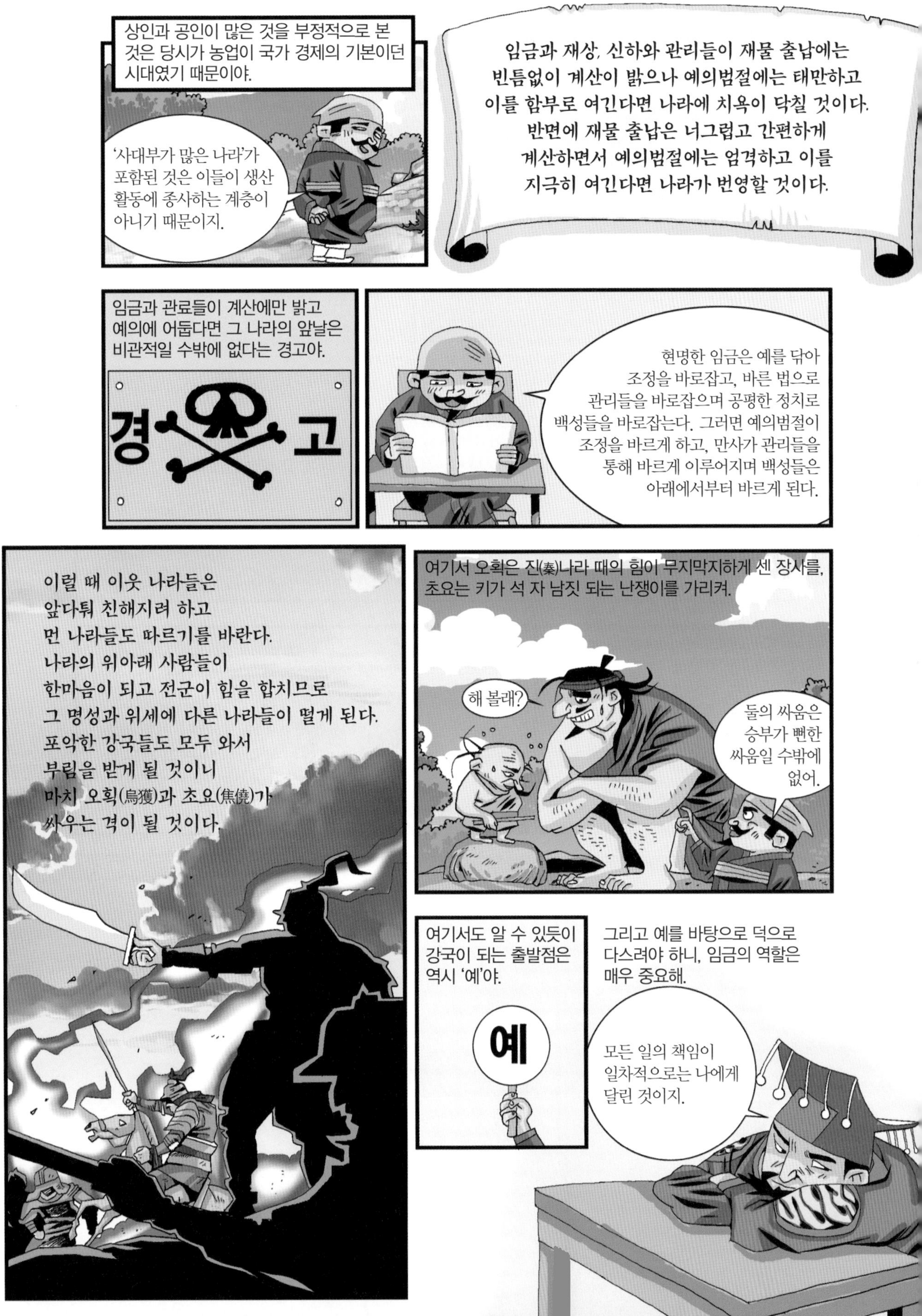
상인과 공인이 많은 것을 부정적으로 본 것은 당시가 농업이 국가 경제의 기본이던 시대였기 때문이야.
'사대부가 많은 나라'가 포함된 것은 이들이 생산 활동에 종사하는 계층이 아니기 때문이지.
임금과 재상, 신하와 관리들이 재물 출납에는 빈틈없이 계산이 밝으나 예의범절에는 태만하고 이를 함부로 여긴다면 나라에 치욕이 닥칠 것이다. 반면에 재물 출납은 너그럽고 간편하게 계산하면서 예의범절에는 엄격하고 이를 지극히 여긴다면 나라가 번영할 것이다.
임금과 관료들이 계산에만 밝고 예의에 어둡다면 그 나라의 앞날은 비관적일 수밖에 없다는 경고야.
경 고
현명한 임금은 예를 닦아 조정을 바로잡고, 바른 법으로 관리들을 바로잡으며 공평한 정치로 백성들을 바로잡는다. 그러면 예의범절이 조정을 바르게 하고, 만사가 관리들을 통해 바르게 이루어지며 백성들은 아래에서부터 바르게 된다.
이럴 때 이웃 나라들은 앞다퉈 친해지려 하고 먼 나라들도 따르기를 바란다. 나라의 위아래 사람들이 한마음이 되고 전군이 힘을 합치므로 그 명성과 위세에 다른 나라들이 떨게 된다. 포악한 강국들도 모두 와서 부림을 받게 될 것이니 마치 오획(烏獲)과 초요(焦僥)가 싸우는 격이 될 것이다.
여기서 오획은 진(秦)나라 때의 힘이 무지막지하게 센 장사를, 초요는 키가 석 자 남짓 되는 난쟁이를 가리켜.
해 볼래?
둘의 싸움은 승부가 뻔한 싸움일 수밖에 없어.
여기서도 알 수 있듯이 강국이 되는 출발점은 역시 '예'야.
예
그리고 예를 바탕으로 덕으로 다스려야 하니, 임금의 역할은 매우 중요해.
모든 일의 책임이 일차적으로는 나에게 달린 것이지.

임금이 현명하고 예의를 존중하며 의로움을 귀히 여기면 그 나라는 잘 다스려진다. 잘 다스려지는 나라는 강하다. 또한 백성들의 눈에 임금이 우러러볼 만한 사람이면 백성들을 부릴 수 있다. 임금이 백성들을 부릴 수 있는 나라는 강하다.
순자는 강한 나라인지 아닌지 판단할 수 있는 기준을 다음과 같이 제시했어.
훌륭한 선비를 좋아하는 나라, 백성들을 사랑하는 나라, 법도와 명령에 신의가 있는 나라, 백성들이 협력하는 나라, 상에 무게가 있는 나라, 형벌에 위엄이 있는 나라, 연장과 무기와 갑옷이 잘 만들어져 쓰기에 편한 나라, 용병을 신중히 하는 나라, 권력이 한곳에서 나오는 나라는 강하다.
한편 순자는 부국강병을 위해 군사력도 있어야 한다고 했어. 군사력이 약한 나라의 징표를 다음과 같이 말했지.
임금이 예의를 존중하지 않는 나라는 군대가 약하다. 임금이 백성들을 사랑하지 않는 나라, 이미 약속한 일도 믿을 수 없는 나라, 잘한 일에 상을 주는 것이 제대로 이루어지지 않는 나라, 장수들이 무능한 나라도 군대가 약하다.
역시 군사력에 있어서도 근본은 예와 덕이라는 소리야.
덕
예
어진 사람의 군대는 한마음으로 전군이 힘을 합친다. 신하와 임금의 관계, 부하와 상사의 관계가 마치 아들이 아버지를, 동생이 형을 섬기는 것과 같다. 손과 팔이 머리와 눈을 보호하고 가슴과 배를 가려 주는 것과 같다.
제아무리 강한 군대라 하더라도
임금을 귀히 여기지 않으면 강한 군대가 될 수 없다는 말이야.
오패의 가장 강한 군대도 그보다는 한 수 아래라고 했지.
너희는 이거야.
오패의 군대는 단합되어 있었으나 근본적인 법도가 없었다. 따라서 패자는 될 수 있었지만 왕자는 될 수 없었다.

순자는 군대를 이루는 근본적인 법도가 인의(仁義)에 있다고 강조했어.
인의
그리고 인의를 따르는 군대가 어떤 것인지 설명했지.
적이 성을 지키고 있을 때는 공격하지 않고 적이 완강하게 저항해도 공격하지 않는다. 적국의 사람들이 모두 기뻐하고 있을 때는 이를 축하해 준다. 적을 공격할 때도 성 안의 백성들을 몰살시키지 않는다. 몰래 쳐들어가지 않으며 백성들을 억류하지 않고 석 달의 기간을 넘기지 않는다. 그러므로 혼란한 나라의 사람들은 이런 정치를 좋아하고 자기네 임금에게 불안을 느껴 왕자의 군대가 오기를 바라게 된다.
이렇게 신사적인 군대가 어디에 있을까?
이쯤 되면 군대라는 존재에 대해 혼란이 느껴지지 않을까?
뭐지?
이에 순자의 제자인 진효는 물었어.
인의를 근본으로 군대를 논하시는데, 군사를 일으키는 것은 결국 싸워서 빼앗기 위함이 아닙니까?
어진 이는 남을 사랑하고 의로운 이는 예를 따른다. 따라서 그들의 군대는 포악함을 막아 폐해를 없애려 하며 싸워서 빼앗지 않는다.
이런 군대에서는 병사들을 지휘하는 장수도 마음가짐이 다를 거야.
외워라!
장수가 임금의 명 없이도 할 수 있는 일은 세 가지다. 병사들을 죽일 수는 있으나 안전하지 않은 곳에 진을 치지 않는다. 이길 수 없는 상대를 공격하지 않으며, 백성들을 속여서는 안 된다.
이렇게 지혜롭고 의로운 장수가 군대를 이끈다면 누구와 싸워도 백전백승일 거야.
100번째!
뻥!
순자의 부국강병론의 요체는 예의야. 나라가 부강해지기를 바란다면 임금이 예치와 덕치를 행해야 한다는 것이 결론이지.
예치
덕치
순자는 공자나 맹자와 달리 경제력과 군사력을 중시하며 구체적인 방안들을 연구했어.
공자와 맹자는 왕이 덕치를 행하면 부국강병이 저절로 이루어질 거라고 여겼어. 이런 이유로 부국강병책에 따로 관심을 두지 않았단다.
부국강병

8장

임금의 도리, 신하의 도리

순자는 임금이 통치자로서 지켜야 할 네 가지 도(道)가 있다고 말했어.

임금은 백성들을 보살피는 사람이다. 백성들을 보살핀다는 것은 무엇인가? 그것은 백성들이 잘살도록 해 주고 백성들에게 알맞게 직분을 배분하는 것이다. 또한 인재를 등용하고 백성들이 각자 신분에 맞는 옷차림을 갖추게 하는 것이기도 하다.
복장 좀 통일하면 안 될까?
퇴근하고 골프 약속이 잡혀 있어서….
좋겠다~.
난 낚시하러 갈 거야.

이 네 가지 요건이 갖춰지면 온 천하가 임금을 따르게 되나 이 네 가지가 없으면 천하가 임금에게서 떠나 임금은 필부가 될 것이다.
4가지

순자는 임금이 이 네 가지의 도를 잘 실천하면 나라가 잘 다스려지고, 온 천하가 임금을 우러러볼 것이라고 했어.
사랑해요.
만세!

백성들을 잘살게 하려면 농민을 늘리며 도적질을 금하고 간사한 이들을 물리쳐야 한다.
농자천하지대본

또한 위부터 아래까지 각 벼슬아치들은 법도와 직분에 맞게 공정하게 일해야 한다.
법도
직분

덕에 따라 서열을 정하고 능력에 따라 벼슬을 내려 각자 합당한 자리에 앉게 하며 가장 현명한 이가 *삼공(三公)을 맡게 한다. 그다음으로 현명한 이는 제후가 되게 하고 그다음 현명한 이는 사대부가 되게 한다. 이것이 인재를 잘 등용하는 것이다.
삼공
제후
사대부

* 삼공(三公): 최고의 관직에 있으면서 천자를 보좌하던 세 벼슬.

관직에 따라 무늬에 차등을 두어 저마다 신분에 맞게 옷을 입도록 한다. 이렇게 하면 천자로부터 평민에 이르기까지 모두 능력을 발휘하고 뜻한 대로 이루며 안락하게 산다.

순자는 예를 강조하며 사회적 계급과 직분을 중시했어.
사회적 계급
사회적 직분

공동체의 운영이 분업의 이치에 바탕을 두고 있다고 믿었기 때문이야.
공동체

순자는 '사람의 일은 귀와 눈과 코와 입이 서로 기능을 빌려줄 수 없는 것과 같다.'라고 말했어.
저마다 자기 직분에 충실한 것이 나라 운영의 기본이라고 믿었지.
이 모든 것을 총괄하는 이는 바로 임금이야. 순자는 임금을 본보기가 되는 사람으로 보았어.
본보기가 바르면 그림자도 바르다. 임금은 그릇과 같다. 그릇이 네모나면 거기에 담긴 물도 네모나다.
임금이 활을 쏘면 신하들도 활깍지를 끼고 활을 쏜다.
시원해~.
임금님은 더우시겠다.
그늘
허리가 가는 사람을 좋아했던 초나라의 장왕 때문에 초나라 조정에는 허리둘레를 줄이려다 굶어 죽은 사람들이 많았다.
단식5일째
임금은 백성들의 근원이다. 근원이 맑으면 흐름도 맑고, 근원이 탁하면 흐름도 탁하다.
근
원
맑은 물
임금의 언행은 신하들과 백성들의 거울이 되기 때문에 임금은 일거수일투족에 신중해야 해.
나도 있어!
사방에 CCTV. 항상 조심….
그런데 임금도 사람인지라 바라는 것이 있고, 바라지 않는 것이 있는 법이야.
전하….
순자는 임금도 평범한 사람들과 별로 차이가 없다고 했어.
임금
백성

임금은 누구나 강하기를 바라고 약한 것을 싫어한다. 또 편안하기를 바라고 위험한 것을 싫어하며 번영하기를 바라고 수치스러운 것을 싫어한다. 이는 성왕 우임금이나 폭군 걸왕 모두 마찬가지였다.
누가 우리 얘기하는 것 같지 않나?
그러게…. 아까부터 귀가 간지러워….
순자는 임금이 강하고 편안하고 번영하고자 할 때 그것을 이룰 수 있는 방법이 하나 있다고 했어.
너만 믿어….
재상을 잘 뽑으면 임금이 바라는 대로 될 수 있다. 재상은 본래 지혜도 있어야 하지만 어질어야 한다. 그래야 왕자와 패자를 보좌할 수 있다.
재상을 잘 뽑아 놓으면 국정은 만사가 형통하므로 어질고 지혜로운 인재를 모셔야 한다는 얘기야.
연봉은?
원하는 대로~.
법이나 제도보다 사람을 더 중요하게 본 거야.
꺼져!
법
제도
법과 제도를 운용하는 것도 결국은 사람이기 때문이지.
법
제도
법은 홀로 설 수 없다. 법은 합당한 사람이 있으면 실행되지만 합당한 사람이 없으면 실행되지 못하고 사라진다. 법은 다스림의 시작이고 군자는 법의 근원이다. 따라서 군자가 있으면 비록 법이 생략되어도 두루 퍼질 것이나 군자가 없으면 법이 갖춰져 있어도 앞뒤 순서를 잃고 결국 일의 변화에 적응하지 못해 어지러워질 것이다.

사람이 훌륭하면 법이나 제도에 허점이 약간 있어도 크게 문제되지 않아.
법
제도
그러나 자질이 부족한 사람이 중책을 맡는다면 법과 제도가 완비되어 있어도 소용이 없어.
법을 잘못 적용한다든지 편법, 탈법, 불법 행위 등을 묵인하거나 조장한다든지 혹은 본인이 그 당사자가 되어 문제를 일으킬 수도 있잖아?
부패
그러므로 임금에게는 재상 자리에 합당한 사람을 잘 가려 뽑는 것이 으뜸 과제야.
그래야 자신이 편안해지고 나라도 잘 다스릴 수 있을 테니까.
정치를 잘하고자 한다면 합당한 사람을 구하는 것보다 좋은 것은 없다. 학문을 쌓아 그 이치를 터득한 사람은 대대로 끊이지 않는다. 그런 사람은 지금 세상에 살면서도 옛날의 도에 뜻을 두고 있다.
도
임금이 그 도를 좋아하지 않아도 홀로 좋아하고, 백성들이 그 도를 바라지 않아도 홀로 행한다. 그 도를 좋아하고 행하는 사람은 빈궁해진다 해도 중단 없이 홀로 그 도를 따른다. 옛 임금들이 천하를 얻은 까닭과 잃은 까닭을 환하게 알고 있기 때문이다.
태평성대
평화
도

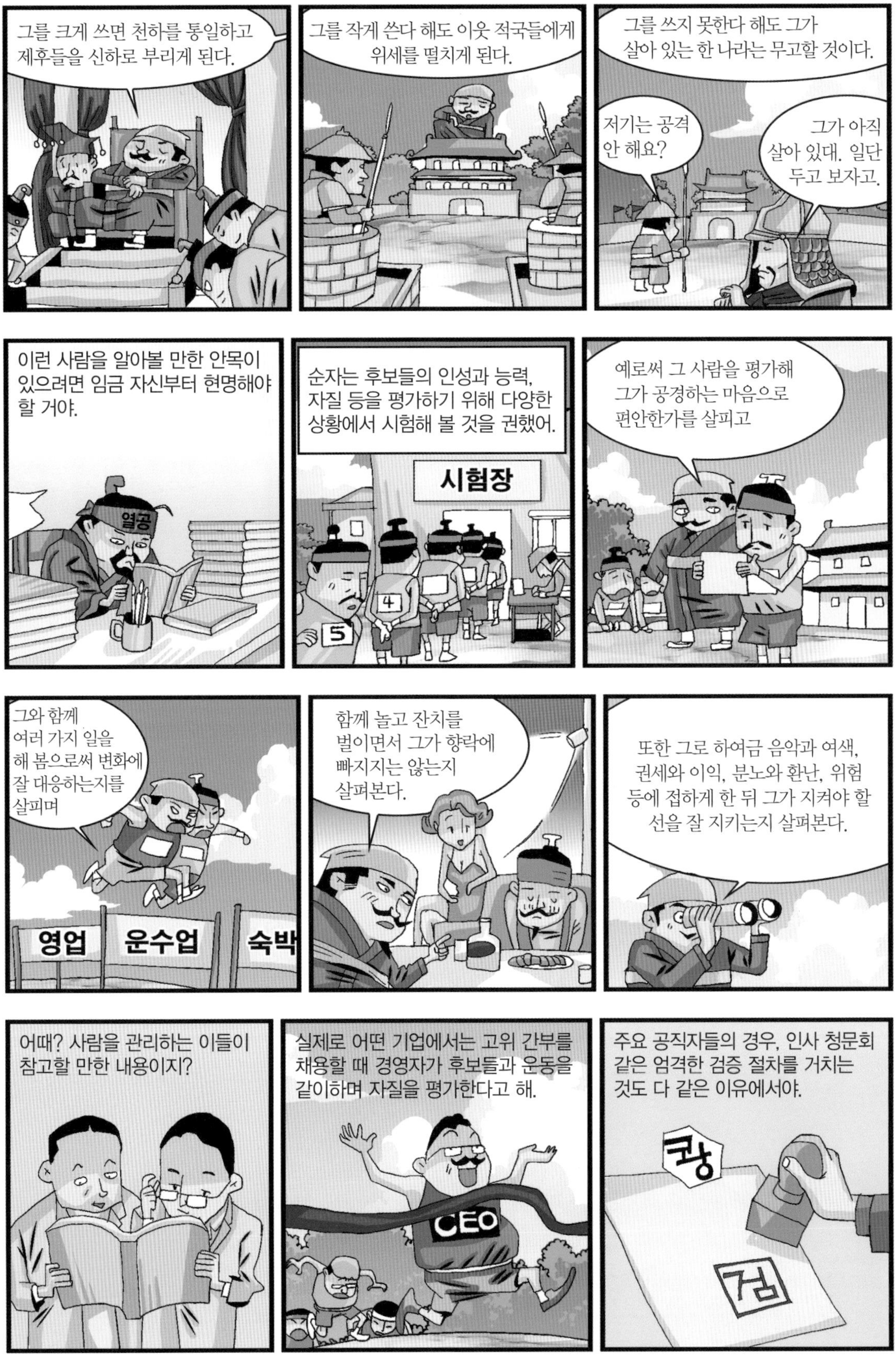
그를 크게 쓰면 천하를 통일하고 제후들을 신하로 부리게 된다.
그를 작게 쓴다 해도 이웃 적국들에게 위세를 떨치게 된다.
그를 쓰지 못한다 해도 그가 살아 있는 한 나라는 무고할 것이다.
저기는 공격 안 해요?
그가 아직 살아 있대. 일단 두고 보자고.
이런 사람을 알아볼 만한 안목이 있으려면 임금 자신부터 현명해야 할 거야.
열공
순자는 후보들의 인성과 능력, 자질 등을 평가하기 위해 다양한 상황에서 시험해 볼 것을 권했어.
시험장
4
5
예로써 그 사람을 평가해 그가 공경하는 마음으로 편안한가를 살피고
그와 함께 여러 가지 일을 해 봄으로써 변화에 잘 대응하는지를 살피며
영업
운수업
숙박
함께 놀고 잔치를 벌이면서 그가 향락에 빠지지는 않는지 살펴본다.
또한 그로 하여금 음악과 여색, 권세와 이익, 분노와 환난, 위험 등에 접하게 한 뒤 그가 지켜야 할 선을 잘 지키는지 살펴본다.
어때? 사람을 관리하는 이들이 참고할 만한 내용이지?
실제로 어떤 기업에서는 고위 간부를 채용할 때 경영자가 후보들과 운동을 같이하며 자질을 평가한다고 해.
CEO
주요 공직자들의 경우, 인사 청문회 같은 엄격한 검증 절차를 거치는 것도 다 같은 이유에서야.
쾅
검

어떤 임금은 개인적인 친분을 기준으로 사람을 뽑는 등 엉터리로 *인사를 했어.
조카
사촌
이들에 대해 순자는 이렇게 말했어.
임금이 재상과 보좌역을 공정하게 구하지 않고, 자신이 개인적으로 좋아하는 사람이나 가까운 사람을 등용하고 있으니 큰 잘못이 아니겠는가?
임금이라면 국사를 돌보는 데 있어 사심, 즉 사사로운 마음을 버려야 해.
사심
휴지통

* 인사(人事): 관리나 직원의 임용, 해임, 평가 따위와 관계되는 행정적인 일.

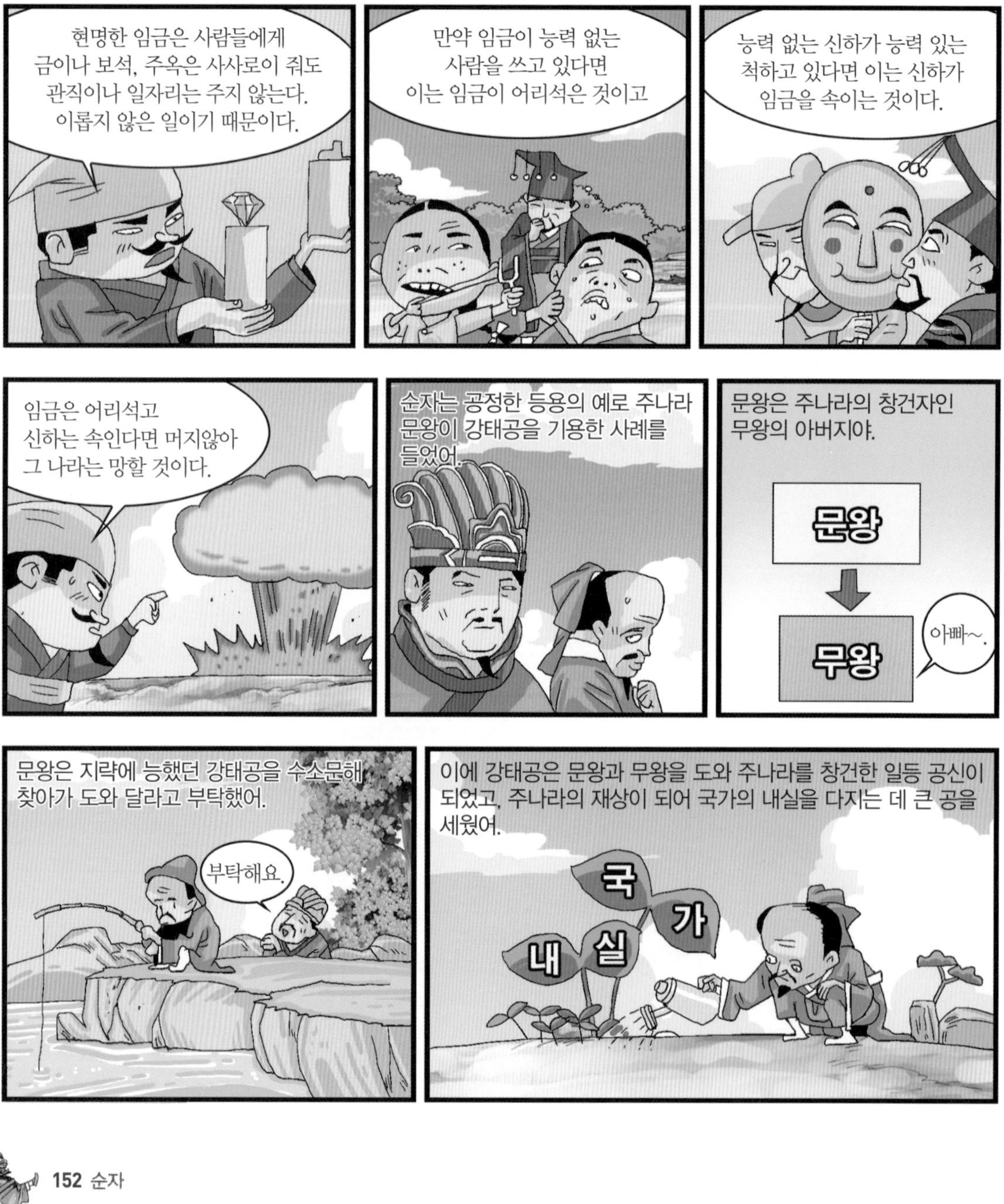
현명한 임금은 사람들에게 금이나 보석, 주옥은 사사로이 줘도 관직이나 일자리는 주지 않는다. 이롭지 않은 일이기 때문이다.
만약 임금이 능력 없는 사람을 쓰고 있다면 이는 임금이 어리석은 것이고
능력 없는 신하가 능력 있는 척하고 있다면 이는 신하가 임금을 속이는 것이다.
임금은 어리석고 신하는 속인다면 머지않아 그 나라는 망할 것이다.
순자는 공정한 등용의 예로 주나라 문왕이 강태공을 기용한 사례를 들었어.
문왕은 주나라의 창건자인 무왕의 아버지야.
문왕
무왕
아빠~.
문왕은 지략에 능했던 강태공을 수소문해 찾아가 도와 달라고 부탁했어.
부탁해요.
이에 강태공은 문왕과 무왕을 도와 주나라를 창건한 일등 공신이 되었고, 주나라의 재상이 되어 국가의 내실을 다지는 데 큰 공을 세웠어.
국
가
내
실

순자는 이 일에 대해
이렇게 평가했어.
문왕은 사적인 인연이 전혀 없고 모르는 사이였는데도 강태공을 등용했다. 이는 문왕이 귀한 도를 세우고 귀한 명성을 명백히 해서 그 은혜가 천하에 미치도록 하기 위함이었다. 문왕은 홀로 할 수 없고, 그런 사람을 쓰지 않으면 할 수 없는 일이었기에 강태공을 등용한 것이다. 그리하여 귀한 도가 세워지고 귀한 명성이 명백해져 천하를 다스릴 수 있게 되었다.

이처럼 나라를 다스리는 것은 절대 한 사람의 힘으로는 할 수 없어. 순자는 임금이 나라를 통치하기 위해 갖춰야 할 세 종류의 인적 조직에 대해 다음과 같이 말했어.
사람의 눈은 담 너머의 일을 볼 수 없고, 사람의 귀는 멀리 떨어진 곳의 소리를 들을 수 없다. 그러나 임금이 지키고 관리해야 하는 범위는 멀리는 온 천하, 가까이는 국경 안까지 이른다. 임금은 그 안에서 일어나는 모든 일을 알아야 한다. 그러나 귀와 눈으로 듣고 볼 수 있는 범위가 그처럼 좁으니 무엇을 통해야 하는가? 바로 임금이 믿고 아끼는 측근들을 통해야 한다. 그들은 임금에게 여론을 전하는 창문이 되므로 올바른 사리 판단을 할 수 있을 만큼 지혜로워야 한다.

임금이 측근들을 통해 민심을 살필 때 만약 측근들이 고의로든 아니든 잘못된 정보를 전달한다면 큰일이 일어나겠지?
증권가 소식지
실제 역사상 권력자의 측근들이 '인(人)의 장막'을 형성해 통치자와 백성들 사이의 소통을 가로막은 사례가 적지 않아.
소통하라!
인의 장막
임금에게 변고가 일어날 수 있듯이 나라에는 여러 가지 일들이 생겨나기 마련이다. 이에 적절히 대응하지 못하면 혼란이 일어난다. 따라서 임금에게는 믿고 일을 맡길 만한 재상과 보좌진이 있어야 한다.
그들은 임금에게 지팡이 같은 존재이다.
보좌진
재상
임금은 이웃 나라의 제후들과 교섭을 해야 한다. 따라서 임금에게는 멀리 있는 나라에 가서 임금의 의사를 설명하고 그쪽의 의혹을 풀어 줄 수 있는 사람이 있어야 한다.
얘기 좀 잘해 봐.
임금에게는 신뢰할 수 있는 측근과 재상, 보좌진 그리고 사신들까지 두루두루 다 필요해.
측근
재상
보좌진
사신
임금이 세 종류의 인적 조직을 잘 갖춘다면 그 나라는 탄탄한 앞날이 보장될 거야.
순자는 관리를 세 등급으로 구분해 각각의 등급에 요구되는 자질이 무엇인지, 또 인사권자가 어떤 점을 눈여겨보아야 하는지 자세히 설명했어.

사람이 신중하고 성실하며 계산이 세밀해 실수하는 것이 없다면 일반 관리의 재목이다.
다시! 한 냥이 비는군.
사람이 단정하고 법을 준수하며 부정한 마음을 품지 않고 직무에 전념할 뿐 아니라 직분을 잘 지키며 보존해 남이 그의 일에 간섭할 수 없을 정도라면 이는 사대부로서 관청의 우두머리가 될 재목이다.
재상이나 임금을 보좌하는 신하가 될 재목은 예의를 숭상하고 훌륭한 선비를 아끼며 백성들을 사랑한다. 또한 현자를 숭상하고 유능한 이를 등용하며 근본이 되는 농업에 힘쓰는 한편, 말단이 되는 상업은 억제한다. 아울러 아랫사람들과 작은 이로움 때문에 다투지 않는다.
예의
농업
백성
I ♥ 현자
임금은 이러한 세 가지의 재목을 잘 골라내 벼슬을 내리고, 그 위계질서가 잘 지켜지도록 해야 해.
위계질서
쾅
그러나 전국 시대의 임금들은 인사 문제에서는 영 신통치 않았던 모양이야.
다 잘라 버릴 수도 없고….
간신배들
순자는 당시 그들이 겪던 환난의 책임을 임금 자신에게 돌리며 날선 비판을 했어.
지금 임금들에게는 환난이 있다. 현자에게 정사를 맡겨 놓고 본보기가 못 되는 사람과 더불어 이를 규제한다.
또 지혜로운 사람에게 계획을 세우게 해 놓고 어리석은 사람과 더불어 이를 논한다.
수양하는 선비에게 다스림을 맡겨 놓고 사악한 이들과 더불어 이를 의심하기도 한다.

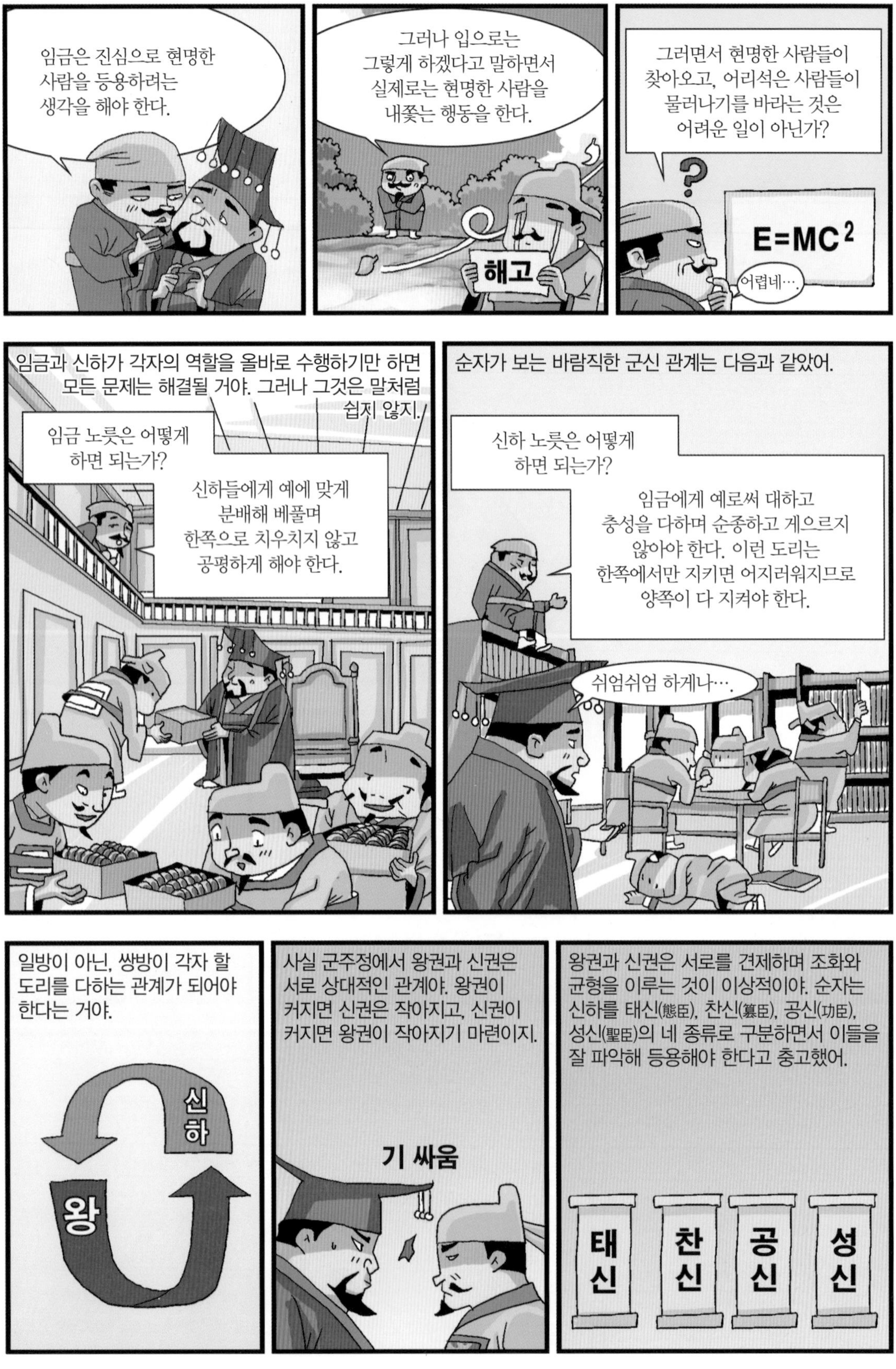
임금은 진심으로 현명한 사람을 등용하려는 생각을 해야 한다.
그러나 입으로는 그렇게 하겠다고 말하면서 실제로는 현명한 사람을 내쫓는 행동을 한다.
해고
그러면서 현명한 사람들이 찾아오고, 어리석은 사람들이 물러나기를 바라는 것은 어려운 일이 아닌가?
E=MC 2
어렵네….
임금과 신하가 각자의 역할을 올바로 수행하기만 하면 모든 문제는 해결될 거야. 그러나 그것은 말처럼 쉽지 않지.
임금 노릇은 어떻게 하면 되는가?
신하들에게 예에 맞게 분배해 베풀며 한쪽으로 치우치지 않고 공평하게 해야 한다.
순자가 보는 바람직한 군신 관계는 다음과 같았어.
신하 노릇은 어떻게 하면 되는가?
임금에게 예로써 대하고 충성을 다하며 순종하고 게으르지 않아야 한다. 이런 도리는 한쪽에서만 지키면 어지러워지므로 양쪽이 다 지켜야 한다.
쉬엄쉬엄 하게나….
일방이 아닌, 쌍방이 각자 할 도리를 다하는 관계가 되어야 한다는 거야.
신하
왕
사실 군주정에서 왕권과 신권은 서로 상대적인 관계야. 왕권이 커지면 신권은 작아지고, 신권이 커지면 왕권이 작아지기 마련이지.
기 싸움
왕권과 신권은 서로를 견제하며 조화와 균형을 이루는 것이 이상적이야. 순자는 신하를 태신(態臣), 찬신(簒臣), 공신(功臣), 성신(聖臣)의 네 종류로 구분하면서 이들을 잘 파악해 등용해야 한다고 충고했어.
태신
찬신
공신
성신

태신(態臣)
태신(態臣)은 '태(態)'라는 글자가 '모습' 또는 '모양'의 뜻을 가지고 있으므로 '무늬만 신하'인 사람을 의미해.
안으로는 백성들을 단결시키지 못하고 밖으로는 환난을 막아 내지 못하니 백성들이 친하게 여기지 않고 제후들도 믿지 않는다. 그러나 간사하고 교활해서 아첨으로 총애를 얻으니 이를 태신(態臣)이라 한다.
이렇게 아첨만 하는 태신을 등용하는 임금은 망하게 될 거야.
파산
태신
그럼 찬신(簒臣)은 어떤 신하일까? '찬(簒)'은 '빼앗다.'라는 뜻을 가지고 있어.
위로는 임금에게 불충하면서 아래로는 백성들에게 영합하고 공정함은 멀리하면서 붕당을 이뤄 임금을 미혹시키며 사적인 이익을 도모하는 이를 찬신(簒臣)이라 한다.
순자는 임금이 찬신을 쓰면 나라가 위태로워진다고 했어.
뇌물
반면에 공신(功臣)은 다음과 같은 사람이야.
공
안으로는 백성들을 단결시키고 밖으로는 환난을 막아 내며 백성들이 친하게 여기고 선비들도 그를 믿는다. 위로는 임금에게 충성하고 아래로는 백성들을 사랑하는 데 게으름이 없으니, 이를 공신(功臣)이라 한다.
자네만 믿어….
순자는 임금이 공신을 곁에 두면 영예로워지고 강자가 될 수 있다고 했어.
그럼 '성스러운 신하'라는 뜻의 성신(聖臣)은 대체 어떤 신하일까?
성신을 두면 임금이 반드시 존귀해지고 왕자가 된다고 해. 이런 신하라면 당연히 섭외 대상 1순위겠지?
위로는 임금을 존중하고 아래로는 백성들을 사랑한다. 법도와 규칙으로 백성들을 교화시키고 아랫사람들을 잘 다루며 갑작스런 일에도 적절히 대응해 변화에 신속히 대처한다. 또한 전례에 따라 일을 처리해 옛날의 명성을 이어가고 철저하게 법과 제도를 제정한다.
나한테 와~.
와 줘….
원하는 거 다 말하게!

임금이 잘못하면 나라는 위태로워져. 이때 신하들이 어떻게 하느냐가 중요한데, 이런 상황에서 신하는 네 가지 유형이 있다고 해.
간신
쟁신
보신
불신
임금에게 진언을 했는데 받아들여지지 않을 경우, 그냥 떠나는 사람을 *간신이라고 해.
죽음을 무릅쓰는 사람은 쟁신(爭臣)이라고 하지.
신하들과 힘을 모아 임금을 굴복시켜 환난을 해결하고 임금을 존중하며 나라를 안정시키는 이는 보신(輔臣)이요,
요구사항
맘대로 해….
임금의 명령을 거역하고 임금이 하는 일에 반대하며 임금의 권세를 빼앗아서라도 나라를 위기에서 구하고 임금의 치욕을 없애 나라에 큰 이로움을 안겨 주는 이는 불신(拂臣)이야.
이익
임금이라면 이런 신하들을 중용해야 할 거야.
이런 신하들이야말로 나라의 보배이기 때문에 명석한 임금은 이들을 소중히 여기며 상을 내려. 그러나 어리석은 임금들은 이들을 자신의 적으로 생각하고 벌을 내리지.
상
벌
순자는 역사상 인물 중 간신의 예로 이윤과 기자를 꼽았어.
그리고 쟁신의 예로는 비간과 오자서를
보신의 예로는 조나라의 평원군을
그리고 불신의 예로는 위나라의 신릉군을 들었지.

* 간신(諫臣): 임금에게 옳은 말로 간하는 신하.

한편 순자는 신하들도 임금의 성격과 통치 방식에 따라 각각 섬기는 법과 마음가짐을 달리해야 한다고 주장했어.
임금 섬기는 방법 강의
성격과 스타일에 맞게! OK?
성군(聖君)을 섬기는 사람은 임금의 말에 복종하면 되고 간언을 하면 안 된다.
네! 분부대로 하겠나이다.
중군(中君)을 섬기는 사람은 간언만 하고 아첨을 하지 말아야 한다.
아첨하고 싶어….
폭군(暴君)을 섬기는 사람은 임금의 부족한 부분을 보완하고 잘못된 부분을 바로잡기만 해야지 임금의 뜻을 거스르려고 해서는 안 된다.
시국이 어지러워 폭군의 나라에 사는 것을 피할 수 없다면 그의 아름다움을 찬미하고 그의 선함을 드높이며
폭군상
그의 악함은 피하고 패배는 덮으며 장점은 이야기하되 단점은 이야기하지 않는 것이 오랜 습속이다.
장점
단점
성군은 가장 이상적인 임금, 중군은 평범한 임금, 폭군은 포악한 임금을 말해.
성군
중군
폭군
성군을 섬길 때는 임금의 뜻에 따르기만 하면 돼.
예.
복사해 와.
또 중군을 섬길 때는 임금의 잘잘못을 가려 보완해 주기만 하면 되지.
OK!
그러나 폭군을 섬길 때는 마치 길들여지지 않은 말을 다루듯, 혹은 어린아이를 기르거나 굶주린 사람에게 음식을 먹이듯 아주 조심스럽게 다뤄야 해.
폭군을 섬길 때는 일단 목숨을 부지하며 자신의 몸을 보존해야 하거든. 그러면서 궁극적으로는 임금을 교화시켜야 하지.
아니 제 말은 그러니까….
임금이 변하도록 만들어야 한다는 거야. 신하 노릇하기 쉽지 않겠지?

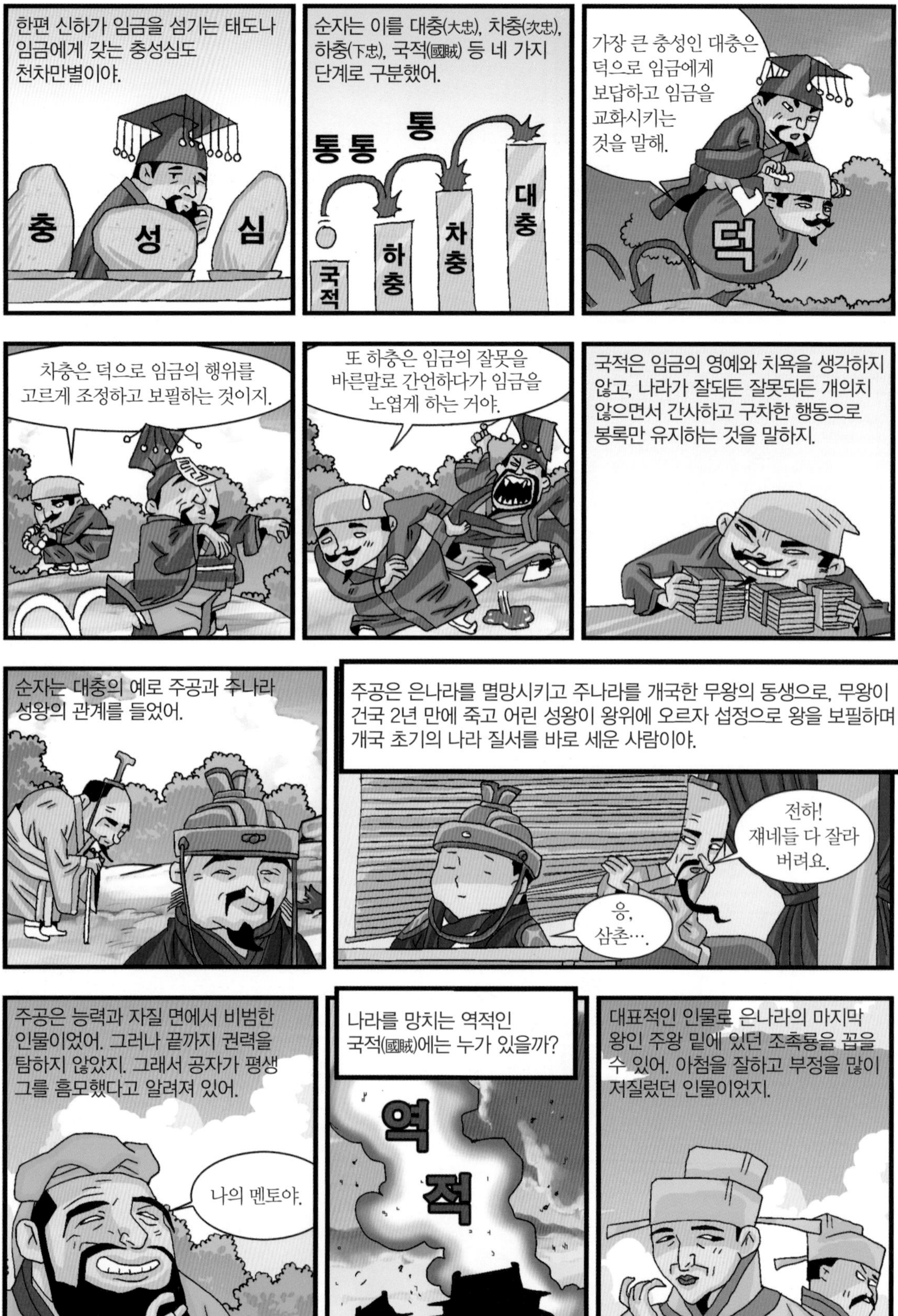
한편 신하가 임금을 섬기는 태도나 임금에게 갖는 충성심도 천차만별이야.
충 성 심
순자는 이를 대충(大忠), 차충(次忠), 하충(下忠), 국적(國賊) 등 네 가지 단계로 구분했어.
통 통 통
대충
차충
하충
국적
가장 큰 충성인 대충은 덕으로 임금에게 보답하고 임금을 교화시키는 것을 말해.
덕
차충은 덕으로 임금의 행위를 고르게 조정하고 보필하는 것이지.
또 하충은 임금의 잘못을 바른말로 간언하다가 임금을 노엽게 하는 거야.
국적은 임금의 영예와 치욕을 생각하지 않고, 나라가 잘되든 잘못되든 개의치 않으면서 간사하고 구차한 행동으로 봉록만 유지하는 것을 말하지.
순자는 대충의 예로 주공과 주나라 성왕의 관계를 들었어.
주공은 은나라를 멸망시키고 주나라를 개국한 무왕의 동생으로, 무왕이 건국 2년 만에 죽고 어린 성왕이 왕위에 오르자 섭정으로 왕을 보필하며 개국 초기의 나라 질서를 바로 세운 사람이야.
전하! 쟤네들 다 잘라 버려요.
응, 삼촌….
주공은 능력과 자질 면에서 비범한 인물이었어. 그러나 끝까지 권력을 탐하지 않았지. 그래서 공자가 평생 그를 흠모했다고 알려져 있어.
나의 멘토야.
나라를 망치는 역적인 국적(國賊)에는 누가 있을까?
역 적
대표적인 인물로 은나라의 마지막 왕인 주왕 밑에 있던 조촉룡을 꼽을 수 있어. 아첨을 잘하고 부정을 많이 저질렀던 인물이었지.

순자는 신하가 평생 임금의 신임을 잃지 않고, 총애를 유지하는 방법도 일러 주었단다.
임금이 귀하게 여겨 주면 몸가짐을 공손히 낮추고
임금이 믿고 사랑해 주면 몸가짐을 삼가 겸손하게 하고
임금이 신임해 일을 맡기면 상세하게 처리하고
임금이 편히 여겨 가까이 하면 아첨하지 않고
할 말은 한다….
임금이 멀리하면 배반하지 않고 물리치더라도 원망하지 않는다.
나한테 와.
싫어요!
이뿐만이 아니야.
만수무강하세요.
가라.
신분이 귀해져도 사치하지 않고
신임을 받아도 오해 사는 일이 없도록 하고
중요한 일을 독단적으로 처리하지 않으며
재물을 받게 되면 반드시 사양의 의리를 다한 후에 받는다.
큰 선물을 받을 때까지 사양하자….
또한 복이 되는 일은 조화롭게 처리하고 화가 되는 일은 조용하게 처리하며

부유하면 널리 베풀고 가난하면 아껴 쓴다.
다 퍼 주네. 쥐뿔도 없으면서….
이렇게 하면 높은 지위에서 임금의 총애를 받으며 평생 남들이 꺼려 하지 않는다. 비록 벼슬이 없고 빈궁한 형편이라 해도 이를 규범으로 삼는 사람을 길인(吉人)이라고 한다.
신하가 임금의 총애를 잃게 될 경우, 자칫하면 억울한 누명을 쓰고 추방되거나 목숨을 잃을 수도 있어.
순자는 이런 일을 대비해 몇 가지 요령을 알려 주었어.
순자점집
용하대~.
현인들을 추천하고 널리 베풀며
원한을 풀어 주고, 남을 해치지 않아야 한다.
원한
그러나 자신의 능력이 이런 일을 감당할 수 없고, 임금의 총애를 잃을까 봐 걱정된다면 일찍이 남들과 화합한다.
좀 도와줘….
현인들을 추천하고 유능한 사람에게 양보하며 편안하게 그들의 뒤를 따른다.
형님 먼저….
고마워.
이렇게 하면 임금의 총애가 있을 때 반드시 영화를 누리나
임금의 총애를 잃더라도 죄가 없다.
무죄.
쾅
이것이 임금을 섬기는 사람의 보배이자 후환이 없도록 하는 술책이다.
1급 술책

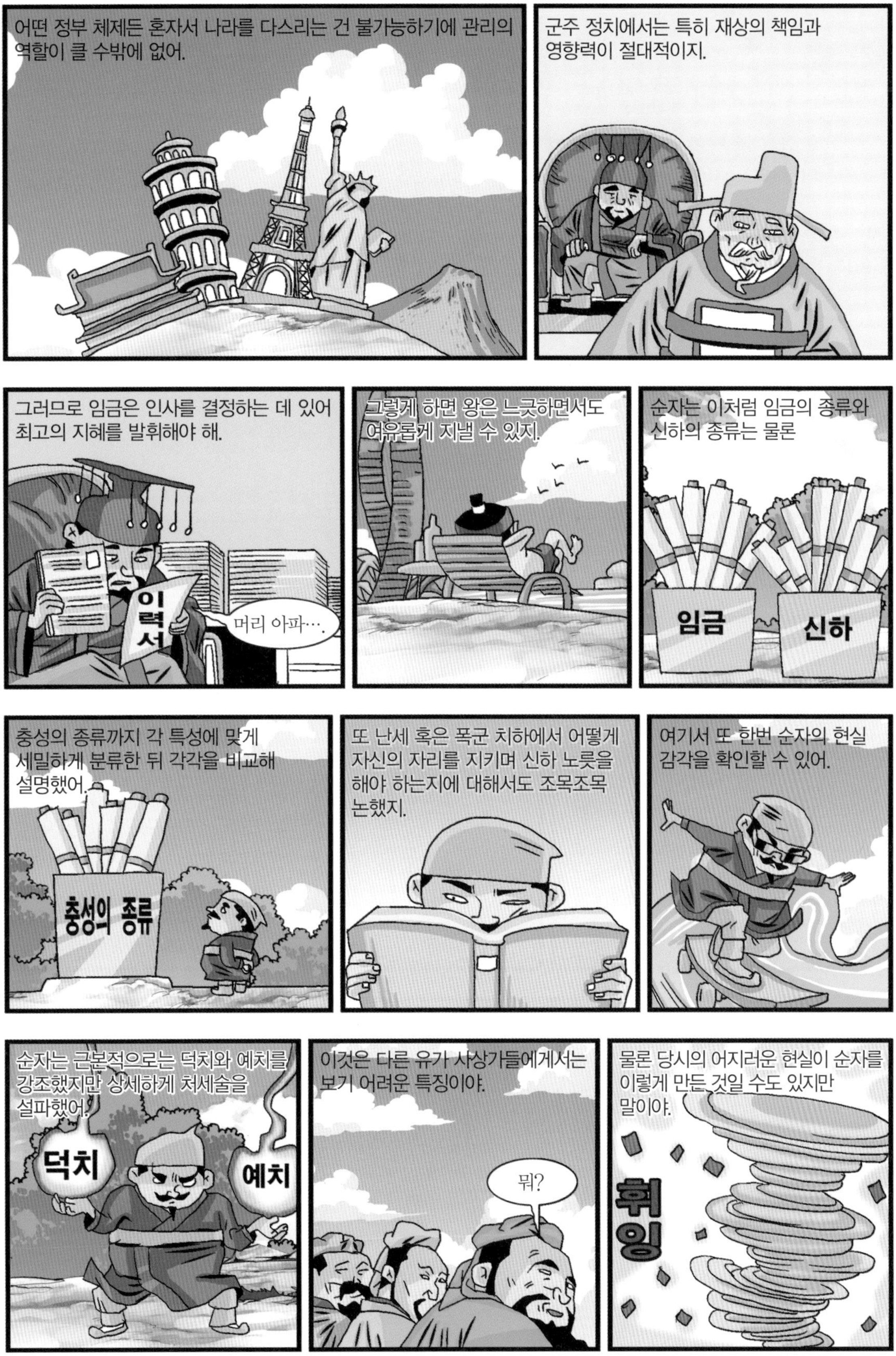
어떤 정부 체제든 혼자서 나라를 다스리는 건 불가능하기에 관리의 역할이 클 수밖에 없어.
군주 정치에서는 특히 재상의 책임과 영향력이 절대적이지.
그러므로 임금은 인사를 결정하는 데 있어 최고의 지혜를 발휘해야 해.
이력서
머리 아파….
그렇게 하면 왕은 느긋하면서도 여유롭게 지낼 수 있지.
순자는 이처럼 임금의 종류와 신하의 종류는 물론
임금
신하
충성의 종류까지 각 특성에 맞게 세밀하게 분류한 뒤 각각을 비교해 설명했어.
충성의 종류
또 난세 혹은 폭군 치하에서 어떻게 자신의 자리를 지키며 신하 노릇을 해야 하는지에 대해서도 조목조목 논했지.
여기서 또 한번 순자의 현실 감각을 확인할 수 있어.
순자는 근본적으로는 덕치와 예치를 강조했지만 상세하게 처세술을 설파했어.
덕치
예치
이것은 다른 유가 사상가들에게서는 보기 어려운 특징이야.
뭐?
물론 당시의 어지러운 현실이 순자를 이렇게 만든 것일 수도 있지만 말이야.
휘잉

9장

군자(君子)

– 유가의 이상적 인간형

'군자'는 주나라 때부터 많이 사용된 말로 학식과 덕행이 높은 사람 또는 도덕적인 지식인 등을 뜻해.
군 자
주나라
종종 통치자나 높은 관직에 있는 사람을 의미하기도 했는데 그것은 학덕이 높은 사람이 높은 벼슬에 오르곤 했기 때문이지.
순자는 책 곳곳에서 군자와 소인을 대비시켰어.
군자 vs 소인
군자의 행동과 처신은 어떠해야 하는지
또 군자가 되려면 어떻게 마음을 다스리고 예와 덕을 길러야 하는지 자세히 설명했지.
부단한 노력으로 군자의 반열에 오른 이들은 보통 사람들과 어떻게 다를까?

군자는 이로움을 구하는 데는 소홀하지만, 해로움을 피하는 데는 빠르다.
굴욕을 피하는 것은 두려워하지만, 도리를 행하는 것은 용감하다.
군자는 빈궁해도 뜻이 넓다. 이는 어짊을 극진히 여기기 때문이다.
군자는 부귀해도 몸가짐이 공손하다. 이는 위세를 부리지 않으려 하기 때문이다.
군자는 편하게 놀 때도 혈기에 따라 제멋대로 하지 않는다. 이는 사리 분별을 할 줄 알기 때문이다.
군자는 몸이 고단해도 얼굴이 흉하게 되지 않는다. 이는 사람들과의 친교를 좋아하기 때문이다.
군자는 화가 났다고 해서 남의 것을 지나치게 빼앗지 않고
기쁘다고 해서 자기 것을 너무 많이 주지 않는다. 이는 사사로움보다 법도를 우선하기 때문이다.
어때? 군자의 가치관이나 행동에 대해 알 수 있겠니?
'몸이 고단해도 얼굴이 흉하게 되지 않는다.'는 대목에서 혹시 뜨끔하지 않았니?
내친김에 한번 실천해 보는 건 어떨까?
실천
피곤하거나 짜증나는 일이 있어도 얼굴을 일그러뜨리지 않고 보름달처럼 환한 표정을 짓는 거야.
환하게!

군자는 알기는 쉽지만 친해지기 어렵고
저, 차 한 잔 하실래요?
바빠!
두려워하게 만들기는 쉽지만 협박하기는 어렵다.
돈 내 놔!
없어!
또 군자는 재난을 두려워하지만 의로운 죽음은 피하지 않으며
이로움은 바라지만 그릇된 일은 하지 않는다.
어서 와. 한 판 하세….
군자는 친하게 지내더라도 편을 가르지 않고
선생님, 제가 맞죠?
제가 맞죠?
말은 잘하지만 변명은 하지 않는다.
군자는 마음이 너그러워 세상 사람들과 다르다.
확실히 군자는 평범한 사람들과는 여러모로 달라.
이는 군자가 세속적인 가치를 추구하지 않기 때문이야.
순자는 군자가 세속의 가치가 아닌 도를 추구한다고 말했어.
훌륭한 농부는 홍수나 가뭄이 든다고 해서 밭을 갈지 않는 법이 없고, 훌륭한 상인은 손해를 본다고 해서 장사를 하지 않는 법이 없다. 군자는 빈궁하다고 해서 도를 게을리하는 법이 없다.
도

군자는 아무리 형편이 어렵고 역경에 처해 있다 해도 정도(正道)를 따르며 심신을 수양해야 한다는 뜻이야.
쏴
군자는 몸가짐도 달라야 해.
길을 갈 때 몸가짐을 신중하게 하는 것은 진흙탕에 빠질까 봐 그러는 것이 아니다.
길을 갈 때 고개를 숙이는 것은 어디에 부딪칠까 봐 그러는 것이 아니며,
남과 눈이 마주쳤을 때 먼저 몸을 숙이는 것은 상대방이 두려워서가 아니다.
선비로서 자신을 닦아 세상 사람들에게 죄를 짓지 않기 위해서다.
순자는 군자라면 절대로 해서는 안 되는 행동에 대해서도 언급했어.
거, 참! 말 많네.
군자는 붕당을 만들어 어울리는 이들의 칭찬에는 귀 기울이지 않는다.
또 남을 해치고 음해하는 이들의 참소는 따르지 않으며
현인을 질투하는 사람은 가까이하지 않는다.
군자는 재물이나 가축을 가지고 와 부탁하는 것은 들어주지 않는다.
HAM
군자는 바른 행실과 기품 있는 행동, 그리고 높은 기상을 지닌 사람이야.

유교 문화권에서는 매화, 난초, 국화, 대나무를 사군자(四君子)라고 부르며 군자의 인품을 비유했어.
매화는 이른 봄에 가장 먼저 꽃을 피워.
난초는 은은한 향기를 멀리 퍼뜨리지.
국화는 늦가을에도 추위를 이겨 내고 꽃을 피워.
또 대나무는 겨울에도 잎이 푸르다는 특징이 있어. 이러한 식물들의 장점을 군자의 고고함에 비유한 거야.
군자가 이처럼 고고할 수 있는 것은 그 언행에 한계와 표준이 있기 때문이야.
그만하자.
딱 좋았어.
군자는 말에 한계가 있고 행동에는 표준이 있으며 오로지 도를 높인다.
도
군자는 나라를 다스리는 데 대한 질문을 받으면, 백성들의 편한 삶에 대한 이야기에서 멈춘다.
오직 백성!
또 뜻과 마음을 닦는 일에 대한 질문을 받으면, 선비가 해야 할 일에 대한 이야기에서 멈추고
선비가 해야 할 일
도덕에 대한 질문을 받으면 후왕, 즉 후세 임금의 법도에 어긋나지 않도록 한다.
임금의 법도
군자의 말과 행동에는 높은 것, 낮은 것, 작은 것, 큰 것이 있는데 여기서 벗어나면 안 된다.

그래서 군자가 뜻과 마음을 이 한계와 범위 내에 두려 하는 것이다.
째깍
째깍
군자는 제후가 정치에 대해 물어도 백성들을 편히 살게 하는 것이 아니라면 답하지 않는다.
백성들이 학문에 대해 물어도 선비의 행실에 대한 것이 아니라면 가르쳐 주지 않으며
침묵
학자들의 학설이 후왕의 법도에 대한 것이 아니라면 듣지 않는다.
이처럼 군자의 말에는 한계가 있고 행동에는 표준이 있다.
이야기를 멈춘다는 것은 더 하고 싶은 이야기가 있어도 신중함을 발휘해 적당한 선에서 멈춘다는 말이야.
STOP
한편 이 글에 나오는 '후왕'은 누구이며, 순자는 왜 후왕의 법도에 어긋나면 안 된다고 했을까?
후왕 (後王)
백 명도 넘는 성왕 중에 누구를 법도로 삼을 것인가?
성왕 100봉
성왕
성왕
성왕
성왕
성왕
성왕
문물은 오래되면 없어지고, 관리들은 오래 예법을 추구하다 보면 해이해진다.
문물
예법
성왕의 발자취를 보려면 분명한 것을 보아야 하는데, 후왕이 바로 그분이다.
나 성왕
난 후왕
후세의 임금이야말로 천하의 임금이다.
전하!
후왕을 버리고 옛날을 이야기하는 것은 자기 임금을 버리고 남의 임금을 섬기는 것과 같다.
전하!

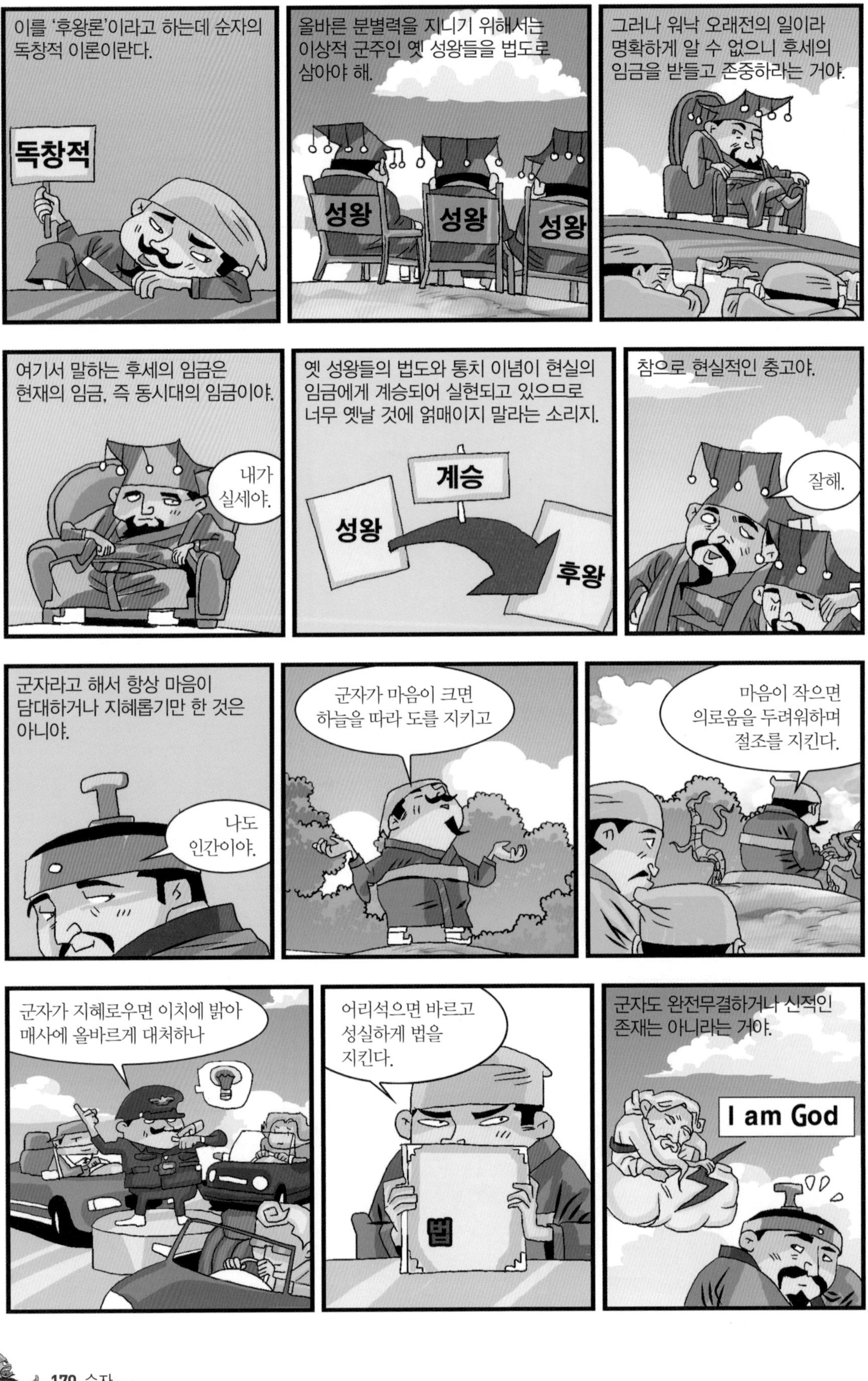
이를 '후왕론'이라고 하는데 순자의 독창적 이론이란다.
독창적
올바른 분별력을 지니기 위해서는 이상적 군주인 옛 성왕들을 법도로 삼아야 해.
성왕
성왕
성왕
그러나 워낙 오래전의 일이라 명확하게 알 수 없으니 후세의 임금을 받들고 존중하라는 거야.
여기서 말하는 후세의 임금은 현재의 임금, 즉 동시대의 임금이야.
내가 실세야.
옛 성왕들의 법도와 통치 이념이 현실의 임금에게 계승되어 실현되고 있으므로 너무 옛날 것에 얽매이지 말라는 소리지.
계승
성왕
후왕
참으로 현실적인 충고야.
잘해.
군자라고 해서 항상 마음이 담대하거나 지혜롭기만 한 것은 아니야.
나도 인간이야.
군자가 마음이 크면 하늘을 따라 도를 지키고
마음이 작으면 의로움을 두려워하며 절조를 지킨다.
군자가 지혜로우면 이치에 밝아 매사에 올바르게 대처하나
어리석으면 바르고 성실하게 법을 지킨다.
법
군자도 완전무결하거나 신적인 존재는 아니라는 거야.
I am God

또 군자라고 해서 사회생활에서 꼭 탄탄대로를 걷는 것도 아니야.
인생의 쓴맛을 경험할 때도 있지.
아, 써~. 설탕 좀!
그러나 군자는 그럴 때도 함부로 행동하지 않고 군자답게 처신한단다.
괜찮으십니까?
침착해야지….
군자는 벼슬을 하면 공손히 예를 따르고
예의….
벼슬을 못 하면 공경심을 가지고 예에 맞게 행동한다.
기쁠 때는 온화하고 조리가 있으며
근심이 있을 때는 고요하고 조리가 있다.
또 일이 뜻대로 될 때는 기품이 있고 밝으며
궁할 때는 검약하고 세심하게 처리한다.
반쪽은 지금, 나머지는 내일!
콩
아쉽게도 세상에는 군자보다 소인이 훨씬 많아.
군자
소인
소인
소인
소인
소인
소인
순자는 책에서 소인의 행위에 대해서도 자세히 설명했는데, 여기서는 더 이상 말하지 않을 거야.
안 해?
설명서
소인은 정확히 군자와 반대로 한다고 보면 되거든.
군자는 어떤 경우든 발전하나 소인은 어떤 경우든 쇠퇴한다고 한 것은 이를 두고 하는 말이다.

군자와 소인은 서로 정반대의 인간형이기 때문에 다른 점이 아주 많아.
N
S
여기서 중요한 것은 그 '차이'가 절대로 능력의 차이에서 오는 것이 아니라는 거야.
차이
군자는 능력이 있든 없든 아름답지만, 소인은 능력이 있든 없든 추하다.
깨끗해요~.
군자가 능력이 있으면 마음 씀씀이가 너그럽고 곧아 사람들을 인도한다.
세일이다!
세일
허나 군자가 능력이 없으면 자신을 낮추고 사람들을 두려워하며 섬긴다.
소인은 능력이 있으면 오만하고 그릇된 일을 저지르며 사람들에게 교만하게 행동한다.
반면에 능력이 없으면 남을 질투하고 원망하며 헐뜯으면서 망치려 든다.
나쁜 녀석들….
군자는 똑똑한 사람이 아니라 어질고 의로운 사람이라 능력이 있으면 남들에게 이로움을 줘.
또 능력이 없으면 없는 대로 사람들과 화합하며 잘 지내지.
그러나 소인은 능력이 있든 없든 별로 환영받지 못하며 다른 사람들과 잘 지내지 못해.
고독

군자와 소인은 용기면에서도 차이가 있어.
사람 중에는 개와 돼지의 용기를 지닌 사람이 있다.
개와 돼지의 용기란, 음식을 갖고 남과 다투고 염치가 없으며 옳고 그른 것을 가리지 못하는 것이다. 게다가 죽고 다치는 것을 피하지 않으며 여러 사람의 힘을 두려워하지 않고 오로지 음식만 탐하는 것이다.
우걱
우걱
배고파….
장사치와 도적의 용기를 지닌 사람도 있다.
장사치와 도적의 용기란, 이익을 위해 재물을 다투며 사양함이 없고 욕심이 지나쳐 도리에 어긋나게 이익만 탐하는 것이다.
저놈 잡아라!
소인의 용기를 지닌 사람도 있는데,
내 얘기 하는 거야?
소인의 용기는 죽음을 가볍게 여기고 난폭하게 구는 것을 말한다.
놔, 안 놔? 그냥 콱 저 세상으로 갈 거야!
형님, 참아요!
또 선비와 군자의 용기를 지닌 사람이 있다.
선비와 군자의 용기는 의로움을 따르고 권세에 흔들리지 않으며 이익을 돌아보지 않는 것이다. 나라를 준다 해도 견해를 바꾸지 않으며 죽음을 무겁게 여겨 의로움을 지키고 굽히지 않는 것이기도 하다.
형님!

이처럼 순자는 용기를 네 종류로 나누어 설명했어.
용기
이 중에서 자신이 어느 쪽에 가까운지, 각자 가슴에 손을 얹고 진지하게 생각해 보렴.
여기에 군자보다 한 수 위의 존재가 있어. 바로 성인이란다.
성인
군자
군자가 되는 것도 쉽지 않은데 그보다 한 단계 위라니?
성인
군자
소인
성인은 과연 무결점의 인간일까?
완벽
순자는 사람을 백성들, 선비, 군자, 성인으로 구분하고 그 차이를 설명했어.
선비
군자
백성
성인
세상 풍속을 따르는 것을 잘하는 일이라 생각하고 재물을 보배처럼 여기면서 양생에 힘쓰는 것을 지극한 도로 여기는 것은 일반 백성들의 행동이다.
법을 굳건하게 행하고 사사로운 욕심으로 가르침을 어지럽히지 않는다면 강직한 선비라고 할 수 있다.
법
그러나 군자는 법을 굳건하게 행하고 가르침대로 수양하기 좋아해 성정을 바로잡는다. 하는 말은 대부분 합당하지만 세상의 이치를 모두 아는 것은 아니며 하는 행동은 대부분 합당하지만 아직 안정되지 못한 부분이 있다. 지혜와 사고 역시 대부분 합당하지만 세밀하지 못한 구석이 있어 위로는 존경하는 사람을 더욱 크게 하고, 아래로는 사람들을 깨우쳐 인도할 수 있다.

성인은 흑백을 구별하듯 여러 왕의 법도를 구별해 바르게 수양하고 변화가 닥치면 숫자를 세듯 확실하게 대응한다. 또 예의와 절도를 실천해 손발을 자유롭게 움직이듯 세상을 편안케 하고, 공을 세우는 정교함이 변화하는 계절처럼 시의적절하다. 이처럼 올바르고 평화롭게 다스려 수많은 백성들을 한 사람이 움직이듯 화합하게 한다면 성인이라고 할 수 있다.
절대성인
군자도 성인에 비하면 빈틈이 좀 있는 편이지?
잘해.
예, 형님!
성인은 결함이라고는 찾아볼 수 없는 *반신반인의 존재인 듯해.
실제로 유가에서는 성인을 최고의 인격자이자 천인합일(天人合一), 즉 하늘과 하나가 된 경지에 이른 사람으로 여겼어.
天
人
성인은 인간이 도달할 수 있는 최고의 경지인 셈이야.
성인봉
유학을 공부하는 이들에게 성인은 궁극의 목표였어.
성인고시
D-100
공자가 '성인은 아직 보지 못했지만, 군자만이라도 만나 보았으면 한다.'라는 말을 남겼을 정도로 보기 드물지.
군자 씨?
그런데 재미있는 것은 천하의 군자도 어머니의 배 속에서 나올 때는 소인이라는 사실이야.
응애
응애
순자는 모든 사람이 소인으로 태어나며, 교화를 통해 그들 중 일부가 군자가 되는 것이라고 주장했어.
교화

* 반신반인(半神半人): 반은 신인 사람 또는 아주 영묘한 사람.

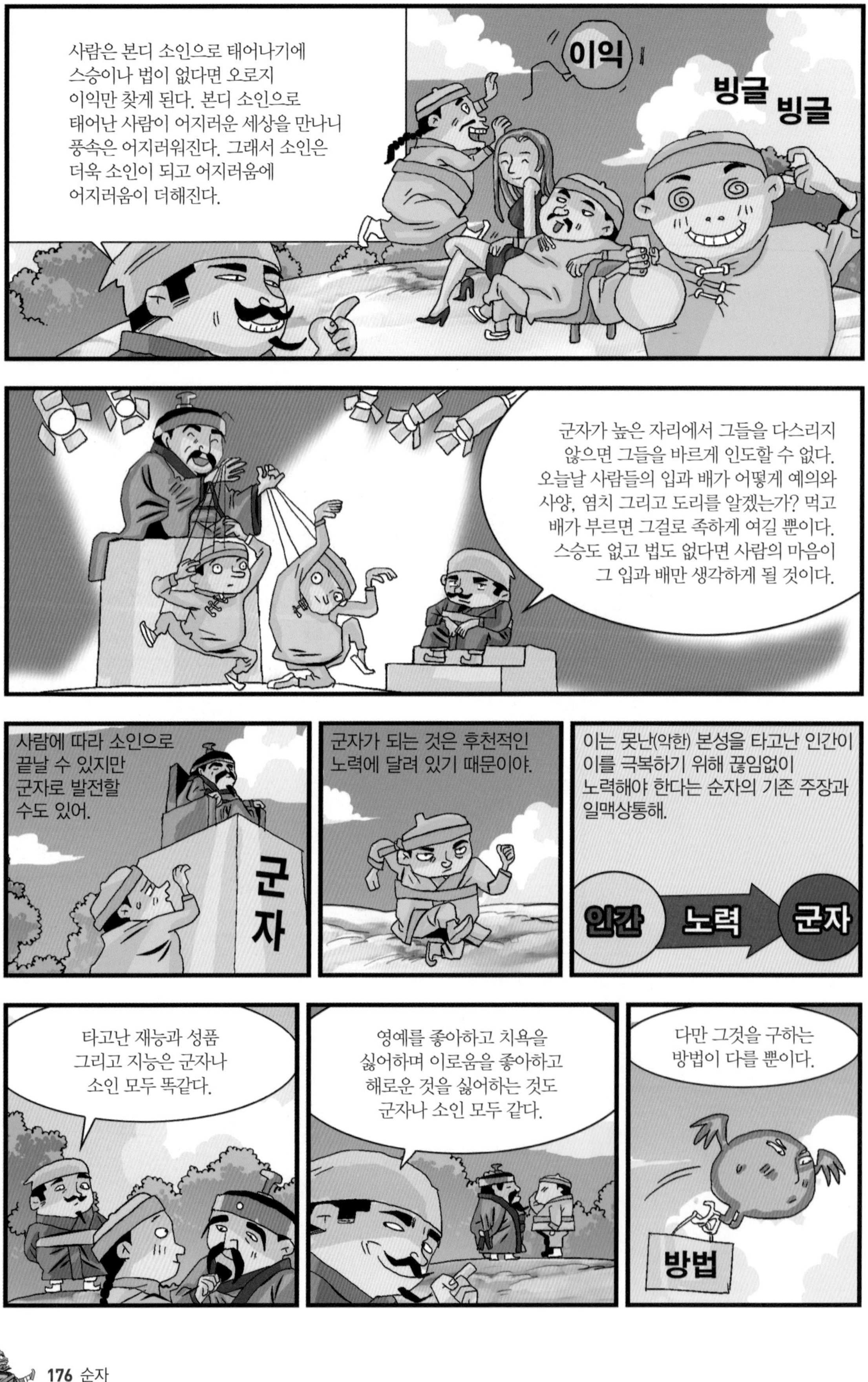

사람은 본디 소인으로 태어나기에 스승이나 법이 없다면 오로지 이익만 찾게 된다. 본디 소인으로 태어난 사람이 어지러운 세상을 만나니 풍속은 어지러워진다. 그래서 소인은 더욱 소인이 되고 어지러움에 어지러움이 더해진다.
이익
빙글 빙글
군자가 높은 자리에서 그들을 다스리지 않으면 그들을 바르게 인도할 수 없다. 오늘날 사람들의 입과 배가 어떻게 예의와 사양, 염치 그리고 도리를 알겠는가? 먹고 배가 부르면 그걸로 족하게 여길 뿐이다. 스승도 없고 법도 없다면 사람의 마음이 그 입과 배만 생각하게 될 것이다.
사람에 따라 소인으로 끝날 수 있지만 군자로 발전할 수도 있어.
군자
군자가 되는 것은 후천적인 노력에 달려 있기 때문이야.
이는 못난(악한) 본성을 타고난 인간이 이를 극복하기 위해 끊임없이 노력해야 한다는 순자의 기존 주장과 일맥상통해.
인간
노력
군자
타고난 재능과 성품 그리고 지능은 군자나 소인 모두 똑같다.
영예를 좋아하고 치욕을 싫어하며 이로움을 좋아하고 해로운 것을 싫어하는 것도 군자나 소인 모두 같다.
다만 그것을 구하는 방법이 다를 뿐이다.
방법

인간의 본성 자체는 똑같은데도 소인은 군자가 본래부터 자기들과 다른 부류의 사람이었다고 생각해.
본성
소인들은 발꿈치를 들고 군자를 우러러보면서, 군자는 본래부터 지혜와 재능과 성품이 있어 현명한 것이라고 말한다. 자기들과 다르지 않다는 것을 모르는 것이다.
한편 순자는 착한 젊은이와 나쁜 젊은이를 비교하면서 다음과 같이 말했어.
사람됨이 바르고 성실하며 순종적이고 공경심이 깊다면 착한 젊은이라고 할 수 있다.
이에 더해, 학문을 좋아하고 겸손하며 늘 노력해 마음이 비뚤어지지 않고 남의 위에 올라서려는 마음이 없다면 군자라고 할 수 있다.
군자
그러나 게으르고 일하기 싫어하며 염치없이 먹고 마시는 것만 즐긴다면 나쁜 젊은이라고 할 수 있다.
이에 더해, 방탕하고 사납고 불손하며 음험하고 흉악해 공경심이 없다면 상서롭지 않은 젊은이이다.
이런 사람은 극형에 처해도 괜찮을 것이다.
나 떨고 있냐?
결론적으로 말하면 예를 올바르게 체득한 이가 군자라는 거야.
예
예에서 벗어날수록 군자와 점점 멀어지며 불량한 사람이 되는 것이지.
예
순자의 논리에 의하면, 예를 모르면 인간이 아니야. 인간답지 못한 인간은 국가라는 공동체에서 해로운 존재일 뿐이야.
국가

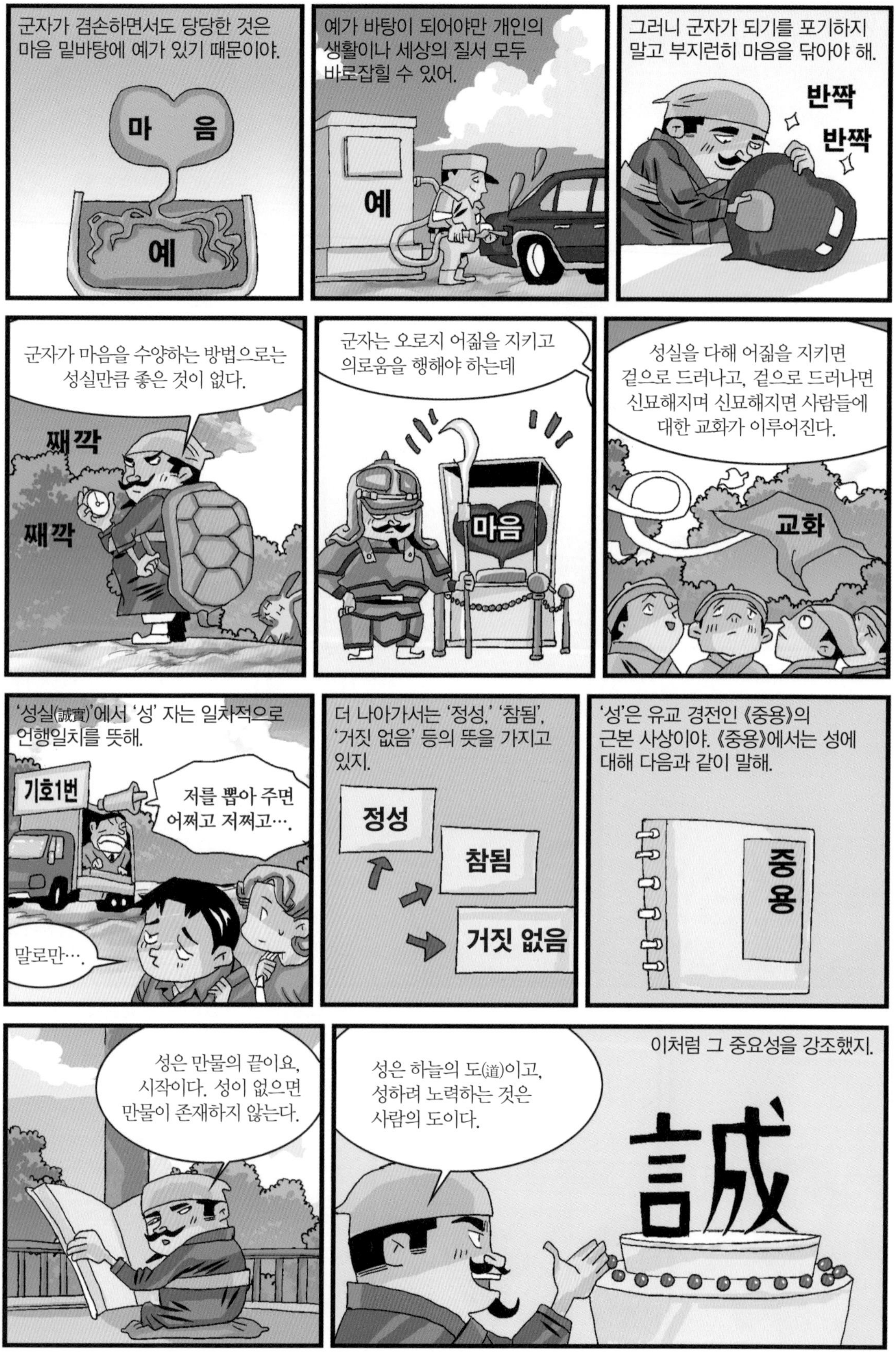
군자가 겸손하면서도 당당한 것은 마음 밑바탕에 예가 있기 때문이야.
마음
예
예가 바탕이 되어야만 개인의 생활이나 세상의 질서 모두 바로잡힐 수 있어.
예
그러니 군자가 되기를 포기하지 말고 부지런히 마음을 닦아야 해.
반짝
반짝
군자가 마음을 수양하는 방법으로는 성실만큼 좋은 것이 없다.
째깍
째깍
군자는 오로지 어짊을 지키고 의로움을 행해야 하는데
마음
성실을 다해 어짊을 지키면 겉으로 드러나고, 겉으로 드러나면 신묘해지며 신묘해지면 사람들에 대한 교화가 이루어진다.
교화
'성실(誠實)'에서 '성' 자는 일차적으로 언행일치를 뜻해.
기호1번
저를 뽑아 주면 어쩌고 저쩌고….
말로만….
더 나아가서는 '정성,' '참됨', '거짓 없음' 등의 뜻을 가지고 있지.
정성
참됨
거짓 없음
'성'은 유교 경전인 《중용》의 근본 사상이야. 《중용》에서는 성에 대해 다음과 같이 말해.
중용
성은 만물의 끝이요, 시작이다. 성이 없으면 만물이 존재하지 않는다.
이처럼 그 중요성을 강조했지.
성은 하늘의 도(道)이고, 성하려 노력하는 것은 사람의 도이다.
誠

순자 역시 성의 중요성을 늘 강조했어.
천지는 크지만 성실을 다하지 않으면 만물을 생장시키지 못한다. 성인이 지혜롭다 해도 성실을 다하지 않으면 만민을 교화시키지 못한다. 아버지와 자식이 친밀하다 해도 성실을 다하지 않으면 멀어진다. 임금이 존귀하다 해도 성실을 다하지 않으면 천해진다. 성실은 군자가 지켜야 할 바이며 정치의 근본이다.

그리고 결국은 성실을 다하는 군자의 중요성을 강조하며 그러한 군자를 불러 모으는 것도 임금의 일이자 책임이라고 했지.
연못이 깊으면 물고기가 모여들고 산림이 무성하면 짐승이 모여드는 것처럼 형벌과 정치가 공평하면 백성들이 모여들고 예의가 갖춰지면 군자가 모여든다. 국가는 선비와 백성들이 사는 곳이다. 국가의 정치가 잘못되면 선비와 백성들이 떠나간다. 도와 법이 없으면 사람들이 오지 않고, 군자가 없으면 도가 행해지지 않는다. 군자는 도와 법을 총괄하는 중요한 사람이다. 따라서 군자를 얻으면 나라가 다스려지고 군자를 잃으면 나라가 어지러워지며 군자를 얻으면 나라가 편안해지고 군자를 잃으면 나라가 위태로워진다. 결국 군자를 얻으면 나라가 존속되고 군자를 잃으면 나라가 멸망한다. 훌륭한 법이 있어도 나라가 어지러워지는 경우는 있지만, 군자가 있는데 나라가 어지러워지는 경우는 들어 보지 못했다.
임금이 정치를 잘하고 예를 중시하면 군자가 모여들어 자연히 나라가 번영하게 된다는 얘기야. 결국 군자(인재)가 많은 나라가 강국이자 선진국이 된다는 것이지.

10장

학문은 흙을 쌓아 산을 이루는 것

앞에서도 말했지만 《순자》는 학문을 권한다는 뜻의 〈권학〉 편으로 시작해.
권학
순자는 그만큼 학문을 통한 인간의 완성을 중요하게 여겼어.
학문
윙
윙
이는 순자 자신이 성실한 학자였다는 말이기도 하지.
제자가 스승보다 뛰어나다는 뜻의 사자성어인 '청출어람(靑出於藍)'도 여기에서 나왔단다.
더 이상 가르칠 게 없다. 하산해라….
네!
순자는 비유를 통해 학문이 인간의 삶에 유익한 이유를 설명했어.
학문
물론 여기서 말하는 학문은 유학이야.
유학
학문

천한 사람이 귀해지고 싶고
내가 옛날에 말이지….
어리석은 사람이 지혜로워지고 싶으며
공자 왈 맹자 왈
가난한 사람이 부자가 되고 싶다면 어떻게 하면 되는가?
로또
이는 오로지 학문을 통해서만 가능하다.
배운 것을 행하면 선비가 되고
배운 것을 힘써 행하면 군자가 되며
배운 것에 통달하면 성인이 된다.
위로는 성인이 되고, 아래로는 선비와 군자가 되는 것을 어찌 막을 수 있겠는가?
성인
선비
모자란 사람이 갑자기 요임금, 우임금 같은 성인이 된다면 어찌 천했다가 귀해진 것이 아니겠는가.
문과 방도 제대로 구별하지 못하다가 갑자기 어짊과 의로움을 근본으로 삼아 옳고 그름을 구별하고
어짊
의로움
천하를 손바닥 위에 그려 놓고 흑백을 분별한다면 어찌 어리석었다가 지혜로워진 것이 아니겠는가.
순자는 학문이 사람의 인생을 180도 바꿔 놓을 수 있다고 보았어.
학문

학문은 멈추면 안 된다.
쾅
청출어람 청어람(青出於藍 青於藍). 푸른 물감은 쪽에서 나오지만 쪽보다 푸르고
빙출어수 한어수(氷出於水 寒於水). 얼음은 물로 만들어진 것이지만 물보다 차다.
나무가 먹줄을 따라 바르게 되고 숫돌에 간 쇠가 날카로워지듯이
군자도 널리 배우고 날마다 자신을 성찰하면 지혜가 밝아져 행실에 허물이 없을 것이다.
오나라나 월나라, 오랑캐의 자식들이 태어날 때는 같은 소리를 내지만 자라면서 풍속이 달라지는 것은 교육 때문이다.
옛날에는 자연에서 염색 물질을 구했는데, 푸른색을 낼 때는 쪽이라는 식물의 잎을 이용했어.
순자는 교육이 식물의 잎사귀에서 물감을 만들어 내고
물감
굽은 나무를 곧게 만들며
교육
무딘 쇠를 날카롭게 만드는 것처럼
사람을 만들고 변화시키는 과정이라고 했어.
어떤 교육을 받느냐에 따라 어떤 사람이 되는지 결정된다는 얘기지.
교육

학문은 사람을 변화시키는 마법을
부리는데
그 과정에서 환경적인 요인이
결정적인 역할을 한단다.
환경적
요인
순자는 구체적인 비유를 들어
교육 환경의 중요성에 대해
자세하게 말했어.
비
유
서쪽에 야간(射干)이라는
나무가 있는데, 줄기가
네 마디밖에 안 되지만
높은 산에 서서
백 길이나 되는 연못을
바라보고 있다.
이는 나무줄기가
길어서가 아니라
높은 곳에서
자라기 때문이다.
쑥은 삼밭에서 나면 곧게 자라고
흰 모래는 개흙 속에 넣으면 검어진다.
따라서 군자는 반드시 고장을 가려
거주하고 반드시 선비들과 어울린다.
이는 그릇되고 비뚤어진
것을 막아 올바르게
나아가기 위함이다.
나 쑥.
'삼밭의 쑥대(麻中之蓬)'라는 말이 있어.
구부러진 쑥도 삼밭에서 크면 받쳐 주지
않아도 저절로 꼿꼿하게 자란다는 말이야.
순자는 사람이 성장하는
것도 이와 똑같은 이치를
따른다고 보았어.
맹자의 어머니는 자식의 교육을 위해
세 번이나 이사를 다녔다고 해.

그런데 환경이라는 것은 참 묘해서 숙명처럼 주어지는 불변의 것일 때도 있지만, 어떤 행위의 결과인 경우도 많아.
지구 온난화
우리를 둘러싼 환경이 하늘에서 뚝 떨어진 것이 아니라
쾅
대부분 우리 스스로 조성하고 선택한 결과라는 뜻이야.
사물이 생겨나는 데 반드시 시작이 있는 것처럼 영욕이 오는 것은 반드시 그 사람의 덕에서 비롯된다.
시작점
고기가 썩으면 벌레가 생기고 물고기가 마르면 좀이 생기듯 스스로 태만해 자신을 잊으면 재앙이 닥친다.
강한 것은 스스로 서지만 약한 것은 스스로 속박된다.
악하고 더러운 몸은 원한을 불러들이고
펼쳐 놓은 땔나무에 불을 붙이면 전부 타 버리며
평지에 물을 부으면 사방이 물에 젖는다.
초목이 무리 지어 살고 짐승들이 떼를 지어 살듯이 저마다 같은 종류를 따르기 마련이다.
과녁이 펼쳐져 있으면 화살이 날아오고
나무가 그늘을 이루면 새들이 몰려와 쉬어 간다.

또 식초가 시어지면 초파리가 모여들기 마련이다.
웽
웽
따라서 말이 화를 부르고 행동이 욕됨을 가져올 수 있으니 군자는 신중을 기하는 것이다.
순자는 군자란 늘 언행을 조심해 주변을 살피고 바람직한 환경을 만들어야 한다고 했어.
또 학문에 임하는 자세도 소인과 달라야 한다고 했지.
학문
군자의 학문은 귀로 들어가 마음에 새겨져 온몸에 퍼지면서 행동으로 나타난다.
행동
말과 움직임이 점잖고 단정해서 모두가 법도로 삼을 만하다.
그러나 소인의 학문은 귀로 들어가 입으로 나온다.
학문
꺼억
입과 귀의 거리가 네 치밖에 안 되는데 어떻게 칠 척이나 되는 몸을 아름답게 만들 수 있겠는가.
옛 학자들은 자신을 완성하기 위해 학문에 힘썼는데, 지금의 학자들은 남에게 보이기 위해 학문을 연마한다.
군자의 학문은 자기 자신을 아름답게 하기 위함이나 소인의 학문은 남에게 보여서 이용하기 위함이다.
묻지도 않았는데 이야기하는 것은 거만한 것이고, 하나를 물었는데 둘을 이야기하면 말이 많은 것이다.
주절 주절
둘 다 그른 것이니, 군자는 그렇게 행동하지 않는다.

학문을 제대로 익히면 마음과 몸에 온전히 녹아들어 앎과 행동이 일치하게 돼.
언행일치!
그러나 소인은 그렇지 않아.
진짜 이제 담배 끊는다!
학문의 목적이 자기 완성에 있지 않고 세속적인 욕망에 있기 때문이야.
순자는 '소인의 학문은 귀로 들어가 입으로 나온다.'는 말로 소인들의 얄팍한 행태를 꼬집었어.
저 소인들….
지식을 머리와 가슴으로 되새길 생각은 하지 않고 남에게 뽐내기 바쁘다는 거야.
내가 말이야~.
그런 것은 일부러 드러내지 않아도 자연스럽게 드러나기 마련인데 말이야.
호파가 비파를 타면 물고기도 물에서 나와 귀를 기울였고
백아가 거문고를 타면 임금의 수레를 끄는 말들도 풀을 뜯다가 고개를 들었다.
소리는 아무리 작아도 들리지 않는 것이 없고, 행동은 아무리 비밀스러워도 드러나지 않는 것이 없다.
옥이 산에 있으면 초목에 윤기가 흐르고, 연못에 진주가 있으면 물가가 마르지 않는다.
선을 행하고 악을 쌓지 않는다면 어찌 세상에 소문이 나지 않겠는가?
소문
소문
소문
학문을 닦아 어질고 의롭게 처신하면 스스로 자랑하지 않아도 저절로 세상에 알려지게 된다는 말이야.
오! 이런 분이 있다니….
와!

순자가 예로 든 호파와 백아는 둘 다 유명한 악사였어.
호파는 춘추 시대 초나라 사람으로 비파의 명인이었는데 솜씨가 매우 빼어났어.
그가 연주를 하면 새들이 춤추고 물고기가 뛰놀았다는 기록이 남아 있을 정도지.
백아 역시 초나라 사람으로 거문고의 대가였어.
백아는 자신의 소리를 알아주던 친구 종자기가 죽자 슬픔에 못 이겨 거문고 줄을 끊었다고 해.
여기서 절친한 친구를 잃었을 때의 슬픔을 뜻하는 '백아절현(伯牙絶絃)'이라는 말과
종자기지묘
마음이 통하는 친한 친구를 뜻하는 '지음(知音)'이라는 말이 나왔단다.
이렇듯 학식과 덕행으로 이름난 사람들을 보면 한 가지 공통점을 발견할 수 있어.
학식
덕행
인덕
공통점
순자는 제대로 학문을 익힌 사람들의 특징을 '한결같음'이라고 했어.
지각은 밥 먹듯이 하는 놈이!
6시다! 칼퇴근!
화살을 백 번 쏘아도 한 번이라도 실패하면 좋은 사수라고 할 수 없고
말을 타고 천 리를 가는데 반걸음이라도 못 미친다면 좋은 마부라고 할 수 없다.
결승점
0.5초 차이로 탈락!
윤리와 도덕에 능하지 못하고 어짊과 의로움이 한결같지 않으면 잘 배웠다고 할 수 없다.

학문은 배운 것이 한결같아야 한다. 한 번은 잘하고 한 번은 잘못하는 것은 보통 백성들의 행동이다.
학
문
잘하는 것은 적고 잘못하는 것이 많은 것은 폭군이었던 *걸주나 도둑인 도척의 행동이다.
학문을 온전히 다한 후에야 비로소 학자라고 할 수 있다.

* 걸주 : 하나라 걸왕과 상나라 주왕. 폭군의 대명사.

순자는 흐트러지지 않고 일관되며 순수하고 완전한 경지
수석
즉 학문의 정점에 도달한 사람은 그 어떤 외부의 힘에도 좌우되지 않는다고 했어.
권세와 이익으로 그를 기울어뜨리지 못하고 다수의 힘으로도 그를 변화시키지 못하며 천하도 그를 흔들지 못할 것이다.
바위
이쯤 되면 어떻게 학문에 힘써야 하는지 그 방법론이 궁금해질 거야. 그럼 공부의 신, 순자가 말한 공부 비법을 알아볼까?
학문의 방도로는 스승이 될 만한 사람을 따르고 좋아하는 것보다 빠른 것이 없고
그 다음은 예를 존중하는 것이다.
예
위로는 스승이 될 만한 사람을 좋아하지 않고 아래로는 예를 존중하지 않으면서
흥!
치!
《시경》과 《서경》만 따른다면 아무리 세월이 가도 보잘것없는 선비를 면치 못할 것이다.
《시경》에서 말이야….
이는 손가락으로 황허 강을 측정하려 하거나
황허 강

송곳으로 병 속의 음식을 먹으려는 것과 같다.
예를 존중하면 비록 명석하지 않더라도 법도를 지키는 선비가 될 것이나
법을 지키자
예를 존중하지 않으면 이치에 밝고 말을 잘해도 쓸모없는 선비가 될 것이다.
말만 청산유수야. 쓸모가 없어….
순자가 공부의 왕도로 꼽은 것은 훌륭한 스승의 가르침을 배우고 익히는 거야.
스승님, 라면….
계란도 넣었지?
그 다음은 예이고
예
그 다음은 경전 공부지.
경전
순자는 경전을 공부하는 것보다 예를 숭상하는 것을 더 중요하게 여겼어.
경전
예
오늘날은 학력이나 학벌을 중요하게 여기는 사회야.
그러나 막상 사회생활을 하다 보면 무엇보다 인성이 중요해.
기호 2번 이인성입니다.
합격!
주위를 한번 봐. 잘난 척하는 사람이 많아.
내가 말이야….
꼴보기 싫어….
그러나 우리는 잘났어도 겸손한 사람을 인정하잖아?
사장님!
좀 쉬어요….
그렇다고 해서 순자가 경전의 중요성을 과소평가한 것은 절대로 아니야.
경전

두레박줄이 짧으면
깊은 우물물을
길을 수 없고
앎이 모자라는 사람은
성인의 말씀을 제대로
이해할 수 없다.
뭔 말이야?
《시경》《서경》《예기》《악경》의
근본은 본디 보통 사람들이
알 수 있는 것이 아니다.
뭐지?
그러므로 근본에 대해 하나를 알았으면
둘을 알도록 힘써야 하고, 오래도록
알도록 해야 하며 널리 통하도록
해야 한다. 근본을 생각함으로써
편안해져야 하는데 반복해서 살펴
더욱 좋게 되도록 해야 한다.
정치!
소리!
법도!
서경
시경
예기
《서경》에는 정치에 관한 것이
기록되어 있고 《시경》에는
소리에 대한 내용이 담겨 있으며
《예기》에는 법도의 근본과 다양한
경우의 규정이 기록되어 있다.
따라서 학문은 《예기》에서
끝이 난다. 이를 가리켜
도덕의 정점이라고 한다.
《예기》에 나오는 공경과 행동,
《악경》에 나오는 조화로움,
《시경》과 《서경》의 너른 폭과
《춘추》의 미묘함은
하늘과 땅 사이의
모든 것을 아우른다.

흔히 학자들은 유가의 오대 경전(五經)으로 《역경》《시경》《서경》《예기》《춘추》를 꼽아.
역경
시경
서경
예기
춘추
그러나 순자는 《역경》 대신 《악경(樂經)》을 오대 경전에 포함시켰어.
비켜 줄래?
빵!
악경
시경
역경
음악이 예와 함께 학문을 닦는 데 큰 역할을 한다고 생각했기 때문이야.
학문
음악
예
순자는 열심히 학문을 닦은 선비들이 평생을 책상 앞에서 늙는 것은 큰 낭비라고 생각했어.
드디어 책을 다 읽었는데 죽을 날이 내일모레네….
훌륭한 선비들은 사회에서 중요한 역할을 할 수 있으며 또 해야 한다고 주장했지.
선비
학문의 궁극적 목적이 바로 실천에 있다고 생각했기 때문이야.
실천
듣지 않는 것보다는 듣는 것이 좋고
듣는 것보다는 보는 것이 좋고
보는 것보다는 아는 것이 좋으며
아임 프롬 차이나!
아는 것보다는 행하는 것이 좋다.
I'm from China.
Oh!
학문은 실행할 때 종착점에 이르게 된다.
C 702
종착역
실행하면 현명해지고 현명해지면 성인이 된다.

성인은 어짊과 의로움을 근본으로 삼고
시비를 합당하게 가리며 언행을 일치시켜
한 치의 어긋남도 없다.
이는 다른 도가 있어서가 아니라
실행을 하기 때문이다.
알기만 하고 실행에 옮기지 않으면
아무리 지식이 많아도 반드시
곤경에 처하게 될 것이다.
듣는 것과 보는 것, 아는 것, 행하는 것 중에서 으뜸은 행하는 것이야.
최고!
때문에 앎과 행동을 일치시키는 것이 궁극적인 학문의 목표가 되어야 해.
알면 행동하라!
《순자》의 〈유효〉 편에는 진(秦)나라 소양왕과 순자의 대화가 실려 있어.
유효
소양왕은 범저를 재상으로 등용해 진나라를 강국으로 발전시킨 인물이야.
강국
나라를 다스리는 데 유학자들이 쓸모가 있는지 궁금해진 소양왕은
유학을 공부한 선비들이 통치에 무익한 존재인지 유익한 존재인지 순자에게 물었어. 그러자 순자는 다음과 같이 말했어.
선비는 선왕들을 법도로 삼고 예의를 존중하며
선왕
신하들에 대해 언행을 삼가고 윗사람을 극진히 여기는 이들입니다.
임금께서 등용하면 그들은 조정에서 합당하게 일을 처리할 것입니다.
열심
열심

그들은 등용되지 않으면 물러나 백성들과 어울려 성실히 지내며 순종할 것입니다.
선비가 권세를 잡아 남의 윗자리에 오르면 군주가 될 재목이고, 남의 아래에 있다면 신하로서 나라와 임금의 보배가 될 재목입니다.
선비가 조정에 있으면 정치가 아름다워지고 아랫자리에 있으면 풍속이 아름다워집니다.
정치
풍속
선비는 정치를 하든, 하지 않든 나라에 유익한 존재라는 거야.
그러면서 순자는 공자가 노나라 *사구가 되었을 때의 일을 예로 들었어.
예
심유 씨는 양에게 물을 먹여 무게를 늘려 팔지 않게 되었고
공신 씨는 부정한 아내를 쫓아냈으며
뻥
사치로 유명했던 신궤 씨는 국경을 넘어 다른 곳으로 이주했고
국경
소와 말을 파는 장사꾼들은 값을 속이지 않게 되었습니다.
싸게 해 줘서 고마워요.
못된 짓, 나쁜 짓을 일삼던 사람들이 약속이나 한 듯 동시에 바뀌게 되었다는 거야.
개과천선~.
착하게 살게요.
이 모든 일은 선비의 으뜸이라고 부를 수 있는 공자가 조정의 중책을 맡게 되면서 사회 곳곳에서 자연적으로 일어난 긍정적인 변화였어.
긍정적 변화

* 사구(司寇): 지금의 법무부 장관에 해당하는 벼슬.

소양왕은 순자의 말에 귀가 솔깃해져서 질문을 계속했어.
그토록 유익한 존재인 선비가 아예 임금이 되면 어떻게 되느냐고 물었지.
어떤가?
유가의 주장에 따르면 덕치와 예치가 행해지는 이상 국가는 선비가 임금이 될 때 이루어질 가능성이 가장 높아.
너 해.
선비가 인의를 바탕으로 나라를 다스리면 온 나라에 법도가 자리 잡고, 한 집안처럼 화합하게 되어 저절로 나라가 부강해진다고 보았기 때문이야.
인
선비가 다스리는 나라는 어떻게 다를까?
선비의 나라
선비가 나라를 다스린다면 빈틈이 없을 것입니다.
조정에서 예의를 존중해 신분의 귀천을 살피므로 사대부들은 지조를 공경하고 법제를 목숨보다 중히 여깁니다.
악법도 법이다!
사 약
스승님….
관리들에게는 제도를 정비해 주고 봉록을 후하게 주니 관리들이 법을 두려워하고 엄수합니다.
좀 봐주세요.
나 돈 많아. 딴 데 가 보슈.
시장과 세관에서는 조사를 할 뿐 세금은 걷지 않고 어음으로 나쁜 짓을 못하게 해 상인들이 착실하고 정직하게 거래하도록 만듭니다.
정직, 정직, 정직.
농촌에서는 세금을 가볍게 하고 부역을 줄여 농민들이 농사의 때를 놓치지 않고 농업에 전념할 수 있도록 합니다.

순자는 선비가 임금이 되면 각 분야에 걸쳐 인의의 정치가 펼쳐지며 앞서 말한 '왕자(王者)의 정치'가 실현될 것이라고 주장했어.
팔락
왕자의 정치
이를 두고 법도와 규칙이 행해지고 풍속이 아름답다고 하는 거야.
아름다운 낯이에요!
순자는 선비가 나라를 다스리면 나라가 견고해지고, 다른 나라를 정벌하면 강해진다고 했어. 가만히 있어도 명성이 높아지고 움직이면 공적이 이루어진다고 했지. 빈틈없이 나라를 다스릴 것으로 보았어.
부국강병
철통보안
진나라의 재상인 범저를 만나 유학자를 등용하라고 권고한 것도 같은 이유 때문이었어. 〈강국〉 편을 보자.
OK?
OK~.
진나라는 강하고 훌륭한 나라로서 정치의 정점에 다다른 것 같다.
정점
정치
그러나 걱정스러운 점이 하나 있는데, 그것은 진나라가 왕자의 공적이나 명성과 한참 거리가 있다는 것이다.
진나라
멀다.
이는 진나라에 유학을 공부한 이가 없기 때문이다. 이것이 진나라의 단점이다.
유학이 뭐여?
몰러….
순수하게 유학으로만 다스리면 왕자가 되고 유학을 부분적으로 활용하면 패자가 되나 유학을 전혀 쓰지 않으면 망한다.
왕자
패자
망함
순수유학
부분유학
유학

당시 진나라는 강국으로 부상하고 있던 중이었어.
진
그러나 선비라고는 눈을 씻고 봐도 찾을 수가 없었지.
건더기가 하나도 없네.
고깃국
그래서 순자는 진나라가 겉으로는 강해 보이지만 진정한 강국이 되기는 어렵다고 보았어.
높다.
왕자
물론 선비라고 해서 모두 훌륭한 것은 아니야.
선비도 선비 나름이지. 순자는 선비를 속된 선비, 바른 선비 그리고 위대한 선비로 분류하고 그 차이를 자세히 설명했어.
속된 선비
바른 선비
위대한 선비
세상에는 속된 사람과 속된 선비, 우아한 선비, 위대한 선비가 있다.
속된 사람
속된 선비
우아한 선비
위대한 선비
속된 사람(俗人)은 학문을 하지 않고 정의로움을 모르며 부와 이익만 좇는다.
부
이익
속된 선비(俗儒)는 잘못된 학문을 배워 자신의 세속적인 의관과 행동이 나쁜 줄도 모른다.
이게 진정한 학문이야.
뿐만 아니라 어리석은 자들을 속여 재물을 쌓고는 의기양양해 하고
뜻을 이루기 위해 사람들을 따라다니며 안락한 포로처럼 살면서도 다른 마음을 갖지 않는다.

바른 선비(雅儒)는 이미 자신의 언행에 위대한 법도가 있으나 언행이 불일치한다는 것을 안다.
휴….
아는 것은 안다고 하고 모르는 것은 모른다고 하며 안으로는 자신을 속이지 않고 밖으로는 남을 속이지 않는다.
이건 알고
저건 모릅니다.
또 현인을 존경하고 법도를 두려워해 감히 게으르거나 오만하지 않는다.
약수터
위대한 선비(大儒)는 얕은 것을 근거로 깊은 것까지, 옛것을 근거로 지금의 것까지, 하나를 근거로 만 가지 일까지 파악한다.
그는 어짊과 의로움에 관한 것을 흑백을 가리듯 분별하고
갑자기 기이한 일이 생겨도 법도에 따라 잘 대응한다.
똑같이 유학을 배운 선비인데 사람에 따라 이렇게 큰 차이가 나.
어떤 선비를 등용하느냐에 따라 나라의 운명이 달라지는 것은 당연한 일이겠지?
나라의 운명
임금이 속된 사람을 쓰면 *만승지국도 망하나 속된 선비를 쓰면 만승지국의 존속은 가능할 것이다.
만승지국
바른 선비를 쓰면 *천승지국이 편안할 것이며
천승지국
위대한 선비를 쓰면 사방 백 리의 나라도 오래 지속되고 3년 후에는 천하 통일을 이루어 제후들을 신하로 삼게 될 것이다.
제후국
제후국
제후국
제후국

* 만승지국(萬乘之國): 수레 만 대를 동원할 만큼 강대한 국가, 곧 천자가 다스리는 나라.

* 천승지국(千乘之國): 제후가 다스리는 나라.

순자가 꼽는 이상적인 인간형은 위대한 선비인 대유(大儒)야.
대유
순자는 '위대한 선비는 천자의 삼공(三公)이 된다.'라고 말했어.
삼 공
여기서 삼공(三公)은 주나라 최고의 벼슬로 태사(太師), 태부(太傅), 태보(太保)를 가리켜.
태사
태부
태보
학문은 어떻게 시작해 어떻게 끝이 나는가? 선비가 되는 것에서 시작해 성인이 되는 것으로 끝이 난다.
선비
성인
오랫동안 참되게 노력하면 들어갈 수는 있지만 학문은 죽은 후에야 끝이 난다.
학문의 끝
따라서 학문의 방법에는 끝이 있지만 학문의 뜻은 잠시라도 버려두어서는 안 된다.
학문이란 뭘까?
학문을 하면 사람이 되고 학문을 버리면 짐승이 된다.
사람과 짐승의 결정적인 차이가 배움에 있다는 것은 새삼스러운 내용이 아니야.
?
학문을 하는 목적은 소인에서 군자, 더 나아가 성인으로 나아가는 데 있어.
성인
군자
소인
그러나 학문은 결코 벼락치기로 노력할 수 있는 일이 아니야.
천리마는 하루에 천 리를 달리는데, 둔한 말도 열 배로 노력하면 천리마를 따라잡을 수 있다.
이처럼 목표가 있다면 천 리 길도 늦거니 빠르거니, 앞서거니 뒤서거니 하며 어찌 이르지 못하겠는가.

학문은 목표에 이르기 위해 기다리는 것이다.
BUS STOP
절름발이 자라도 쉬지 않고 반걸음씩 가면 천 리를 갈 수 있다.
그러나 앞으로 갔다, 뒤로 갔다, 왼쪽으로 갔다, 오른쪽으로 가는 식으로 하면 여섯 마리의 준마가 끄는 수레를 타고도 목적지에 이르지 못한다.
사람의 재능과 성질이 절름발이 자라와 여섯 마리의 준마처럼 큰 차이가 나겠는가?
절름발이 자라만 목적지에 도착한 것은, 한쪽은 행했지만 다른 쪽은 행하지 않았기 때문이다.
목적지
가까운 길도 가지 않으면 목적지에 도착할 수 없고 아무리 작은 일도 하지 않으면 이루어지지 않는다.
군자 또는 성인이 되는 길은 오로지 학문을 통해서만 가능한데, 이는 소처럼 한 걸음씩 우직하게 걸어야만 해.
?
ㄱ
어리석은 사람이 산을 옮긴다는 우공이산(愚公移山)의 정신으로 말이야.
끙.
낙숫물이 바위를 뚫는다는 말도 있잖아?
똑
똑
인간의 덕성과 지성은 학문에 의해 향상되고 변화되며 진보돼.
학문을 통해 정신적인 개안이 이루어지기 때문이지.
윙
윙
학문
그러한 경지에 도달하면 세상의 이치와 법도에 눈이 뜨이는 황홀한 경험을 할 수 있겠지?
도
법도
이치

11장

군자에게 침묵은 금물이다

얘기 좀 해 주세요!
벌써 한 달째 말을 안 해….
…….
대답 좀 하세요….
순자는 학문에 임할 때 까다롭다 싶을 정도로 빈틈이 없고 체계적이었어.
복잡하네.
훌륭한 사상가들이 학설을 내세우며 승부를 겨루던 시대에 살면서 새로운 학설을 주창하고 공감을 얻으려면 그럴 수밖에 없었을 거야.
짹짹.
짹짹.
구구구구….
이번 장에서는 학자로서 순자가 보여 주었던 깐깐함을 살펴보려고 해.
뭘 봐?
그것은 순자가 사용했던 말과 논리 그리고 사상을 통해 잘 알 수 있단다.
말!
논리!
사상!
순자는 사람의 말이 얼마나 중요한지 수없이 강조했어.
동급!
말
순금

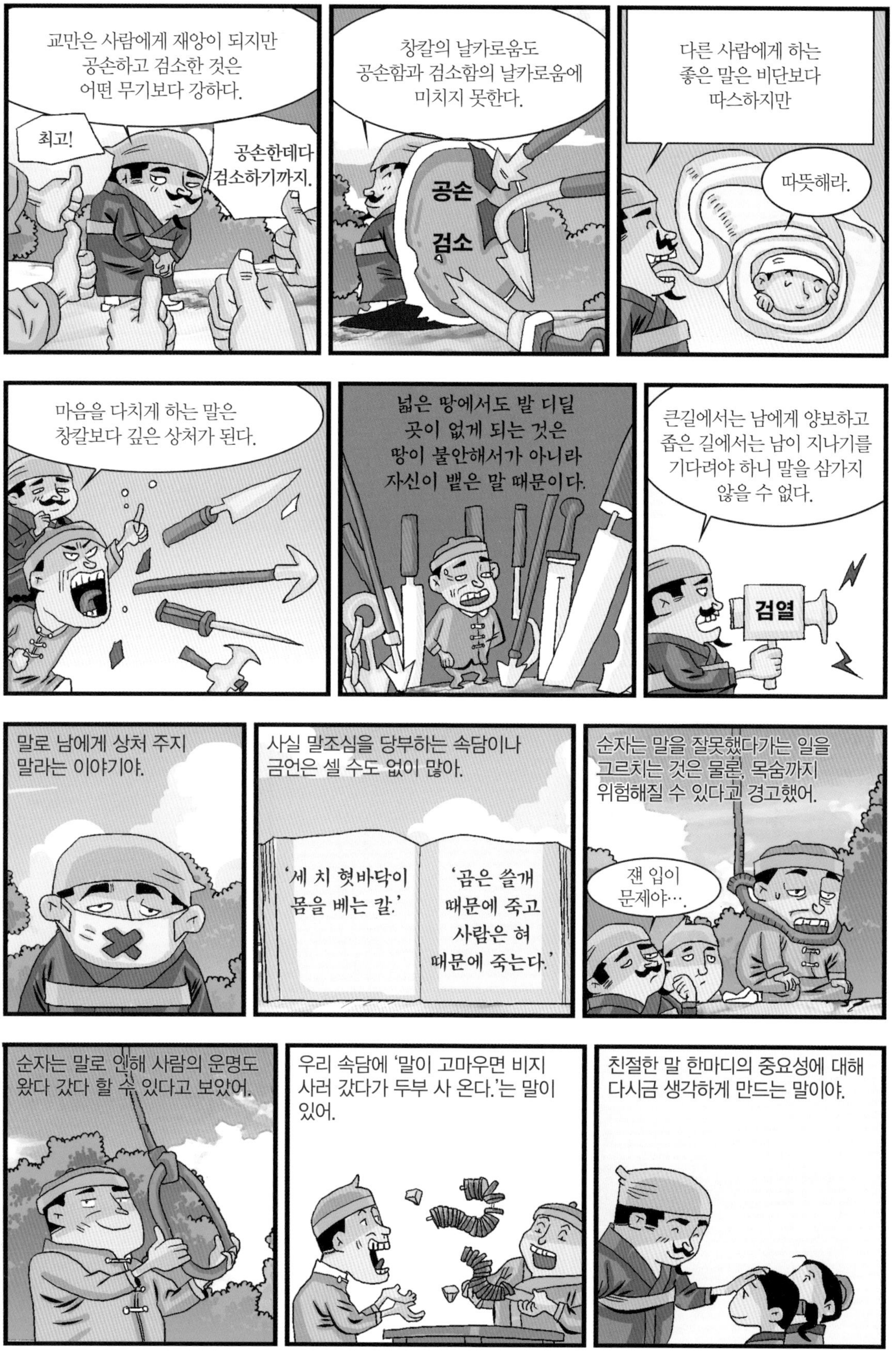
교만은 사람에게 재앙이 되지만 공손하고 검소한 것은 어떤 무기보다 강하다.
최고!
공손한데다 검소하기까지.
창칼의 날카로움도 공손함과 검소함의 날카로움에 미치지 못한다.
공손
검소
다른 사람에게 하는 좋은 말은 비단보다 따스하지만
따뜻해라.
마음을 다치게 하는 말은 창칼보다 깊은 상처가 된다.
넓은 땅에서도 발 디딜 곳이 없게 되는 것은 땅이 불안해서가 아니라 자신이 뱉은 말 때문이다.
큰길에서는 남에게 양보하고 좁은 길에서는 남이 지나가기를 기다려야 하니 말을 삼가지 않을 수 없다.
검열
말로 남에게 상처 주지 말라는 이야기야.
사실 말조심을 당부하는 속담이나 금언은 셀 수도 없이 많아.
'세 치 혓바닥이 몸을 베는 칼.'
'곰은 쓸개 때문에 죽고 사람은 혀 때문에 죽는다.'
순자는 말을 잘못했다가는 일을 그르치는 것은 물론, 목숨까지 위험해질 수 있다고 경고했어.
잰 입이 문제야….
순자는 말로 인해 사람의 운명도 왔다 갔다 할 수 있다고 보았어.
우리 속담에 '말이 고마우면 비지 사러 갔다가 두부 사 온다.'는 말이 있어.
친절한 말 한마디의 중요성에 대해 다시금 생각하게 만드는 말이야.

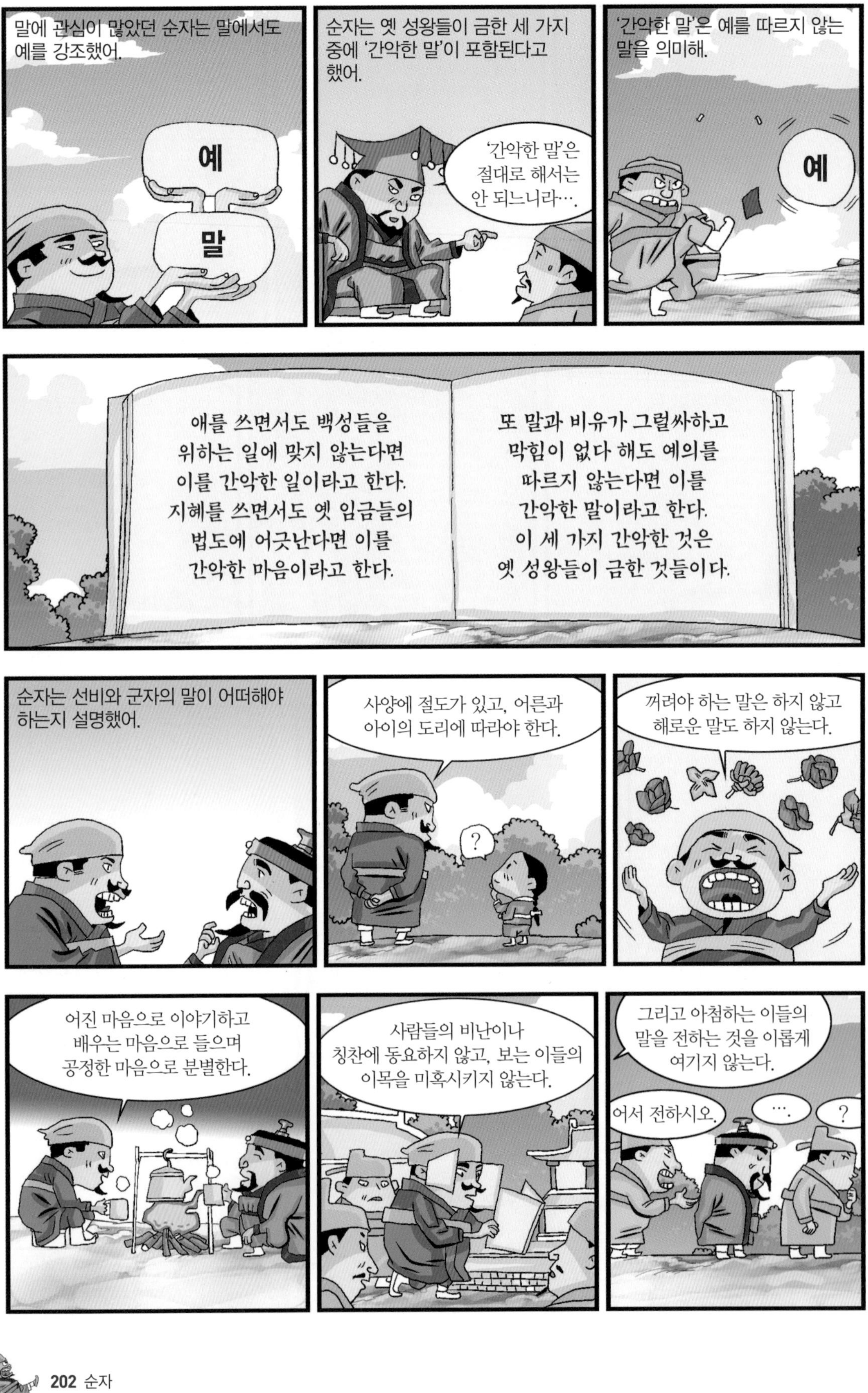
말에 관심이 많았던 순자는 말에서도 예를 강조했어.
예
말
순자는 옛 성왕들이 금한 세 가지 중에 '간악한 말'이 포함된다고 했어.
'간악한 말'은 절대로 해서는 안 되느니라….
'간악한 말'은 예를 따르지 않는 말을 의미해.
예
애를 쓰면서도 백성들을 위하는 일에 맞지 않는다면 이를 간악한 일이라고 한다. 지혜를 쓰면서도 옛 임금들의 법도에 어긋난다면 이를 간악한 마음이라고 한다.
또 말과 비유가 그럴싸하고 막힘이 없다 해도 예의를 따르지 않는다면 이를 간악한 말이라고 한다. 이 세 가지 간악한 것은 옛 성왕들이 금한 것들이다.
순자는 선비와 군자의 말이 어떠해야 하는지 설명했어.
사양에 절도가 있고, 어른과 아이의 도리에 따라야 한다.
?
꺼려야 하는 말은 하지 않고 해로운 말도 하지 않는다.
어진 마음으로 이야기하고 배우는 마음으로 들으며 공정한 마음으로 분별한다.
사람들의 비난이나 칭찬에 동요하지 않고, 보는 이들의 이목을 미혹시키지 않는다.
그리고 아첨하는 이들의 말을 전하는 것을 이롭게 여기지 않는다.
어서 전하시오.
….
?

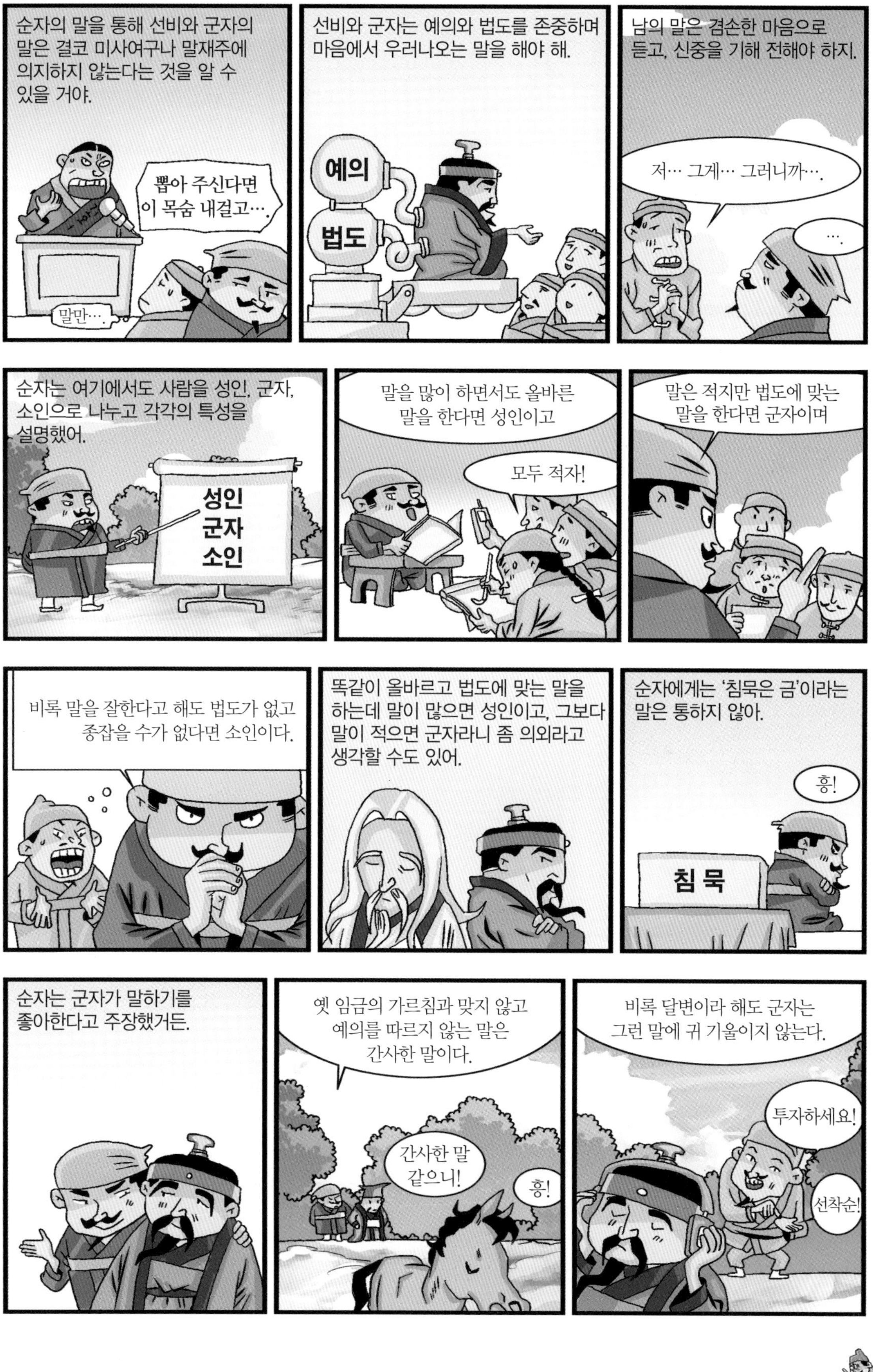

순자의 말을 통해 선비와 군자의 말은 결코 미사여구나 말재주에 의지하지 않는다는 것을 알 수 있을 거야.
뽑아 주신다면 이 목숨 내걸고….
말만….
선비와 군자는 예의와 법도를 존중하며 마음에서 우러나오는 말을 해야 해.
예의
법도
남의 말은 겸손한 마음으로 듣고, 신중을 기해 전해야 하지.
저… 그게… 그러니까….
….
순자는 여기에서도 사람을 성인, 군자, 소인으로 나누고 각각의 특성을 설명했어.
성인
군자
소인
말을 많이 하면서도 올바른 말을 한다면 성인이고
모두 적자!
말은 적지만 법도에 맞는 말을 한다면 군자이며
비록 말을 잘한다고 해도 법도가 없고 종잡을 수가 없다면 소인이다.
똑같이 올바르고 법도에 맞는 말을 하는데 말이 많으면 성인이고, 그보다 말이 적으면 군자라니 좀 의외라고 생각할 수도 있어.
순자에게는 '침묵은 금'이라는 말은 통하지 않아.
흥!
침묵
순자는 군자가 말하기를 좋아한다고 주장했거든.
옛 임금의 가르침과 맞지 않고 예의를 따르지 않는 말은 간사한 말이다.
간사한 말 같으니!
흥!
비록 달변이라 해도 군자는 그런 말에 귀 기울이지 않는다.
투자하세요!
선착순!

옛 임금을 법도로 삼고 예의를 따르며 학자들과 친하다 해도
3대왕
말하기를 좋아하지 않고 즐기지 않는다면 진실한 선비가 아니다.
그러므로 군자는 반드시 말하기를 좋아한다.
임금님 귀는 당나귀 귀!
군자는 왜 말하기를 좋아할까?
속이 좀 시원하군….
수다스러운 군자의 모습은 잘 상상이 되지 않는데 말이야.
조잘
조잘
군자는 반드시 변론을 편다.
君子必辯
군자필변
사람들은 대개 자기가 좋다고 여기는 것을 말하기 좋아하는데, 군자는 더욱 그러하다.
난 아이스크림, 게임기, 짬뽕이 좋아.
소인이 변론하는 말은 험하지만 군자가 변론하는 말은 어질다.
말이 어질지 않으면 침묵하는 것이나 말을 더듬는 것보다 못하다.
할 말 없습니다.
말이 어질면 말하기를 좋아하는 것이 윗자리가 되고, 말하기를 싫어하는 것이 아랫자리가 된다.
위의 공기 어때요?
그만큼 어진 말은 위대한 것이다.
순
윗사람이 하는 어진 말은 아랫사람들을 이끌어 주는 *정령이 되고

* 정령(政令): 정치상의 법도와 규칙.

아랫사람이 하는 어진 말은 윗사람에게 충성스러운 간언이 된다.
군자는 어짊을 행하는 것을 싫어하지 않으니 마음으로 어짊을 좋아한다. 어짊을 행하면 편안해지고 어짊을 이야기하기 좋아한다. 그래서 군자가 이야기를 하는 것이다.
군자는 자신이 좋아하는 '어짊'에 대해 이야기하는 것을 좋아하기 때문에 저절로 말이 많아지는 거야.
그래서 군자의 말은 무의미한 수다가 아닌 변론이야.
변론!
즉, 사리를 밝혀 옳고 그름을 따지는 말이지.
무죄!
유죄!
말을 잘하는 것은 남들이 부러워할 만한 재주야.
재잘재잘!
어떤 분야나 자리든 뛰어난 말솜씨는 유리한 입장에 서는 데 도움이 돼.
판매왕
순자가 활동하던 춘추 전국 시대의 제자백가들에게는 더욱 그랬지.
제 자 백 가
자기가 말하고자 하는 것을 논리적이면서도 효과적으로 전달할 수 있는 능력이 필수였어.
주제
논리
책임
결과
순자는 군자의 말이 어떤 원칙과 방법에 의해 이루어지는지 설명하면서 군자필변의 이치를 여러 차례 강조했어.
신문이오!
신문이오!
군자필변
군자필변
군자필변
군자필변

군자는 반드시 변론을 편다.
군자필변
작은 변론은 사물의 단서를 보여 주는 것만 못하고
흠.
가짜 아니에요?
사물의 단서를 보여 주는 것은 사물의 본분을 보여 주는 것만 못하다.
부러워.
본분
단서
따라서 군자는 작은 변론으로도 사물을 자세히 살피고, 사물의 단서를 보여 주어 분명히 한다.
작은 변론
그리고 사물의 본분을 보여 줌으로써 이치에 합당하게 한다.
이치
이치
이치
본분
이로써 성인과 군자, 선비의 분수가 갖춰진다.
성인
군자
선비
변론은 군자의 전유물이 아니기 때문에 소인도 변론을 펼 수 있어.
변론하겠습니다.
아무나 하네?
그러나 성인과 군자 그리고 소인의 변론은 같지 않아.
성인
군자
소인
변론을 펴는 이들 중에는 소인의 변론을 펴는 이와 선비나 군자의 변론을 펴는 이, 성인의 변론을 펴는 이가 있다.
변론
변론
변론
소인
군자
성인

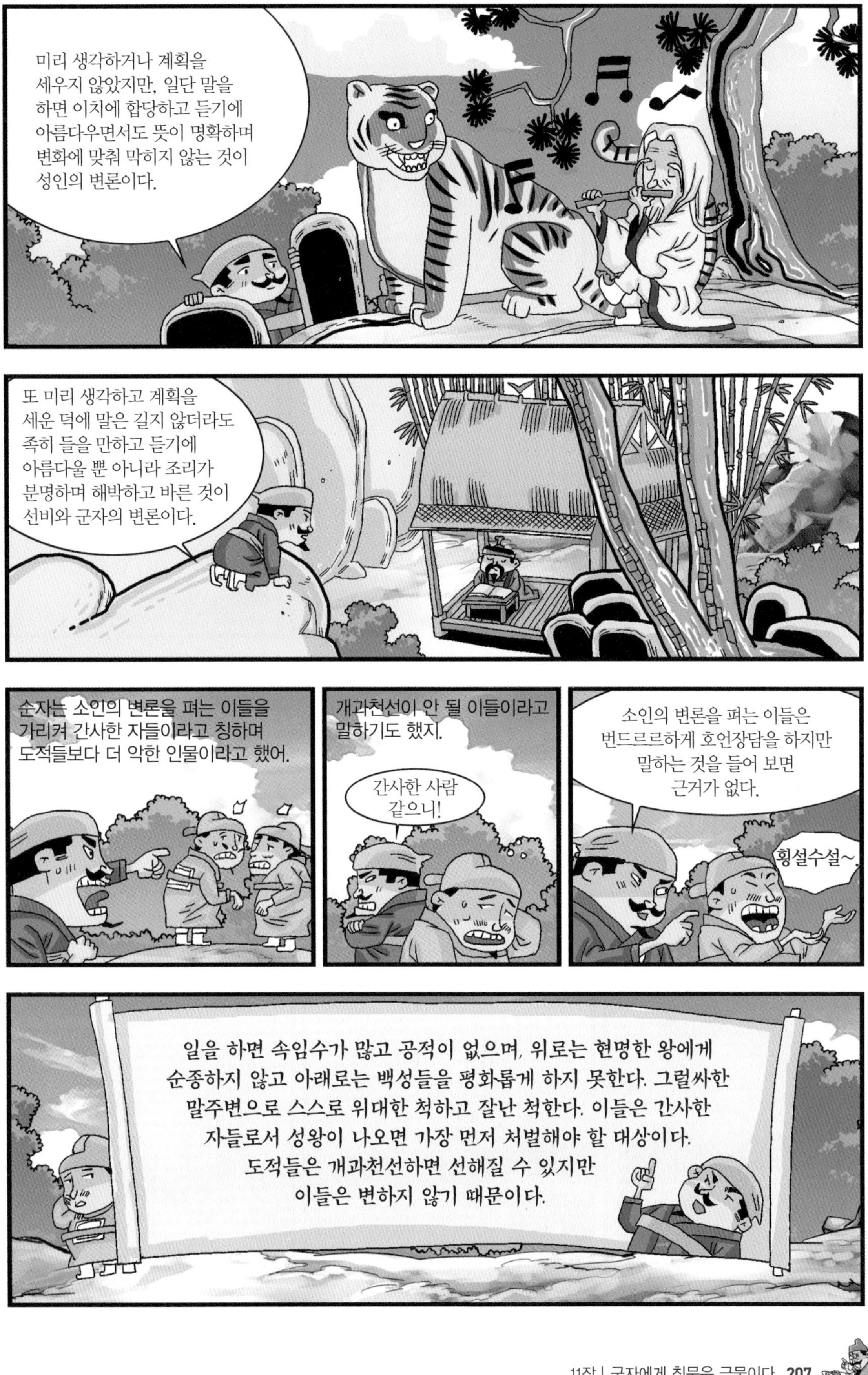
미리 생각하거나 계획을 세우지 않았지만, 일단 말을 하면 이치에 합당하고 듣기에 아름다우면서도 뜻이 명확하며 변화에 맞춰 막히지 않는 것이 성인의 변론이다.
또 미리 생각하고 계획을 세운 덕에 말은 길지 않더라도 족히 들을 만하고 듣기에 아름다울 뿐 아니라 조리가 분명하며 해박하고 바른 것이 선비와 군자의 변론이다.
순자는 소인의 변론을 펴는 이들을 가리켜 간사한 자들이라고 칭하며 도적들보다 더 악한 인물이라고 했어.
개과천선이 안 될 이들이라고 말하기도 했지.
간사한 사람 같으니!
소인의 변론을 펴는 이들은 번드르르하게 호언장담을 하지만 말하는 것을 들어 보면 근거가 없다.
횡설수설~.
일을 하면 속임수가 많고 공적이 없으며, 위로는 현명한 왕에게 순종하지 않고 아래로는 백성들을 평화롭게 하지 못한다. 그럴싸한 말주변으로 스스로 위대한 척하고 잘난 척한다. 이들은 간사한 자들로서 성왕이 나오면 가장 먼저 처벌해야 할 대상이다. 도적들은 개과천선하면 선해질 수 있지만 이들은 변하지 않기 때문이다.

순자는 군자의 변론과 소인의 변론을 비교하면서
군자의 말이 지니는 사회적 효용을 높이 평가했어.
내가 이 정도~.
사람들에게 좋은 말을 선물하면 금이나 보석, 진주, 옥보다 소중히 여긴다.
또 사람들에게 좋은 말을 들려주면 종이나 북, 거문고, 비파를 연주하는 것보다 즐거워한다.
그래서 군자는 변론에 싫증을 내지 않지만 소인은 이와 다르다.
변론
《역경》에 나오는 '자루의 입을 묶은 것처럼 입을 다물고 있으면 잘못도 없지만 영예도 없다.'라는 말은 이처럼 썩은 소인들을 두고 하는 말이다.
군자의 변론이 이처럼 힘을 발휘하는 것은 그들이 학문(유학)에 힘써 이론에 밝기 때문이야.
학문
군자가 자신의 이론을 주장하며 누군가를 설득하는 경우
응?
그 상대는 정치적인 지위가 높은 사람일 가능성이 높아. 주로 권력자들이었겠지?
순자는 권력자들을 설득하는 요령에 대해서도 언급했어.
설득의 요령
지극히 높은 이상을 가지고 지극히 낮은 생각을 지닌 이를 대해야 하고
지극한 다스림으로 지극한 어지러움을 접해야 하기 때문에 설득은 어렵다.
?
?

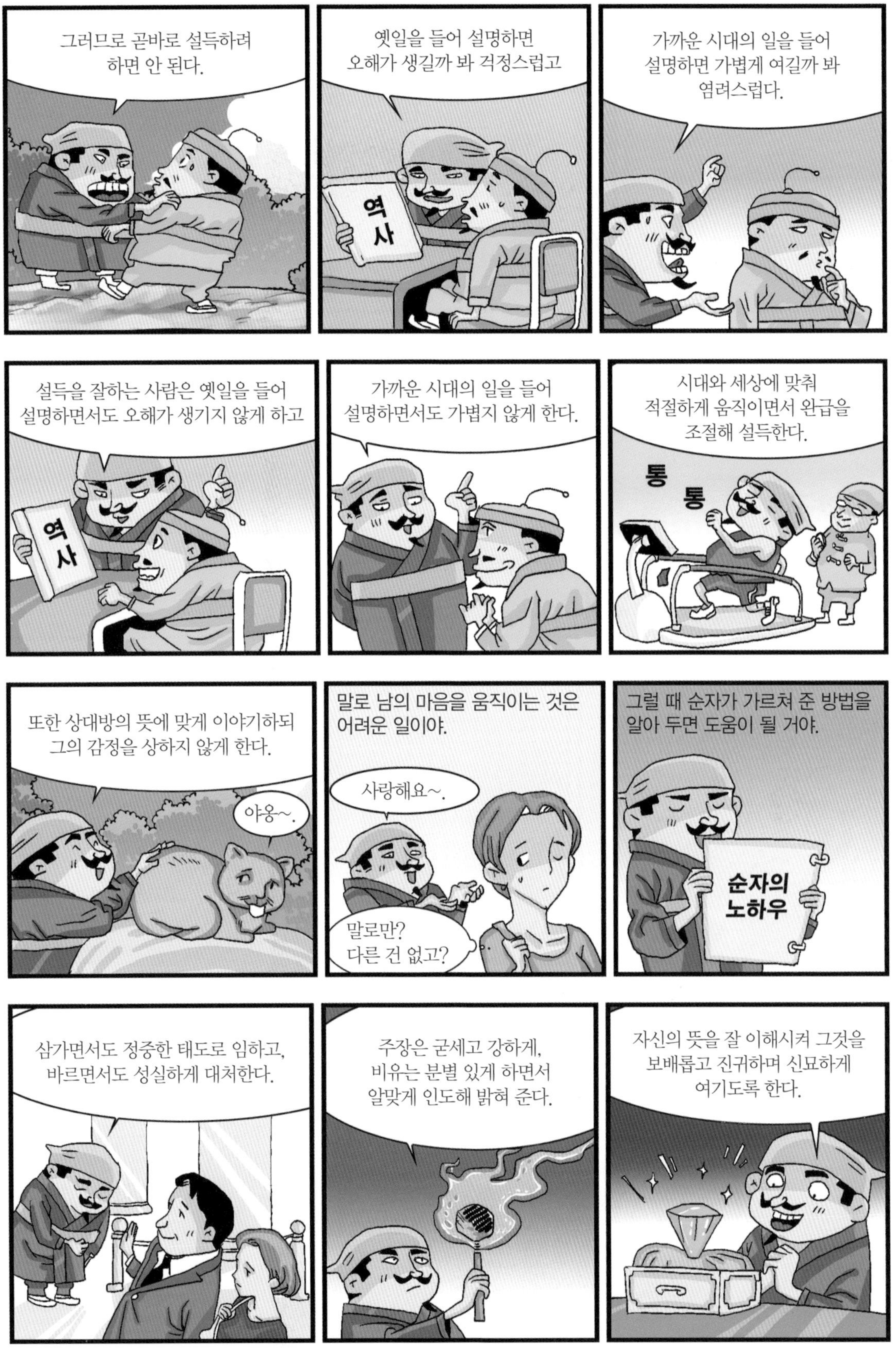
그러므로 곧바로 설득하려
하면 안 된다.
옛일을 들어 설명하면
오해가 생길까 봐 걱정스럽고
가까운 시대의 일을 들어
설명하면 가볍게 여길까 봐
염려스럽다.
역사
설득을 잘하는 사람은 옛일을 들어
설명하면서도 오해가 생기지 않게 하고
역사
가까운 시대의 일을 들어
설명하면서도 가볍지 않게 한다.
시대와 세상에 맞춰
적절하게 움직이면서 완급을
조절해 설득한다.
통
통
또한 상대방의 뜻에 맞게 이야기하되
그의 감정을 상하지 않게 한다.
야옹~.
말로 남의 마음을 움직이는 것은
어려운 일이야.
사랑해요~.
말로만?
다른 건 없고?
그럴 때 순자가 가르쳐 준 방법을
알아 두면 도움이 될 거야.
순자의
노하우
삼가면서도 정중한 태도로 임하고,
바르면서도 성실하게 대처한다.
주장은 굳세고 강하게,
비유는 분별 있게 하면서
알맞게 인도해 밝혀 준다.
자신의 뜻을 잘 이해시켜 그것을
보배롭고 진귀하며 신묘하게
여기도록 한다.

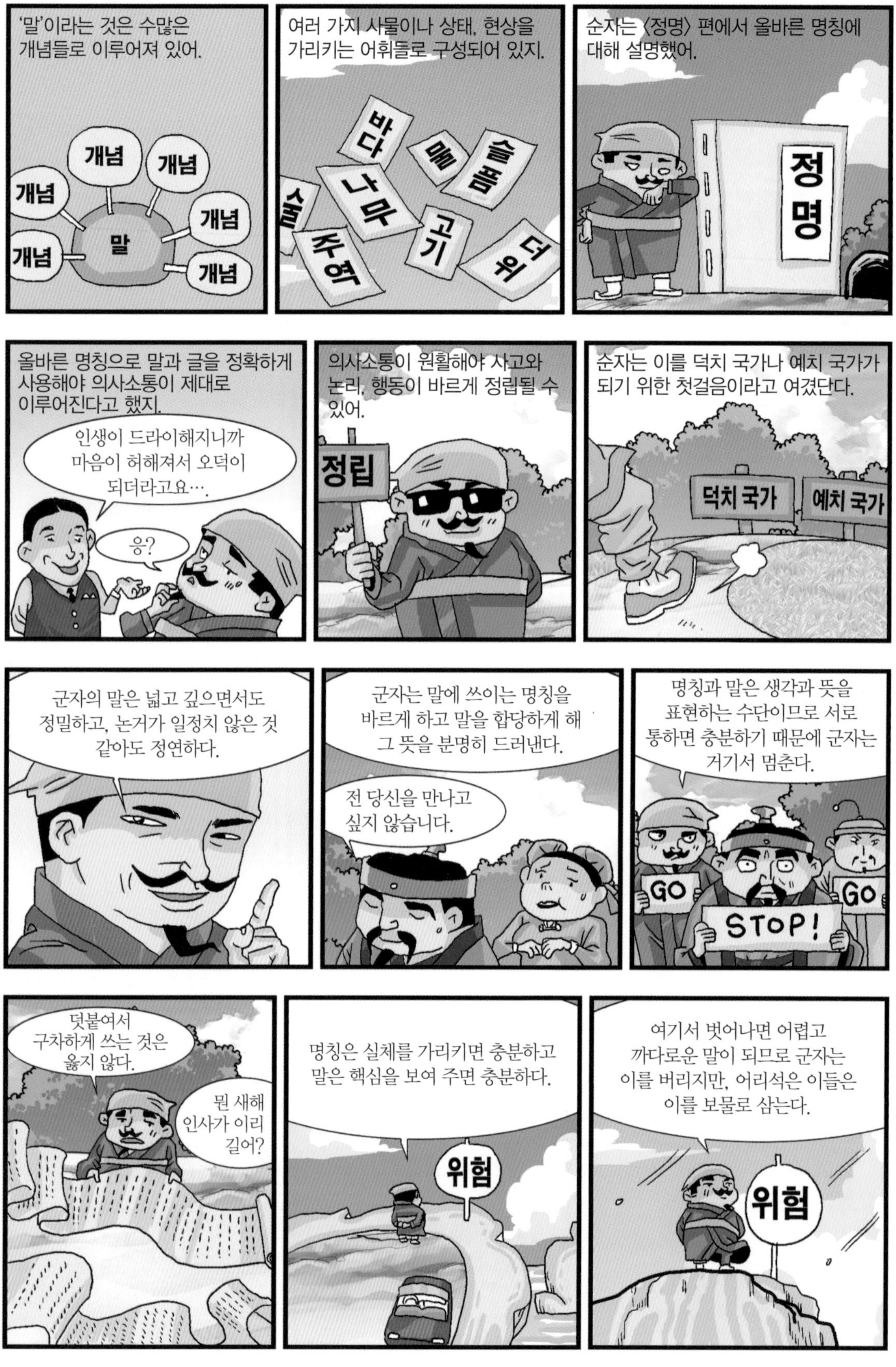
'말'이라는 것은 수많은
개념들로 이루어져 있어.
개념
개념
개념
개념
말
개념
개념
여러 가지 사물이나 상태, 현상을
가리키는 어휘들로 구성되어 있지.
바다
물
슬픔
술
나무
고기
주역
더위
순자는 〈정명〉 편에서 올바른 명칭에
대해 설명했어.
정명
올바른 명칭으로 말과 글을 정확하게
사용해야 의사소통이 제대로
이루어진다고 했지.
인생이 드라이해지니까
마음이 허해져서 오덕이
되더라고요….
응?
의사소통이 원활해야 사고와
논리, 행동이 바르게 정립될 수
있어.
정립
순자는 이를 덕치 국가나 예치 국가가
되기 위한 첫걸음이라고 여겼단다.
덕치 국가
예치 국가
군자의 말은 넓고 깊으면서도
정밀하고, 논거가 일정치 않은 것
같아도 정연하다.
군자는 말에 쓰이는 명칭을
바르게 하고 말을 합당하게 해
그 뜻을 분명히 드러낸다.
전 당신을 만나고
싶지 않습니다.
명칭과 말은 생각과 뜻을
표현하는 수단이므로 서로
통하면 충분하기 때문에 군자는
거기서 멈춘다.
GO
STOP!
GO
덧붙여서
구차하게 쓰는 것은
옳지 않다.
뭔 새해
인사가 이리
길어?
명칭은 실체를 가리키면 충분하고
말은 핵심을 보여 주면 충분하다.
위험
여기서 벗어나면 어렵고
까다로운 말이 되므로 군자는
이를 버리지만, 어리석은 이들은
이를 보물로 삼는다.
위험

어리석은 이의 말은 근거도 없이 거칠고 수다스럽기가 물이 끓는 듯하다.
말
말
부글
말
말
말
부글
말
그들이 쓰는 명칭은 실체와 달라서 사람을 기만하고, 그들이 하는 말은 사람을 현혹시켜 뜻에 깊게 다가갈 수 없다. 따라서 실컷 떠들어 봤자 핵심을 알 수 없고, 애는 쓰지만 공로가 없으며 욕심은 내지만 명성을 얻을 수 없다.
지혜로운 사람의 말은 생각하면 알기 쉽고 행동에 옮기면 편안하며 그 뜻을 지키면 처신이 수월해진다. 말한 것이 이루어지면 그가 좋아하는 것을 얻게 되고 그가 싫어하는 것은 당하지 않게 된다.
그러나 어리석은 이의 말은 이와 정반대이다.
결승점
반대쪽이야!
순자는 명칭이 사물의 실체를 그대로 표현해야 한다고 했어.
이게 뭘까?
실체와 완벽하게 일치해야 의미가 있다고 보았지.
사물의 실체는 무엇일까?
군더더기 같은 것이 있어서는 안 된다는 거야.
안녕?
순자는 군주라면 이처럼 간결하고 명료하게 말하며 군자의 말을 추구해야 한다고 했어.
반반에 무 많이!
닭집
간단 명료하게 주문하는군.
그러면서 이런 결론이 나오게 된 과정에 대해서도 설명했지.
결론
순자는 명칭이 생겨나게 된 배경과 사람들이 이름을 부여하게 된 연원을 따졌어.
나무가 '나무'가 된 것은 나무라고 이름 붙였기 때문이야.

형태가 다르면 저마다 다르게 이해하게 된다.
신은 백인이야.
황인이지.
흑인인데.
각각의 물건이 이름과 실체가 맞지 않아 혼란스러우면, 귀한 것과 천한 것이 불분명해지고 같은 것과 다른 것이 구별되지 않는다.
이렇게 되면 사물을 알지 못하는 근심이 생기고 일도 실패하게 된다.
그래서 지혜로운 이가 사물들을 분별해 이름을 짓고 실체를 지정한 것이다.
그 결과 위로는 귀한 것과 천한 것이 분명해지고 아래로는 같은 것과 다른 것이 구별되었다.
이로써 사물을 알지 못하는 근심이 사라지고 일도 실패를 겪지 않게 되었다. 이것이 명칭이 있게 된 까닭이다.
사물의 명칭
사물의 이름이 정확한 구별을 위해 생겨났다는 거야.
이게 뭐하는 물건인고?
사물이 저마다 자기 실체에 맞는 올바른 이름을 가져야만 사회에 혼란이 생기지 않고, 이해와 분별이 이루어져 사회가 제대로 운영된다는 말이지.
명칭을 들으면 실체를 알게 된다. 이것이 명칭의 용도이다.
이번 선물로 좋은 차를 준비해 놓았습니다.
앞에서 말한 '명칭은 실체를 가리키면 충분하다.'는 말도 이와 같은 맥락이란다.
파란색이었네?
실체
순자는 사물에 이름을 부여하는 과정을 다음과 같이 설명했어.
이름이 뭐야?
네 이름은 뭔데?

같은 것과 다른 것을 구별하는
근거는 무엇인가? 그것은
타고난 감각 기관이다.
킁킁~.
같은 종류의 물건들은 감각
기관이 동일하게 인식한다.
그래서 비교해 보고 서로 비슷해
통하면 그것들을 일컫는 공통의
이름을 갖도록 서로 약속했다.
마음에 있는 앎의 능력은
감각 기관이 먼저 사물들의 종류를
파악한 후에 발휘된다.
그 다음에 이름을
부여하게 된다.
치즈
같은 것에는 같은 이름을,
다른 것에는 다른 이름을 붙인다.
연필
붓
볼펜
가위
순자는 '지혜로운 이'가 사물을 분별해
각각의 명칭을 부여했다고 말해.
작명소
여기서 지혜로운 이는 성왕을
의미해.
순자는 그 당시의 명칭이 지극히
혼란스럽다며 성왕이 원칙을 다시
정립해 필요하면 명칭을 새로
만들어야 한다고 주장했어.
옛주소
도로명 주소
지금은 성왕들이 모두
세상을 떠나, 명칭을
지키는 일에
소홀하다.
기이한 말들이 생겨나 이름과
실체가 어지럽고 혼란스러우며
형상의 옳고 그름이
분명하지 않다.
법을 지키는 관리나
바른 가르침을 외우는
유가조차 혼란스럽다.

만약 어떤 왕자가 나타난다면 그는 반드시 옛 명칭을 따르거나 새로 명칭을 만들 것이다. 따라서 명칭이 있어야 하는 이유와 명칭에 따라 같거나 다른 것을 구별하는 근거 그리고 명칭을 만드는 기본 원칙을 잘 살펴야 한다.
당시는 주나라의 봉건제가 무너지면서 가치관이 급격히 변화하던 시기였어.
봉건제
이름을 바로잡아야 한다는 정명론(正名論)이 대두되었다는 사실만 봐도
정명론
그 당시에 이름과 실체가 따로따로였다는 것을 알 수 있어.
특히 제자백가 중 명가(名家)라는 학파는 이름과 논리를 주제로 언뜻 궤변처럼 보이는 주장을 펴곤 해서 비판을 받기도 했어.
명가
나만 갖고 그래.
순자도 책 곳곳에서 명가의 이론을 날 세워 비판했지.
명가
그러면서 후세 임금들에게 명칭을 만들 때 다음과 같은 기본 원칙을 마음 깊이 새기라고 당부했어.
명칭에는 마땅히 그래야 한다고 고정된 것이 없고 약속으로 이름을 붙이는 것이다.
앞으로 얘를 닭이라고 하자.
약속으로 정해져 습속이 되면 그것을 마땅한 것이라고 한다. 따라서 약속과 다르면 마땅하지 않은 것이다.
난 닭이다!
알기 쉽고 간단한 것을 좋은 명칭이라고 한다.
좋은 명칭

여기서 한 가지 의문이 들 수도 있어. 왕이 언어학자도 아닌데 왜 이름까지 직접 지어야 하는 것일까?
아, 왕 노릇 힘들다….
안 그래도 국사를 돌보느라 바쁠 텐데 말이야.
맞아.
순자는 명칭을 제정하는 것은 왕이 해야 할 중요한 통치 행위 중 하나라며 다음과 같이 말했어.
통촉해 주십시오.
알았다고….
왕자가 명칭을 정하면 실물 간에 분별이 이루어지고 도가 행해져 뜻이 통한다. 그러면 백성들을 신중히 다스리게 되어 전체가 일사불란해진다.
앞으로 가!
하나, 둘,
셋, 넷!
마음대로 명칭을 만들어 바른 명칭을 어지럽히면 백성들이 의혹을 갖게 되고, 사람들 사이에 논쟁과 소송이 많아지니 이는 매우 간악한 일이다.
반대
소송
소송
논쟁
이런 죄는 사신의 신분증명서나 도량형기를 임의로 만드는 죄와 같다.
백성들이 기이한 말을 믿거나 바른 명칭을 어지럽히지 않는다면 백성들이 삼가 성실해진다.
호랑이가 담배를 피더래….
뭐야!
성실한 백성들은 부리기 쉽기 때문에 공로를 세우게 된다.
부리기 쉽다고?
지렁이도 밟으면 꿈틀대는 것 몰라?
또한 백성들이 한결같이 법을 좇으므로 명령을 따르는 데 몸가짐을 조심한다.
법
이렇게 되면 공적이 오래 지속된다.
공적이 오래가고 공로를 이루는 것은 다스림의 극치로써 이는 명칭의 약속을 삼가 지킨 공로이다.

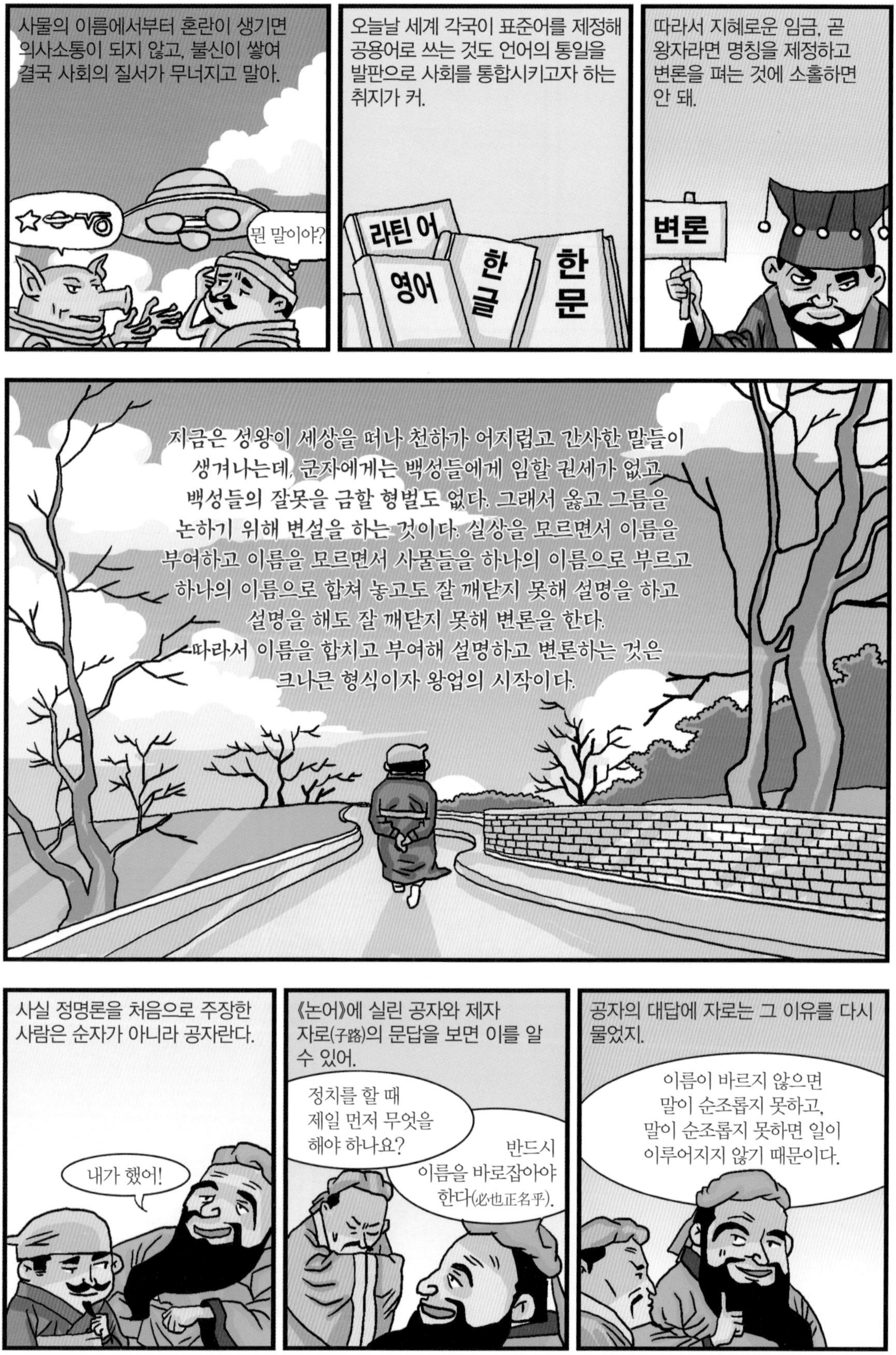
사물의 이름에서부터 혼란이 생기면 의사소통이 되지 않고, 불신이 쌓여 결국 사회의 질서가 무너지고 말아.
뭔 말이야?
오늘날 세계 각국이 표준어를 제정해 공용어로 쓰는 것도 언어의 통일을 발판으로 사회를 통합시키고자 하는 취지가 커.
라틴 어
영어
한글
한문
따라서 지혜로운 임금, 곧 왕자라면 명칭을 제정하고 변론을 펴는 것에 소홀하면 안 돼.
변론
지금은 성왕이 세상을 떠나 천하가 어지럽고 간사한 말들이 생겨나는데, 군자에게는 백성들에게 임할 권세가 없고 백성들의 잘못을 금할 형벌도 없다. 그래서 옳고 그름을 논하기 위해 변설을 하는 것이다. 실상을 모르면서 이름을 부여하고 이름을 모르면서 사물들을 하나의 이름으로 부르고 하나의 이름으로 합쳐 놓고도 잘 깨닫지 못해 설명을 하고 설명을 해도 잘 깨닫지 못해 변론을 한다. 따라서 이름을 합치고 부여해 설명하고 변론하는 것은 크나큰 형식이자 왕업의 시작이다.
사실 정명론을 처음으로 주장한 사람은 순자가 아니라 공자란다.
내가 했어!
《논어》에 실린 공자와 제자 자로(子路)의 문답을 보면 이를 알 수 있어.
정치를 할 때 제일 먼저 무엇을 해야 하나요?
반드시 이름을 바로잡아야 한다(必也正名乎).
공자의 대답에 자로는 그 이유를 다시 물었지.
이름이 바르지 않으면 말이 순조롭지 못하고, 말이 순조롭지 못하면 일이 이루어지지 않기 때문이다.

순자는 공자보다 한발 더 나아가 각각의 개념들을 정밀하게 분석해 바른 명칭의 예를 제시했어.
사람이 본래 타고난 것을 성(性)이라 하고, 성이 조화롭게 생겨나서 정기와 합하고 감각과 호응해 스스로 그러한 것 역시 성이라고 한다.
성에서 좋아함과 싫어함, 기쁨과 노여움, 슬픔과 즐거움이 나오는데 이것을 감정(情)이라고 한다.
감정의 상태를 마음이 선택하는 것을 생각(慮)이라고 한다.
생각 생각
생각
마음이 생각해 능히 행동이 되는 것과 생각이 쌓여 능력이 익숙해진 후에 이루어진 것을 인위(僞)라고 한다.
또 이익을 바르게 추구해 행하는 것을 일(事)이라고 한다.
쾅
일
의로움을 바르게 추구하는 것을 행위(行)라고 하며
뻥
행위
사물을 인식하는 원인이 사람에게 있는 것을 앎(知)이라고 한다.
앎(知)
앎이 사실에 부합되는 것은 지혜(智)이고
저 100점 맞았어요.
지식보다 더 중요한 것은 지혜야….
100점
지혜를 능히 행할 수 있는 원인이 사람에게 있는 것은 능력(能)이라고 한다.
$
$
$
$
성이 손상된 것은 병(病)이며
우연히 이루어진 것은 운명(命)이다.
이것이 사람에 관한 명칭들이며 후세 임금들이 이루었다.

12장 그릇된 이야기로 대중을 속이는 이들

순자는 책에서 춘추 전국 시대의 학자들에 대해 여러 차례 비판했어.
검열!
춘추
전국 시대
학자
특히 〈비십이자〉 편에서는 열두 명의 실명을 거론하며, 이들이 그릇된 주장을 늘어놓는다고 호되게 공격했지.
실명 공개
여기서 순자의 학문적 자신감이 상당했음을 짐작할 수 있는데, 그렇다고 순자의 주장이 모두 옳다고는 볼 수 없어.
알아!
당신도 완벽하진 않아!
이번 장에서는 순자가 열두 명의 학자들을 공격하게 된 배경에 대해 알아볼 거야.
다 이유가 있는 거야.
뭐래~.
이를 통해 순자가 당시의 현실을 어떻게 진단했는지
다이어트 하세요.
또 제자백가의 활동을 어떻게 바라보고 있었는지 알게 될 거야.
제자백가

지금 그릇된 이야기와 간사한 말을 꾸며 세상을 어지럽히는 이들이 있다.
이들은 과장된 거짓말과 비루한 행동으로 세상 사람들로 하여금 옳음과 그름, 다스림과 어지러움의 기준을 알지 못하게 하고 있다.
착하게 살아야 돼.
본능대로 해.
크아….
순자는 열두 명의 학자를 꼽으며 말도 안 되는 이야기를 그럴싸한 논리로 포장해 세상을 어지럽히는 이들이라고 했어.
포장 풀어 봐.
말도 안 되는 게 들어 있다고요?
타효와 위모, 진중과 사추, 묵적과 송형, 신도와 전변, 혜시와 등석, 자사와 맹자 등을 두 명씩 묶어 그들의 주장을 조목조목 비판했지.
비판
순자의 눈에는 대중이 이들에게 미혹되는 것처럼 보였나 봐.
나를 따르라!
자기라도 나서서 이들의 세력이 계속 영향을 미치는 사태를 막으려 했던 거야.
먼저 타효와 위모에 대한 평가를 살펴볼까?
평가서
타효와 위모는 감정과 본성을 좇아 제멋대로 굴며 짐승처럼 사납게 행동하니 예의에 맞지 않아 다스림에 이를 수 없다. 그러나 그 주장에 나름대로 근거가 있고 말에 조리가 있어 어리석은 대중은 그들에게 속는다.
한번 잘 속여 보세.
걱정 마십시오. 제 전공이 선동과 사기입니다.

타효에 대한 기록은 전해지는 것이 없어.
내가 누굴까?
위모는 전국 시대 때 위나라 사람으로, 도가 계열에 속하지.
조
제
위
노
주
한
초
오
내가 장자의 선배라고!
순자는 타효와 위모가 감정과 본성에 굴복하는 인간, 즉 감정과 본성을 좇는 인간이라고 했어.
감정
본성
엄격한 자기 절제와 사회적 통제를 강조했던 순자가 보기에 이들은 문제적 인간이었을 거야.
뭘 봐!
다음은 진중과 사추에 대한 평가야.
감정과 본성을 참아 가며 세상에 초연한 척, 다른 사람들과 구분되는 것을 고결하다고 여긴다. 따라서 대중과 뜻이 맞지 않아 인간의 큰 분별을 밝힐 수 없다. 그러나 그 주장에 나름대로 근거가 있고 말에 조리가 있어 어리석은 대중을 속일 수 있다.
진중은 전국 시대 때 제나라 사람으로, 청렴하기로 유명했어.
춘추 시대 때 위나라 사람인 사추는 정직하기로 명성이 자자했지.
사추는 얼마나 정직했던지 공자로부터 *직신(直臣)이라고 불릴 정도였어.
직신아.
짚신이오?
이처럼 진중과 사추는 청렴결백한 인물로 널리 알려져 있었지만 순자는 이들의 깨끗함과 고상함을 '나만 옳다'는 식의 독선에 가깝게 보았어.
내가 더 깨끗해!
뭔 소리야? 난 깨끗하고 고상하기도 하다고!

* 직신(直臣): 강직한 신하를 이르는 말.

묵적과 송형은 다음과 같이 평가했어.
천하를 통일하고 나라를 세우는 기준은 알지 못하면서, 공리와 실용만을 숭상하고 검약을 중시하며 차등을 하찮게 여긴다.
차이를 분별하거나 차등을 두는 것을 용납하지 않으면서 임금과 신하의 차등도 인정하지 않는다.
팔로잉 해 주세요.
그러나 그 주장에 나름대로 근거가 있고 말에 조리가 있어 어리석은 대중을 속일 수 있다.
묵적은 전국 시대 때 노나라 사람이야.
묵적
위
주
조
노
제
정
송
등
진
황해
일반인들에게는 흔히 묵자로 알려져 있지.
송형(또는 송견)은 맹자와 비슷한 시기에 살았던 사람으로, 인간은 욕심이 적어야 한다고 주장했어.
욕심은 더 큰 욕심을 불러와 결국 몸에 화를 입게 만들지.
그의 주장은 맹자와 노자에게 영향을 주었다고 해.
오! 이렇게 깊은 뜻이?
송형의 말씀
순자는 공리와 검약을 중시하는 묵적과 송형의 주장이 '예'를 토대로 하는 차등을 무시해 사회 질서를 어지럽힌다고 말했어.
사회 질서
다음으로는 신도와 전변에 대한 평가를 살펴보자.
법을 숭상하는 것 같지만 법을 무시하고
수양은 가볍게 여기면서 일을 벌이기 좋아한다.
위로는 임금에게 자기 말이 들리기를 바라며
아래로는 세속에 따르기를 바란다.
하루 종일 하는 말이 문장 좋은 법전을 이룰 정도지만
뒤집어 보면 현실과 동떨어져 결론이 없기에
그것으로 나라를 다스리거나 분별을 정할 수 없다.
그러나 그 주장에 나름대로 근거가 있고
말에 조리가 있어 어리석은 대중을 속일 수 있다.

신도는 전국 시대 때 조나라 사람으로,
직하의 학사를 지냈어.
조나라
그의 사상에는 도가적인 면도
있지만 법치를 주장한 만큼
법가 사상가로 평가받고 있어.
도가
법가
권세의 중요성을 역설해 법가
사상의 형성에 영향을
미치기도 했지.
법가
사상
권세
전변은 전국 시대 때 제나라 사람으로,
신도와 같은 시대에 활동했어.
제나라
그 역시 직하에서 활동했는데
논변이 뛰어나다는 평가를 받았고,
도가에 속하지.
떠벌
떠벌
순자는 신도와 전변이 법에
대한 잘못된 이론을
퍼뜨린다고 생각했어.
잘못된
이론
아니라고!
한편 혜시와 등석에 대해서는 아래와 같이 평가했어.
옛 임금을 법도로 삼지 않고 예의를 옳게 여기지 않으며
괴이한 이야기를 좋아하고 이상한 말장난을 한다.
깊이 살피기는 하지만 소용이 없고, 말은 잘하지만 쓸모가 없다.
일은 많이 하나 공로가 적으니 나라의 기강으로 삼을 수 없다.
그러나 그 주장에 나름대로 근거가 있고
말에 조리가 있어 어리석은 대중을 속일 수 있다.
혜시는 전국 시대 때 송나라 사람으로,
명가의 대표적인 인물이야.
송나라
명가 중에서도 궤변이 가장
뛰어났다고 알려져 있어.
궤변
위나라에서 재상을 지냈고
장자와도 가깝게 지냈지.
안녕하셨는가?

등석은 춘추 시대 때 정(鄭)나라 사람이야.
정나라
명가로 분류되기도 하지만 그는 주로 법가의 학설을 다뤘어.
법가
등석에 대한 후세의 평가는 그리 좋지 않은 편이야.
후세
국정을 문란하게 하고 말재주로 법을 어지럽혔다며 부정적으로 기록되어 있거든.
순자는 자신과 같은 유학자인 자사와 맹자도 비판했어.
대체로 옛 임금을 법도로 삼지만 그 정통을 모른다.
?
왕
재질이 격하고 뜻은 크며 듣고 보는 것이 잡스럽고 넓다.
지나간 옛일을 살펴 새 학설을 만들고 이를 *오행이라고 말하는데, 매우 편벽되어 유례가 없다.
또한 이치를 깊이 숨겨 놓은 듯 설명이 부족하고, 논리가 닫혀 있어 풀이할 수 없다. 그런데도 그 말을 아무렇게나 꾸며 공경을 표하고 이것이 진정 앞서가는 군자의 말이라고 한다. 자사가 이를 주창했고 맹자가 이에 뜻을 같이했다.

* 오행(五行): 사람이 지켜야 할 다섯 가지 도리인 '인의예지신(仁義禮智信)'을 의미한다.

세상의 어리석은 선비들은 잘못된 것인 줄도 모르면서 시끄럽게 지껄인다.
꽥!
꽥!
그리고 마침내 이를 배워 전하면서 공자와 자유가 이들 때문에 후세에 존경받는다고 생각한다.
모두 다 우리 덕분이지.
이것이 바로 자사와 맹자의 죄이다.

자사는 공자의 손자로, 공자의 학설을 계승한 인물이야.
닮았죠?
유교 4서(논어, 대학, 중용, 맹자) 중 하나인 《중용》의 저자이기도 하지.
《중용》의 저자, 자사
사인해 주세요.
맹자는 자사의 제자에게 공자의 학문을 배웠어.
!
자사 선생님 수제자가 운영하는 학원
자유는 춘추 시대 때 노나라 사람으로, 공자 문하의 10대 수제자인 *공문십철의 한 사람이야.
노나라
공자가 가장 아끼던 제자로서 문학에 특히 뛰어났지.
잘했어.
문학상
순자는 자사와 맹자가 주장하는 바가 난해하고 명확하지 못해 공자의 가르침을 왜곡한다고 했어.
?
어려워!
맹자
자사

* 공문십철(孔門十哲): 공자의 제자 가운데 특히 학문이 뛰어난 열 명.

특히 인간의 본성을 선하게 보는 맹자의 성선설은 후천적 교화의 의미를 낮게 보아 학문의 중요성을 강조한 공자의 가르침에 어긋난다고 주장했지.
성선설
다 착해!
뭐냐….
순자와 맹자의 학문적인 대립 관계는 이때부터 시작되었다고 볼 수 있어.
VS
그러나 후대의 유학자들이 맹자의 손을 들어 주면서
공자, 증자, 자사, 맹자로 이어지는 유가의 학통이 확립되었고, 순자는 계보에서 밀려나게 되었지.
법가
명가
유가
도가
묵가
이처럼 순자는 유가, 도가, 묵가, 법가, 명가 등 제자백가의 유명 학파들을 총망라해 비판했어.
쟤 뭐야?
자기만 잘났지~.
열두 명의 학자들이 이 사실을 알았다면 기분이 어땠을까? 좋지는 않았을 거야.
그래도 할 거야.

그러나 인신공격이 아닌 학설의 오류나 약점에 대한 지적이라면 어때?
인정하시오.
화는 나는데 맞는 말만 하고 있네. 할 말이 없다.
서로 의견을 주고받으며 각자의 학설을 보완할 수 있는 기회를 얻게 된다면 생산적인 논쟁이라고 할 수 있지 않을까?
생산적인 논쟁
순자의 비판 역시 순자의 주관적인 해석이므로 얼마든지 비판의 대상이 될 수 있는 것처럼 말이야.
비판
순자의 문제의식과 꼿꼿한 태도는 본받을 만해.
최고!
순자는 어진 사람들이 모범으로 삼아야 할 성인에 공자와 자궁(子弓), 순임금, 우임금을 꼽으며 열두 명의 학자와 대비시켰어.
순자는 이 네 사람을 권세의 획득 여부에 따라 다시 두 그룹으로 나누었어.
A그룹
B그룹
송곳 하나 꽂아 둘 땅도 없지만 왕과 귀족들이 감히 그와 명성을 다투지 못하고, 일개 대부의 지위에 있다 해도 임금이 그를 잡아 두지 못하며 어느 한 국가도 그를 독차지하지 못한다.
난 자유인이야.
또한 그 명성이 높아져 제후들이 서로 신하로 삼고 싶어 했는데, 권세를 얻지 못한 성인인 공자와 자궁이 그런 사람이다.
존경해요.
제후
공자
자궁
천하를 통일하고 만물을 풍족케 하며 백성들을 보살펴 천하를 두루 이롭게 만들어 세상의 모든 사람이 따르고 복종하면, 앞의 여섯 가지 학설을 펴는 이들은 당장 자취를 감추고 그 열두 사람은 교화될 것이다. 권세를 얻었던 성인인 순임금과 우임금이 그런 사람이다.

여기서 자궁은 공문십철 중 한 명인 중궁(仲弓)이야.
내 제자야.
제가 덕행 좀 해요.
춘추 시대 때 노나라 사람으로, 공자가 '가히 군주 노릇을 하게 할 만하다.'며 극찬을 한 인물이란다.
군주가 될 만해.
열심.
열심.
어질고 유능한 반면, 말주변이 약간 부족하다는 평가를 받기도 했지.
저….
아이고, 속 터져!
공자나 자궁은 정치적으로 권력을 가졌던 적이 없어. 그래서 순자가 '권세를 얻지 못한 성인'이라고 표현한 거야.
자궁아, 우린 언제 취직이 될까?
한편 '권세를 얻었던 성인'인 순임금과 우임금은 권좌에 있으면서도 결코 권력에 취해 있지 않았어.
커피나 한잔하세.
그래요. 취하면 안 되니까.
폭정과는 거리가 먼, 성군 중의 성군이었지.
요임금
순임금
성군
성군
성군
성군
순임금은 요임금과 함께 중국 고대 전설 속의 삼황오제(三皇五帝)에 포함되는데, 덕치의 모범을 보여 준 대표적인 임금이야.
요임금이 다스리던 때로 잠깐 거슬러 올라가 볼까?
요임금은 효심이 지극하다는 순의 미담을 전해 듣고 그에게 중책을 맡긴 뒤 왕위까지 물려줬어.
이제 너 해.
열심히 할게요.
순임금 역시 선정을 베풀면서 태평시대가 이어졌지.
순임금은 황하의 홍수 피해를 획기적으로 줄인 공로자인 우에게 왕위를 물려줬어.
우임금
우는 수해 방지 작업을 하던 13년 동안 자신의 집 앞을 세 번 지나갔지만 한 번도 들르지 않았다고 해. 그만큼 헌신적으로 노력했지.
언제 집에 가나….
우네 집
요임금, 순임금, 우임금이 통치하는 동안 중국은 태평성대를 구가했고 백성들은 평화롭고 안정된 생활을 영위할 수 있었어.
요즘 어때?
태평성대야~.

순자는 공자와 자궁, 순임금, 우임금이 모두 성인으로서 사회에 큰 기여를 했다고 여겼어.
존경해요.
그러나 그 가르침에 위배되는 그릇된 이야기들로 세상이 어지러우니 얼른 이 성인들을 본받아 세상의 잘못된 학설들이 사라지도록 해야 한다고 주장했지.
휘잉
잘못된 학설
어진 사람이라면 지금 무엇을 해야 하겠는가?
위로는 순임금과 우임금의 제도를 법도로 삼고 아래로는 공자와 자궁의 뜻을 법도로 삼아서
순임금
우임금
공자
자궁
그 열두 사람의 학설이 자취를 감추도록 해야 한다.
혜시
위모
맹자
그렇게 되면 천하의 해악이 사라지고 어진 사람의 과업이 이루어져 성왕의 발자취가 밝게 드러나게 될 것이다.
성왕
따뜻해.
또 방법과 책략을 총괄하고 언행을 일치시켜야 한다. 규범을 통일하고 천하의 영웅호걸들을 모아 옛일들을 알려 주는 한편, 지순한 것도 가르쳐야 한다. 그리하면 곳곳에 성왕들의 가르침이 전파되고 평화로운 풍속이 생겨날 것이다.
그러면 앞에서 거론된 여섯 가지 학설을 펴는 이들이 끼어들지 못하고 열두 사람은 가까이하지 못할 것이다.

순자는 성인들의 존재와 그들의 언행 및 가르침이 세상에 절대적인 영향을 미친다고 생각했어.
순자가 위대한 선비에 대해 설명한 글을 보면 잘 알 수 있을 거야.
大儒
위대한 선비 즉, 대유(大儒)는
세상을 조화롭게 통일시키는 사람이지만 사방 백 리의 땅이 없다면 그 공로를 드러낼 곳이 없다.
100리
백 리의 땅을 갖고도 포악한 무리를 제압해 세상을 통일하지 못한다면 그는 대유가 아니다.
내 땅
대유에게 백 리의 땅이 있다면 천 리의 영토를 지닌 나라도 그를 이길 수 없다.
다 덤벼!
내 땅 100리
대유는 포악한 나라들을 응징해 천하를 통일하기에, 누구도 그를 무너뜨리지 못한다.
대유임을 나타내는 증거는 다음과 같다.
증거
대유는 말에 법도가 있고, 행동이 예의 바르다.
또한 하는 일에 후회가 없으며 위험을 극복하고 변화에 적응해 모든 일을 합당하게 처리한다. 때에 맞게 세상과 함께 행동하므로 천 가지 일을 하고 만 가지 변화가 있다 해도 그 도가 한결같다.
이것이 바로 대유의 일이다.

궁할 때는 속된 선비 즉, 속유들이 조롱하지만 대유의 뜻이 이루어질 때는 영웅호걸들도 그로 인해 감화한다.
충성!
괴상한 이들은 대유로부터 도망가려 하고, 사악한 이야기를 지껄이는 이들은 대유를 두려워하나 대중은 대유를 귀히 여긴다.
대유는 뜻이 이루어지면 천하를 통일하고, 궁할 때는 홀로 고귀하게 이름을 지킨다.
그러므로 하늘이 대유를 죽게 할 수 없고, 땅도 그를 묻지 못하며 걸왕과 도척의 세상도 그를 더럽히지 못한다.
이 모든 것은 대유가 아니면 이룰 수 없는 일들이다. 공자와 자궁이 바로 그들이다.
요임금에서 순임금 그리고 우임금으로 왕위가 이어지는 대목을 다시 한번 읽어 보렴. 대단하지 않니?
요임금
순임금
우임금
보기 좋아요.
보통의 왕이라면 으레 자식들에게 왕위를 물려줘. 그러나 이들은 후계자를 정할 때 혈연관계에 얽매이지 않았어.
아들아, 넌 다른 직업을 구해 보거라.
요즘 취직하기 힘든데요.
고정 관념에서 벗어난 이들의 행동이 아주 근대적이지 않니?
이처럼 자식에게 세습하지 않고 덕 있는 사람에게 왕위를 물려주는 것을 선양(禪讓)이라고 해.
부탁하네.
열심히 해 볼게요.
왕권
유가에서는 요임금, 순임금, 우임금 간에 행해진 선양을 유교 정치의 모범으로 보며 가장 바람직한 정권 교체 방법으로 여겼어.
정권 교체
그러나 순자는 이를 칭송하는 유가의 이론을 반박했단다.
그냥 넘어갈 수가 없네.

세속의 논자들 중에는 요임금과 순임금이 선양을 했다고 주장하는 이들이 있는데, 그렇지 않다.
요임금 순임금 만세
선양찬성
성인인정
천자는 지극히 높고 존귀한 자리라서 천하에 대적할 것이 없는데 누구에게 물려준다는 말인가?
너무 높아!
천자
도와 덕이 순수하게 갖춰지고 지혜가 아주 밝은 이가 왕이 되어 통치하면 천하의 생명 있는 것들은 모두 두려워 떨며 복종한다.
그러면 은둔하는 선비가 없어지고 선한 사람을 내버려 두는 일이 없어진다.
임금과 뜻을 같이하는 이는 옳고, 뜻을 달리하는 이는 그르다.
그런데 어떻게 천하를 물려주겠는가?
천자의 자리는 지존의 자리이므로 물려주고 물려받는 성질의 것이 아니라는 거야.
지존
순자는 누구도 남에게 천자의 자리를 물려주지 않는다고 주장했어.
내 거야.
자리
나아가 요임금과 순임금이 선양을 했다는 말은 헛된 소리이며 어리석은 자들의 이야기라고 잘라 말했지.
유언비어
거짓말
순자의 주장이 맞다면 요임금이 순임금에게 왕위를 물려준 것은 요임금의 자발적인 뜻이 아니게 돼.
그만 물러나지 눈치도 없어….
내 말이….
일종의 권력 투쟁이 있었을 가능성이 높은 것이지.
권력 투쟁
그러나 요임금과 순임금의 선양설은 당시 유가에서 정설로 인정받고 있었고, 《논어》와 《맹자》 등의 주요 경전에도 기록되어 있어.
논어
맹자
요임금과 순임금을 성군의 이상형으로 보았던 유가는 이들의 미덕과 평화적인 정권 교체를 찬양하곤 했지.

이렇게 되면 순자는 자신이 속한 유가의 학설에 정면으로 반기를 든 꼴이 돼.
반기
유 가
순자에 이어 한비자도 요순 선양설은 허구라며 의문을 제기했어.
뭔가 이상해….
요순 선양설
중국의 역사서인 《죽서기년(竹書紀年)》에도 두 사람의 평화적인 정권 교체를 의심케 하는 내용이 기록되어 있지.
응?
죽서기년
그러나 이는 정통 유가의 학설에 어긋나는 이야기라 인정받지 못했어.
뻥
정통유가
이단
지금은 요순 선양설을 고대 전설이 미화 혹은 왜곡된 이야기로 보는 편인데, 만약 선양설을 뒷받침할 만한 객관적인 사료가 발견된다면 대접은 달라지겠지?
증거가 없네….
순자가 요임금과 순임금의 이야기에 발끈한 내용이 더 있는데 다음의 글을 보면 잘 알 수 있어.
순자
세속의 논자들이 말하길, 요임금과 순임금이 백성들을 잘 교화하지 못했다고 한다. 어째서 그렇게 말하는가?
우리 좀 그냥 둬!
요임금
순임금
요임금의 아들인 주(朱)와 순임금의 동생인 상(象)이 교화되지 않았기 때문이다.
주
상
요임금과 순임금은 세상에서 교화를 가장 잘했다.
그들이 천하를 다스리면 생명 있는 것들이 모두 감동해 복종했다.
그러나 주와 상 두 사람만 그렇지 않았는데, 이는 요임금과 순임금의 잘못이 아니라 주와 상의 잘못이다.
오늘날 세속의 논자들은 천하에 쓸모없던 주와 상을 괴이하게 여기지 않고 요임금과 순임금을 비난한다. 어찌 잘못이 아닌가?
쉽지 않아, 자식 농사….
동생도 마찬가지예요.
이를 가리켜 쓸데없는 말이라고 한다.
찍

활을 제일 잘 쏘는 예와 봉문도 활의 줄이 느슨하고 화살이 굽어 있으면 과녁을 맞출 수 없다.
수레를 제일 잘 모는 왕령과 조보도 절름발이 말과 부서진 수레로는 멀리 갈 수 없다.
교화를 제일 잘하는 요임금과 순임금도 마찬가지이다. 악한과 몹쓸 자들을 교화할 수는 없었다.
어느 세상에 악한이 없고 어느 시대에 몹쓸 자들이 없겠는가?
태호씨와 수인씨가 살았던 옛날부터 그런 이들이 없었던 적은 없다.
태호씨와 수인씨는 신농씨와 함께 중국 전설 속의 세 임금, 즉 삼황(三皇)으로 불리던 인물들이야.
태호씨는 복희씨라고도 하는데 백성들에게 고기 잡는 법을 가르쳤고 수인씨는 불의 사용법을, 신농씨는 농사짓는 법을 가르쳤다고 해.
복희씨
신농씨
수인씨
요임금의 아들인 주는 못나고 어리석기로, 순임금의 동생인 상은 악독하기로 유명했어.
아들 때문에 걱정이야.
저도 동생 때문에 걱정이에요.
순자는 이를 두고 사람들이 입방아를 찧자 두 임금을 옹호하기 위해 팔 걷고 나섰어.
고마워.
결사 옹호!
어느 시대에나 구제 불능의 인간들은 있기 마련이므로 요임금과 순임금을 비난하면 안 된다는 거야.
완벽한 인간은 없지요.
교화에도 현실적인 한계가 있다는 것을 인정하고, 포기할 것은 포기하자는 순자의 주장은 그의 현실적인 면모를 잘 보여 주고 있어.
현실적이지?

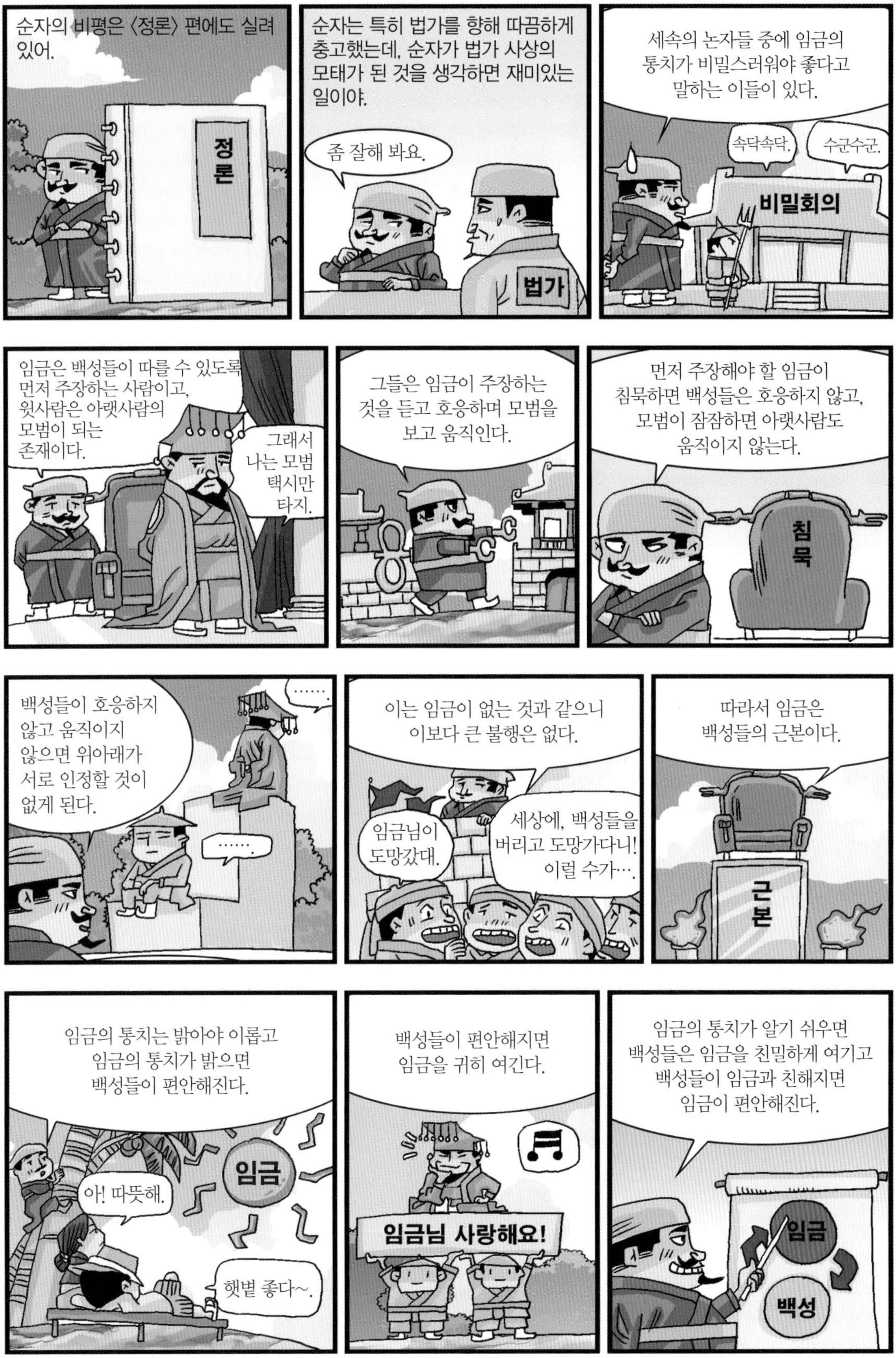
순자의 비평은 〈정론〉 편에도 실려 있어.
정론
순자는 특히 법가를 향해 따끔하게 충고했는데, 순자가 법가 사상의 모태가 된 것을 생각하면 재미있는 일이야.
좀 잘해 봐요.
법가
세속의 논자들 중에 임금의 통치가 비밀스러워야 좋다고 말하는 이들이 있다.
속닥속닥.
수군수군.
비밀회의
임금은 백성들이 따를 수 있도록 먼저 주장하는 사람이고, 윗사람은 아랫사람의 모범이 되는 존재이다.
그래서 나는 모범 택시만 타지.
그들은 임금이 주장하는 것을 듣고 호응하며 모범을 보고 움직인다.
먼저 주장해야 할 임금이 침묵하면 백성들은 호응하지 않고, 모범이 잠잠하면 아랫사람도 움직이지 않는다.
침묵
백성들이 호응하지 않고 움직이지 않으면 위아래가 서로 인정할 것이 없게 된다.
……
……
이는 임금이 없는 것과 같으니 이보다 큰 불행은 없다.
임금님이 도망갔대.
세상에, 백성들을 버리고 도망가다니! 이럴 수가….
따라서 임금은 백성들의 근본이다.
근본
임금의 통치는 밝아야 이롭고 임금의 통치가 밝으면 백성들이 편안해진다.
임금
아! 따뜻해.
햇볕 좋다~.
백성들이 편안해지면 임금을 귀히 여긴다.
임금님 사랑해요!
임금의 통치가 알기 쉬우면 백성들은 임금을 친밀하게 여기고 백성들이 임금과 친해지면 임금이 편안해진다.
임금
백성

그러므로 임금이 통치하는 데 있어 백성들이 알기 어렵게 하는 것보다 나쁜 것이 없고, 백성들이 임금을 두려워하게 하는 것보다 위태로운 것이 없다.
옛 임금들도 세상을 밝게 다스렸다.
어찌 어둡게 다스렸겠는가?
딸깍.
구체적인 이름을 거론하지는 않았지만 이는 법가에 대한 비판으로 볼 수 있어. 내용상 법가의 주장과 일맥상통하기 때문이지.
떠벌떠벌
우리 얘기 같은데?
법가에서는 백성들에게 통치에 대한 정보를 제공한다거나 백성들을 이해시키기 위해 노력할 필요가 없다고 말하거든.
이게 무슨 말이야?
통지서
어려워.
오로지 법으로 엄격하게 다스리면 그것으로 충분하다는 입장을 가지고 있지.
땅
법
그러나 순자는 유가 사상가로서 법가와는 생각이 달랐어.
치킨
닭백숙
임금은 백성들의 근본으로서 백성들에게 모범을 보이고, 백성들을 잘 이끌어야 한다고 보았어. 법가처럼 백성들을 무시하는 방식이 아닌 백성들과 늘 소통해야 한다고 생각했지.
소통
순자는 〈해폐〉 편에서 법가를 비롯한 제자백가들이 저마다 비뚤어진 견해를 갖게 된 이유에 대해 밝혔어.
해폐(解蔽)
순자는 제자백가들의 마음이 한쪽으로 쏠려 있다고 생각했어.
한쪽 방향

여러 나라를 유세했던 어지러운 학파들은 다음과 같다.
성명서
묵자는 실용에 가려서 문화를 알지 못했고, 송자는 욕망에 가려서 소망을 알지 못했으며, 신자(愼子)는 법에 가려서 현명함의 가치를 알지 못했다.
신자(申子)는 권세에 가려서 지혜를 알지 못했고, 혜자는 말에 가려서 실질을 알지 못했으며 장자는 자연에 가려서 사람을 알지 못했다.
실용을 좇는 것을 도라고 한다면 이익만 추구하게 될 것이고
이익
욕망을 좇는 것을 도라고 한다면 쾌락만 다하게 될 것이며
법을 좇는 것을 도라고 한다면 술수만 추구하게 될 것이다.
권모술수라고 합니다.
이름 참 좋네요!
뇌물
또한 권세를 좇는 것을 도라고 한다면 편의만 찾게 될 것이고
편의점
말을 좇는 것을 도라고 한다면 변론만 힘쓰게 될 것이며 자연을 좇는 것을 도라고 한다면 그저 내버려 두기만 할 것이다.
이러한 것들은 모두 도의 한 측면일 뿐이다.
그러나 이들은 순자의 눈에는 못마땅해 보였을지라도 중국 사상사에 크나큰 발자국을 남긴 인물들이란다.
만약에 제자백가의 쟁쟁한 학자들이 나란히 앉아서 토론 시합을 벌인다면 어떨까? 정말 흥미진진할 것 같지 않니?
토론 시합

춘추 전국 시대는 어떤 시대였을까?

순자 사상의 시대적 배경이 된 춘추 전국 시대는 어떤 시대였을까요?

주(周)나라는 기원전 770년에 서쪽 지방에 살던 유목민들에게 침입을 당한 후, 수도를 동쪽의 낙양으로 옮겼어요. 이때부터 중국은 진(秦)나라가 전국을 통일한 기원전 221년까지 혼란과 분열을 겪게 되었지요. 이 시기를 가리켜 춘추 전국 시대라고 불러요. '춘추 시대'와 '전국 시대'를 합쳐 부르는 이 말은 역사서인 《춘추》와 《전국》에서 비롯된 표현이랍니다.

춘추 시대는 그 끝을 언제로 볼 것이냐를 두고 학설이 분분해요. 흔히 진(晉)나라가 한·위·조 세 나라로 분열되는 시점(기원전 403년)까지로 보지만 여기서는 사마천이 지은 역사서 《사기》의 6국표 연대기를 근거로, 기원전 475년까지로 볼 거예요.

춘추 시대와 전국 시대는 대혼란기라는 점에서는 비슷하지만 약간의 차이가 있어요. 춘추 시대에는 주나라의 세력이 약화되고 있었지만, 외형상으로는 제후국들이 주 왕실에 충성을 바치고 있었어요. 각 지방을 다스리던 제후들은 공동으로 외적의 침입을 막아 내며 형식적으로나마 주 왕실에 대한 '예(禮)'를 지키고 있었지요. 그러나 그와 동시에 제후들은 제후국들의 우두머리, 즉 패자가 되기 위해 서로 세력을 키우며 경쟁을 벌이고 있었어요. 100여 개에 이르던 제후국들이 춘추 시대 말기에는 14개 정도만 남았을 정도로 경쟁이 극심했답니다. 특히 이 시기에 가장 강성했던 제(齊), 진(晉), 초(楚), 오(吳), 월(越) 이 다섯 나라의 패자를 가리켜 오패라고 불러요.

흉노
고조선
월지
동해
진
(晋)
위
조
연
제
황해
강
한
진
(秦)
초
양쯔 강
저
오
월
동중국해
● 춘추 5패
□ 전국 7웅
춘추 전국 시대의 주요 강국

그 후 전국 시대에 들어서는 혼란의 정도가 한층 심해졌어요. 주나라 왕만 쓸 수 있던 '왕'이라는 칭호를 제후들도 쓰기 시작했지요. 이는 주 왕실의 권위가 완전히 무너졌다는 뜻이었어요. 그때부터 제후들은 누구의 눈치도 보지 않고 세력 경쟁에 몰두했어요. 저마다 자기보다 약한 나라를 침략해 말 그대로 약육강식의 시대였어요. 전쟁은 일상이 되었고 전투의 규모도 커졌으며 기간도 장기화되었지요. 그리고 마침내 7개의 강국인 제(齊), 초(楚), 진(秦), 연(燕), 위(魏), 한(韓), 조(趙) 등이 서로 세력을 겨루게 되었어요. 이 일곱 나라의 패자를 가리켜 칠웅이라고 부르지요. 그래서 오늘날 혼전이 거듭되어 승패나 우열을 가릴 수 없는 상황을 가리켜 '춘추 전국'이라고 표현하기도 한답니다.

춘추 전국 시대는 기존의 질서가 무너지고 새로운 질서가 형성되는 격변의 시기였어요. 무엇보다 주나라를 지탱하던 봉건 제도가 붕괴되면서 각 제후국 내의 신분과 사회 질서가 문란해졌지요.

그러나 춘추 전국 시대는 정치적으로나 사회적으로 매우 혼란스러웠던 것과 달리 사상적으로는 크게 융성했던 시기였어요. 각 제후들이 부강한 나라를 만들기 위해 국적과 신분을 따지지 않고 인재를 초빙하면서 수많은 학자가 부국강병을 이룰 수 있는 방안들을 제시하고 나섰기 때문이에요. 신분은 높지 않지만 학문의 수준이 깊은 '선비' 계층이 출현한 것도 바로 이 시기지요. 이때 등장한 사상가들, 즉 제자백가 덕분에 중국의 사상과 학문은 눈부시게 발달했어요.

한편 춘추 전국 시대는 중국 대륙에서 철기 문화가 본격적으로 피어난 시기이기도 해요. 철기의 사용은 각 분야에 커다란 변화를 가져왔어요. 철제로 된 튼튼한 농기구를 사용하면서 농사는 한층 수월해졌고, 이는 수확량의 증대로 이어졌어요. 또 소를 농사에 이용하고 관개 시설이 보급되면서 수확량은 한층 더 늘어났지요. 철제 무기를 사용하면서 전투력이 높아진 것은 말할 것도 없고요. 이렇게 전체적인 생산력이 높아지고 큰 도시들이 생겨났어요. 뿐만 아니라 화폐가 널리 사용되면서 중국 대륙에서는 상업과 수공업(제철업, 제염업, 방직업 등)이 크게 발달했답니다.

제자백가의 여러 사상들

춘추 전국 시대는 걸출한 현자와 사상가들이 출현한 사상의 황금기였어요. 학자들은 저마다 학파를 만들어 학문을 연구하고 학설을 체계화해 책을 펴내는 한편, 각국의 위정자들을 만나 자신의 이론과 주장을 펼쳤지요. 이 시기에 활동한 다양한 학파와 학자들을 통칭해 '제자백가'라고 해요. 중국 사회 전반에 큰 영향을 끼친 이들의 사상은 중국의 학문과 사상의 기초가 되었어요.

제자백가의 학파에는 유가, 법가, 도가, 묵가, 명가, 병가, 음양가, 농가, 잡가, 종횡가 등이 있는데 그중에서도 유가, 법가, 도가, 묵가를 4대 학파로 꼽는답니다.

(1) 유가(儒家)

공자로부터 시작된 유가는 제자백가 시대를 연 최초의 학파예요. 공자의 가르침을 배우고 익히는 학문을 유학(儒學)이라고 하는데 법가나 도가 등 다른 학파와 구분해 표현할 때는 유가라고 하지요. 유교(儒教)는 유학을 종교적인 관점에서 일컫는 말이고요. 유가에서는 사람이 지켜야 할 도리를 중시하고 도덕 정치를 강조하며 덕이 있는 왕이 인과 예로 정치를 해야 한다고 주장해요. 공자를 비롯해 맹자, 순자 등이 대표적인 유가 사상가랍니다. 유가 사상은 공자 생전에는 제후들로부터 인정받지 못했으나 나중에는 중국 사상계를 지배하게 되었어요.

공자

(2) 법가(法家)

법가는 법치주의를 내세운 학파예요. 유가와 달리 정치와 도덕을 분리하고, 법을 엄격하게 제정해 집행할 것을 강조했지요. 상앙, 신불해, 한비자 등을 대표적인 법가 사상가로 꼽을 수 있는데 이 중 한비자는 법가의 이론적 토대를 구축한 인물이랍니다. 법가는 도덕 정치를 주장하는 유가와 대립하면서 발전하다가 진나라의 통치 이념으로 채택되면서 중국 통일의 사상적 배경이 되었어요. 진시황은 광대한 중국 대륙을 통치하기 위해 강력한 법치를 시행했지요.

(3) 도가(道家)

도가는 유가와 비슷한 시기에 생겨났어요. 도가를 창시한 노자는 천지 만물의 근원과 도의 작용을 각각 '도(道)'와 '덕(德)'으로 불렀어요. 그래서 '도덕가'라고 불리던 것이 다시 '도가'라는 명칭으로 굳어져 오늘날까지 이어지게 되었지요. 노자는 자연을 본받고 자연에 순응하는 생활을 해야 한다고 강조하며 통치자 역시 무위자연(無爲自然)의 태도로 백성들을 다스려야 한다고 주장했어요. 도가 사상은 노자의 제자인 장자에 의해 발전되었어요.

노자

(4) 묵가(墨家)

묵가는 묵적이 창시한 학파예요. 묵적은 53편으로 구성된 《묵자》라는 사상서를 남겼는데, 그 중심 사상은 모든 사람을 차별 없이 사랑하라는 겸애(兼愛)와 침략 전쟁을 반대하는 비공(非攻)으로 구분할 수 있어요. 한마디로 묵가는 사랑과 평화를 강조한 사상이지요. 또 묵가 사상은 형식에 얽매인 예의를 거부하며 실용적이지 못한 음악을 폐지할 것과 검소한 생활의 영위, 장례의 간소화 등을 주장했어요. 묵가는 제후들에게 환영받지는 못했지만 당시 널리 호응을 얻어 유가와 함께 양대 세력이라 불리기도 했어요. 그러나 결국 유가가 우세해지면서 묵가는 역사에서 사라지다시피 했답니다.

(5) 명가(名家), 병가(兵家), 음양가(陰陽家), 농가(農家)

- 명가(名家) – 언어의 분석이나 개념의 규정 등을 중시하는 학파로, 서양의 논리학과 비슷하며 혜시와 공손룡이 대표적인 인물이에요.
- 병가(兵家) – 유명한 장수이자 병법가인 손무의 병법을 연구하는 학파예요. 손무가 지은 《손자》는 고대의 병법서 중 최고라는 평가를 받아요. '남을 알고 자신을 알면 백 번 싸워도 위태롭지 않다.'라는 뜻의 '지피지기백전불태(知彼知己百戰不殆)'라는 말도 《손자》에 실린 것으로, 오늘날까지도 널리 회자되고 있답니다.
- 음양가(陰陽家) – 음양의 원리로 자연계와 인간 사회를 설명하고 예측하려 한 학파예요.
- 농가(農家) – 농업 기술의 향상을 도모한 학파예요.

유가와 법가의 경계선에 있는 순자

순자는 유가 사상가예요. 그러나 순자의 문하에서는 법가 사상가가 여럿 배출되었지요. 그렇다 보니 순자는 유가와 법가를 이어 주는 역할을 한 사상가로 여겨지기도 해요. 유가와 법가는 서로 비판하고 대립하는 관계에 있었는데 순자의 사상 중 어떤 대목이 유가와 법가의 징검다리가 되었을까요?

순자

당시 대부분의 제자백가들이 그러했듯이 유가와 법가도 당시를 '혼란과 분열의 시대'로 파악하고, 각기 그에 대한 해법을 제시했어요. 그러나 양측의 접근법은 판이하게 달랐지요.

유가는 신분 질서와 예악(禮樂) 문화가 잘 유지되던 주나라 초의 상태로 돌아가자고 주장하면서 통치자는 인의를 베푸는 덕치(德治)를 펴야 한다고 강조했어요. 반면에 법가는 혼란을 수습하고 국가를 개혁해 부국강병을 이루기 위해서는 통치자가 엄격한 법치(法治)를 펴야 한다고 했지요.

순자는 예치(禮治)를 주장했어요. 군주가 예(禮)라는 사회 제도를 이용해 통치하는 것을 의미하는 예치는 유가의 덕치와 법가의 법치가 만나는 접점이에요. 순자가 생각하는 예에는 법의 요소가 담겨 있어요. 따라서 순자의 정치사상에는 덕치주의와 법치주의가 모두 포함되어 있다고 볼 수 있어요. 이렇듯 순자는 유가와 법가의 경계선에 서 있는 사상가였어요.

유가 사상가였던 만큼 순자 역시 주나라 초의 상태로 신분 질서와 예악 문화가 회복되어야 한다고 주장했어요. 법가의 주장처럼 법을 제정해 통치하는 것에는 동의하지 않았지요. 군주가 덕치를 펴는 것이야말로 통치의 근본이며 법은 보조적 수단에 불과하다고 생각했기 때문이에요. 그러나 순자는 덕치를 이야기하면서도 통치자가 예로써 백성들과 나라를 다스려야 한다고 주장하고 있어요. 이것이 바로 다른 유가 사상가들과 순자의 차이랍니다.

순자는 예를 가르침으로써 인간의 악한 본성을 바꾸고 교화할 수 있다고 보았어요. 반면에 순자의 제자이자 법가 사상을 집대성한 한비자는 엄정한 법 집행과 상벌의 원칙으로 사람의 악한 본성을 다스려야 한다고 보았지요. 사실 예라는 사회 제도를 통해 나라와 백성들을 다스리는 예치는 법이라는 사회 제도를 통해 나라와 백성들을 다스리는 법치와 본질적으로 유사해요. 사회 제도를 통해 통치한다는 점에서는 둘 다 똑같기 때문이에요.

한편 유가와 법가 두 학파는 몇 가지 공통점을 가지고 있어요. 우선 현실 정치에 적극적으로 참여할 것을 주장한 점이 같아요. 도가나 묵가에 비하면 두 학파는 확실히 정치지향적인 편이지요. 또한 사회 규범과 질서 유지를 중시하고 통치자의 중요성을 강조한 점에서도 비슷해요. 이처럼 차이점이 극명하면서도 유사한 부분이 있었기 때문에 두 학파가 더욱 치열하게 경쟁하고 대립했던 것 같아요.

법가 사상을 국가 이념으로 채택했던 진시황

법가는 한나라 때 유가가 통치 이념으로 채택되면서 쇠퇴하는 듯했지만 중국 역사에서 오래도록 명맥을 유지했어요. 공식적으로는 유가 사상이, 비공식적으로는 법가 사상이 통치 이념의 역할을 해 왔다고 해도 과언이 아니지요. 중국 역대 왕조의 통치자들이 겉으로는 유가 사상을 내세우면서 실제로는 법가 사상이 가미된 통치를 한 데서 '외유내법(外儒內法)'이라는 말이 유래되기도 했답니다.

성선설과 성악설

고대 중국의 사상가들은 인간의 본성이 선한지 악한지를 두고 치열하게 고민했어요. 맹자가 성선설을 주장하면서부터 사상가들 사이에서 인간의 본성에 대한 논쟁이 시작되었지요.

(1) 성선설(性善說)

인간의 본성을 선하게 본 맹자는 인간의 선함은 하늘로부터 온 것이라고 생각했어요. 이때 맹자가 말하는 '하늘'은 자연 과학적 시각에서 보는 '하늘'과는 다른 것이에요. 맹자는 하늘이 도덕적인 힘을 가지고 있고, 인간의 도덕성은 이 하늘로부터 비롯되는 것이라고 보았어요. 맹자는 아이가 우물에 빠질 위기에 처하면 누구나 아이를 구하기 마련이라며 사람에게는 누구나 이렇게 다른 사람을 차마 내버려 두지 못하는 마음 혹은 다른 사람의 불행을 그대로 보아 넘기지 못하는 마음인 불인인지심(不忍人之心)이 있다고 주장했어요.

맹자

맹자는 인간에게는 본래부터 도덕성이 존재하고 있으니 수양을 통해 이 선한 본성을 길러야 한다면서 인간이면 누구나 네 가지 마음을 가지고 있다고 했어요. 바로 남을 불쌍히 여기는 마음(측은지심), 자기의 옳지 못함을 부끄러워하고 남의 옳지 못함을 미워하는 마음(수오지심), 겸손히 남에게 양보하고 사양하는 마음(사양지심), 옳고 그름을 가릴 줄 아는 마음(시비지심)이 그것이에요. 맹자에 따르면 이것이 바로 인간의 본성에서 우러나오는 네 가지 품성, 즉 사단(四端)이며 측은지심은 인(仁), 수오지심은 의(義), 사양지심은 예(禮), 시비지심은 지(智)의 근원이 된다고 해요.

인간의 선한 본성에 힘입어 정의로운 사회가 이루어질 수 있을 것이라고 믿었던 맹자는 왕도 사상을 주장했어요. 군주는 덕으로 백성들을 대하고 어진 마음으로 나라를 다스려야 한다는 사상이지요. 성선설은 왕도 사상의 뿌리가 되었고, 이후 유가에서 본성론의 정통 이론으로 자리 잡게 되었답니다.

(2) 성악설(性惡說)

순자는 맹자의 성선설을 비판하며 인간이 악한 본성을 지니고 있다는 성악설을 주장했어요. 인간이 태어나면서부터 가지고 있는 욕망과 이기심에 주목하는 성악설은 순자가 살던 전국 시대의 혼란상에 바탕을 두고 있어요. 성악설에 부패와 타락이 판치는 인간 사회의 현실이 반영되어 있는 것은 맞지만 순자 자체가 비관적인 인간관을 가지고 있었던 것은 결코 아니랍니다.

성악설의 핵심은 《순자》의 〈성악〉 편에 나오는 '화성기위(化性起僞)'라는 말로 요약할 수 있어요. 본성을 변화시켜 인위를 일으킨다는 뜻이지요. 순자는 인간의 본성은 악하지만 교육을 받고 노력을 하면 누구나 선해질 수 있다고 보았어요. '선한 것은 인위(人爲)이다.' '성인도 배워서 이루었다.'라는 《순자》의 글귀처럼, 선은 전적으로 후천적인 노력의 결과라는 거예요. 이처럼 순자는 성현의 가르침을 배우고 익히는 과정을 통해 인간은 악한 본성을 교정해야 한다고 주장하며 적극적으로 노력하면 누구나 성인이 될 수 있다고 말했어요.

하늘을 순수한 자연으로 인식했던 순자는 맹자와 달리 하늘이 인간의 내면에 어떤 작용을 일으킨다고 생각하지 않았어요. 배움에 힘쓰고 수양을 쌓아 도덕적인 인간이 될 것을 역설했을 뿐이지요. 인간 스스로의 노력으로 자신을 개선해 나가고 사회를 개선해 나가자는 입장인 거예요. 그렇게 본다면 성악설의 목적도 결국은 도덕성의 함양이며, 이는 맹자의 성선설이 뜻하는 바와 같아요. 그러나 유가에서는 순자와 그의 성악설을 이단시했어요. 이는 순자가 맹자를 비판하고 유가가 백안시하던 법가 사상가들에 의해 성악설이 계승되었기 때문이에요. 이처럼 서로 상반되는 성선설과 성악설의 논쟁은 지금도 계속되고 있어요.

순자

김세라 글 | 이인섭 그림

01 인간의 본성에 대해 순자가 주장한 학설은 다음 중 무엇일까요?

① 성선설 ② 성악설 ③ 성무선악설
④ 본성설 ⑤ 자연설

02 순자는 출생과 사망 등 생애 전반에 대해 알려진 것이 많지 않지만, 춘추 전국 시대 말기에 활동했다고 알려져 있습니다. 이 시대의 학자들은 자신의 정치사상이 권력자에게 채택되어 현실 정치에 참여할 수 있도록 많은 나라를 돌아다녔습니다. 순자 역시 여러 나라를 돌며 다양한 활동을 펼쳤습니다. 그의 활동을 설명한 아래 보기를 순서대로 옳게 배열한 것은 무엇일까요?

㈎ 초나라에서 난릉 지방의 수령으로 있었다.
㈏ 법가 일색인 진나라에 유가 사상을 권했다.
㈐ 조국인 조나라로 돌아와 정치 및 군사 분야에서 자문 활동을 했다.
㈑ 제나라로 발길을 돌려 제나라의 선왕이 만든 학문 공간인 직하학궁에서 대표적인 직하학파의 학자가 되었다.
㈒ 초나라의 춘신군에게 전갈을 받고 난릉으로 돌아왔다.

① ㈎–㈑–㈏–㈒–㈐ ② ㈎–㈑–㈏–㈐–㈒
③ ㈏–㈎–㈑–㈐–㈒ ④ ㈏–㈑–㈎–㈐–㈒
⑤ ㈏–㈑–㈎–㈒–㈐

03 순자는 하늘(자연)은 일정한 원리에 따라 운행되며 거기엔 어떠한 의지나 목적이 개입하지 않는다고 보았습니다. 하늘과 인간 세상은 무관하게 흘러가는 것이기에 인간의 길흉화복 또한 하늘에 달린 것이 아니라 인간에 달려 있다고 하였죠. 이처럼 하늘과 사람을 아무 상관없는 별개의 존재로 보는 사상을 사자성어로 요약하면 무엇일까요?

---

04 순자는 인간은 나면서부터 이익을 좋아하고 이러한 성질로 인해 질투와 증오가 있는 채로 태어난다고 보았습니다. 이러한 타고난 악한 본성은 후천적인 교화를 거쳐 선하게 바뀔 수 있다고 보았지요. 이렇게 본성과 대비되는 개념으로, 예의와 법도, 학문을 배우고 익혀 끊임없이 선함을 얻고자 노력하는 인간의 행위를 무엇이라고 할까요?

---

05 순자는 자연을 바라보고 대하는 자세에 따라 군자와 소인을 구분했습니다. 보기 중에서 순자가 보는 군자에 더욱 적합한 사람은 누구일까요?

① 유재덕: 중요한 시험을 앞두고 있어서 하루에 세 시간씩 시험 잘 보게 해 달라고 하늘에 빌었어.

② 정준화: 면접에 합격하고 싶어서 신을 모시는 무당에게 찾아가 부적을 써 달라고 했어.

③ 한동훈: 키가 크려면 타고난 신체 조건에 기대지 않고, 운동도 열심히 하고 밥도 골고루 먹어야 해. 오늘부터 키 크기 도전이야!

④ 양세현: 하늘엔 만물을 지배하는 힘이 있어. 그러니까 가뭄이 들 땐 비 오게 해 달라고 하늘에 기우제를 지내야 해.

⑤ 방명수: 하늘도 무심하시지, 복권에 당첨되게 해 달라고 그렇게 빌었는데 또 꽝이야.

06 순자는 '이것'을 예의(禮義)의 기능 중 하나로 보았습니다. 이것은 사람들을 신분, 나이, 계층, 능력 등에 따라 등급을 매기고 차등 대우를 하는 것을 말합니다. 순자는 이것을 통해 인간이 태어날 때부터 가지고 있는 욕망을 제한하고 질서를 바로 세워야 나라가 제대로 다스려질 것이라고 생각했습니다. 이것은 무엇일까요?

① 분별　② 평등　③ 통합　④ 양심　⑤ 자유

07 다음 중 음악에 대한 순자의 주장으로 틀린 것은 무엇일까요?

① 임금과 신하, 윗사람과 아랫사람이 음악을 함께 들으면 서로 화합하고 공경하게 된다.

② 나라를 다스리는 통치자가 음악을 즐기면 안 된다.

③ 사람은 즐거우면 반드시 소리와 행동으로 드러나는데, 이때 도리에 맞지 않은 음악이 있으면 혼란이 일어난다.

④ 음악은 한 가지 기준을 살펴 화합을 정하는 것이고, 여러 사물을 견주어 음절을 꾸미는 것이다.

⑤ 악기들이 조화를 이루는 것은 인간 사회가 조화를 이루는 이치와 같다.

08 다음과 같은 공자와 맹자의 말씀으로 미루어 보아 유가 사상의 바바탕이 되는 중요한 개념은 무엇일까요?

공자 : 덕으로 백성을 다스리고 예로 나라의 질서를 유지하면 백성들은 잘못을 부끄러워하며 착하게 살고자 한다.

맹자 : 덕을 베풀고 백성을 사랑하며 어진 정치를 하는 사람은 왕자(王者)이다. 덕으로 다른 사람을 복종시킨다면 상대방은 마음에서 우러나 진심으로 복종한다.

06 ① / 07 ②

08 덕치주의(나라를 덕으로 다스려야 한다)

09 ⑤ : 순자에 따르면 땅을 얻고자 하는 자는 강자(彊者)로, 땅을 빼앗는 데만 골몰하여 남의 나라 백성은 물론 자신의 백성까지 많이 다치게 만들어 그들로부터 미움을 받게 될 것이라고 했습니다. 그리고 결국 힘이 약해진다고 말했습니다.

10 애민(愛民)

09 왕자(王者)와 패자(覇者)에 대한 순자의 생각으로 틀린 것은 무엇일까요?

① 왕자는 덕으로 사람의 마음을 얻고자 하고 패자는 힘으로 동맹국을 얻고자 한다.

② 왕자는 어짊과 의로움, 위엄이 드높아 모두 그와 친하기를 원한다. 그러므로 싸우지 않고도 이기고 군대를 동원하지 않아도 천하가 복종한다.

③ 패자의 정치는 덕치와 거리가 멀 수 있으나 가장 현실적인 정치라고도 볼 수 있다. 창고를 채우고 인재를 엄선해서 등용하며 백성에게 상과 벌을 엄격히 내려 선도하기 때문이다.

④ 어지러운 춘추 전국 시대에 왕자의 정치만 고집하는 것은 어렵다. 따라서 군주가 강력한 힘으로 백성을 이끄는 패자의 정치는 차선의 선택이 될 수 있다.

⑤ 왕자나 패자는 궁극적으로 땅을 얻고자 하여 백성으로부터 사랑을 받게 된다.

정답

01 ② / 02 ④ / 03 천인지분(天人之分) : 순자가 주장한 천인지분은 인간과 자연의 분리를 선언하는 말입니다. 자연은 자연대로 흐르고, 인간은 인간대로 살아가는 것이죠. 다만 인간은 자연 현상이 인간 생활에 직접적인 영향을 미치는 것은 사실이므로 자연을 잘 이해하고 활용하는, 즉 자연의 변화에 사람이 참여하는 태도도 필요하다고 보았습니다. / 04 인위(人爲)

05 ③ : 순자는 자연과 인간은 분리되어 있다는 생각을 토대로, 군자는 자연에 기대지 않고 자기에게 주어진 재능을 발전시키려 노력한다고 했습니다.

10 순자는 백성이 불안해하면 나라가 뒤숭숭해지고, 결국 임금의 자리도 위태로워진다고 경고했지요. 이처럼 백성이 나라의 운명을 좌우한다고 보고 백성을 근본으로 여기는 정치사상이 '민본(民本) 사상'입니다. 순자는 이 민본 사상의 원칙 중에서도 가장 중요한 원칙으로 ○○정신을 꼽았습니다. 백성을 사랑하는 정신을 뜻하는 ○○ 정신은 무엇일까요?

통합교과학습의 기본은 세계사의 이해,

세계대역사 50사건

진시황제와 중국 통일
코페르니쿠스와 과학 혁명
마르크스 레닌주의
제2차 세계 대전

제대로 알차게 만든 교양 세계사 만화!

우리 집 최고의 종합 인문 교양서!

★서양사와 동양사를 21세기의 균형적 시각에서 다룬 최초의 역사 만화
★세계사의 핵심사건과 대표적 인물을 함께 소개해 세계사의 맥락을 짚어 주는 책
★시시각각 이슈가 되는 세계사 정보를 지식이 되게 하는 재미있는 대중 교양서

1. 파라오와 이집트
2. 마야와 잉카 문명
3. 춘추 전국 시대와 제자백가
4. 로마의 탄생과 포에니 전쟁
5.석가모니와 불교의 발전
6. 그리스 철학의 황금시대
7. 페르시아 전쟁과 그리스의 번영
8. 알렉산드로스 대왕과 헬레니즘
9. 실크 로드와 동서 문명의 교류
10. 진시황제와 중국 통일
11. 카이사르와 로마 제국
12. 로마 제국의 황제들
13. 예수와 기독교의 시작
14. 무함마드와 이슬람 제국
15. 십자군 전쟁
16. 칭기즈 칸과 몽골 제국
17. 르네상스와 휴머니즘
18. 잔 다르크와 백년전쟁
19. 루터와 종교개혁
20. 코페르니쿠스와 과학 혁명
21. 동인도회사와 유럽 제국주의
22. 루이 14세와 절대왕정
23. 청교도 혁명과 명예혁명
24. 미국의 독립전쟁
25. 산업 혁명과 유럽의 근대화
26. 프랑스 대혁명
27. 나폴레옹과 프랑스 제1제정
28. 라틴 아메리카의 독립과 민주화
29. 빅토리아 여왕과 대영제국
30. 마르크스_레닌주의
31. 태평천국운동과 신해혁명
32. 비스마르크와 독일 제국의 흥망성쇠
33. 메이지 유신 일본의 근대화
34. 올림픽의 어제와 오늘
35. 양자역학과 현대과학
36. 아인슈타인과 상대성 원리
37. 간디와 사티아그라하
38. 마오쩌둥과 중국 공산당
39.대공황 이후 세계 자본주의의 발전
40. 제2차 세계 대전
41. 태평양 전쟁과 경제대국 일본
42. 호찌민과 베트남 전쟁
43. 팔레스타인과 이스라엘의 분쟁
44. 넬슨 만델라와 인권운동
45. 카스트로와 쿠바 혁명
46.아프리카의 독립과 민주화
47. 스푸트니크호와 우주 개발
48. 독일 통일과 소련의 붕괴
49. 유럽 통합의 역사와 미래
50. 신흥대국 중국과 동북공정
★가이드북

김창회 외 글 | 진선규 외 그림 | 232쪽 내외

원전을 살려 쉽고 재미있게 쓴
한국고전문학읽기
전50권
허균 외 원작 | 전윤호 외 글 | 최정인 외 그림 | 144~212쪽 | 각권 9,500원, 세트 475,000원 | 독자 대상 4학년~중학생
소년한국일보 좋은 어린이책 대상 수상
소년조선일보 2013 올해의 어린이책
제22회 대통령상타기 전국 고전읽기 백일장 본선대회 도서
한국소설가협회 추천도서
한국어린이교육 문화연구원 으뜸책 선정
우리나라 대표 시인과 소설가가 풀어쓴 고전!
《춘향전》《심청전》《흥부놀부전》《박씨전》《최척전》《장끼전과 두껍전》《고대 가요·한시·시조》 등 초·중등 국어 교과서 수록 작품과 수능 및 모의고사 출제 작품까지 분석해서 목록을 구성했습니다.
서울대학교 국어국문학과 김유중 교수가 직접 쓴 작품 해설!
고전이 탄생한 시대적 배경과 작품의 의미 등 전문가가 직접 쓴 신뢰할 수 있는 해설은 고전을 읽는 즐거움을 느끼게 해 줍니다.
김유중(서울대학교 국어국문학과 교수)
바른 인성 교육 해법과 초·중 문학 교육 과정의 필독서
김종광, 정길연, 고진하, 서유미, 김이정, 전성태 등 소설가와 시인이 고전의 참맛을 살리면서도 우리말과 글의 아름다움을 살려 읽기 쉽게 풀어썼습니다.
01 홍길동전
02 춘향전
03 사씨남정기
04 양반전 외
05 장화홍련전
06 전우치전
07 심청전
08 허생전과 열하일기
09 토끼전
10 흥부놀부전
11 금오신화
12 박씨전
13 옹고집전
14 금방울전
15 구운몽
16 최척전
17 이춘풍전과 배비장전
18 조웅전
19 임경업전
20 옥단춘전과 채봉감별곡
21 박문수전
22 숙향전
23 바리데기와 당금애기
24 삼국유사
25 한중록
26 인현왕후전
27 운영전과 심생전
28 최고운전
29 숙영낭자전과 콩쥐팥쥐
30 우리나라 설화와 전설
31 왕오천축국전
32 삼국사기
33 삽교별집
34 장끼전과 두껍전 6학년 2학기 국어활동㉯ 수록도서
35 적성의전
36 파한집과 보한집
37 임진록
38 난중일기
39 유충렬전
40 창선감의록
41 요로원야화기 외
42 역옹패설
43 고려사
44 조선왕조실록 1
45 조선왕조실록 2
46 청구야담
47 윤지경전과 김원전
48 동문선
49 계축일기
50 고대 가요·한시·시조

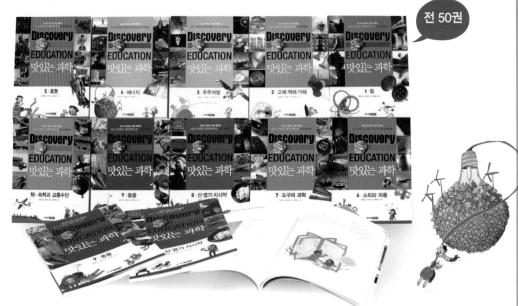

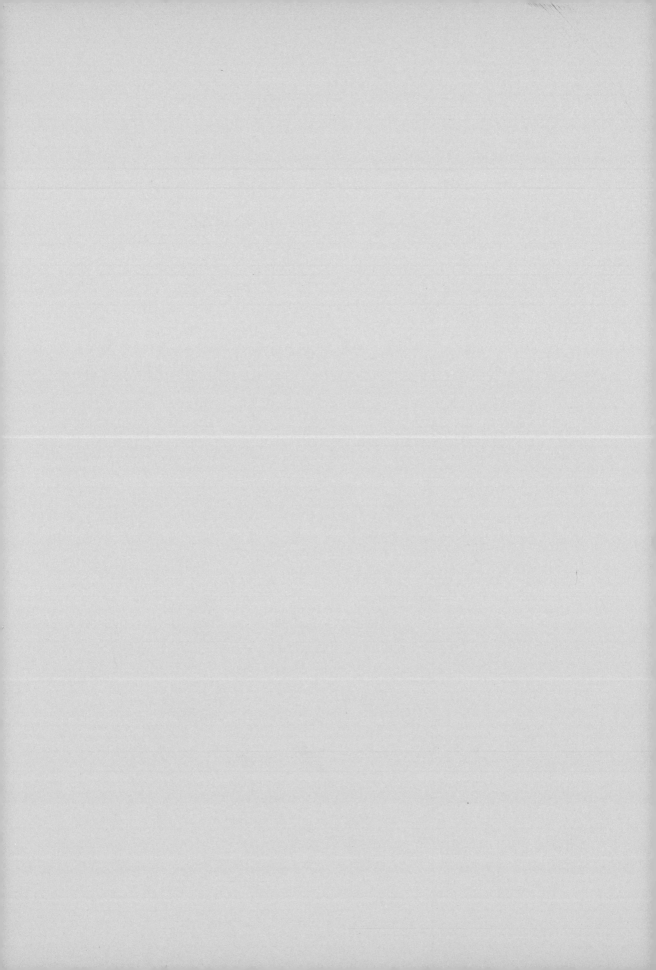